観光客の哲学 増補版

東浩紀

genron

観光客の哲学　増補版

目次

第1部 観光客の哲学

第2部　家族の哲学（導入）

補遺

はじめに

本書は二〇一七年に出版した『ゲンロン0　観光客の哲学』の増補版である。

本書初版の出版には複雑な経緯があり、『ゲンロン0』という題名が併記されていた。そちらはこの増補版では削除した。『観光客の哲学』というすっきりした書名になって満足している。複雑な経緯なるものについては、この文章に続いて収録した「初版への序文」を参照されたい。

増補にあたって、初版では「付論」となっていた「二次創作」の章を本論に組み入れ、第二章に改めた。そのため第三章以下は、初版からひとつずつ章番号がずれている。参照時には注意されたい。また第二部の名称を「家族の哲学（序論）」から「家族の哲学（導入）」に改めた。第一部と第二部については、以上のような目次変更に伴う不可避の調整、最低限の誤字脱字などの修正を除き、内容にはいっさい手を入れていない。

本文に先だち、前述の「初版への序文」に加えて、「中国語繁体字版への序文」と

「英語版への序文」を収めた。

本書の初版は、韓国語、英語、中国語繁体字、中国語簡体字の四つの言語の出版社から翻訳の申し出を受けた。韓国語訳と英訳はすでに出版されている。韓国語訳には新たな序文はない。英訳にはあらたに序文を書いたので、ここに日本語の原文を収めた。繁体字訳は本来なら二〇二一年秋に刊行されるはずで、そちらも序文を書いた。ところが同書は刊行そのものが出版社の事情で中止になってしまった。ここにはその出版されなかった序文の原文を収めている。簡体字訳については、現在翻訳作業が進行中である。

末尾には「補遺」という部を設け、あらたに二章を収録した。この二章は初版出版後に独立して書かれたエッセイの再構成である。内容的に本書の議論と深く関わり、理解を深める助けになると考えた。

最後に、初版にはなかった索引をあらたに作成した。


本書はひとことでいえば、「観光客であること」を肯定する哲学の書である。さらに砕いていえば、いいかげんであること、中途半端であること、「ゆるく」考え「ゆるく」つながっていくことを肯定する書でもある。

哲学はずっと、議論の争点をクリアにし、友と敵の関係をはっきりさせ、世界のなかにラディカルに線を引くことばかりを目指してきた。けれどもそれだけでは見失われるものがある。というよりも、世界をよくするためには、とりわけ分断と二極化があらゆるところで話題になっている二一世紀の世界においては、その見失われたものこそが重要である。それが本書の問題提起である。

そのため、本書では書きかたも工夫した。本書は哲学書である。過去の哲学者の名前が並び、むずかしいカタカナも出てくる。けれども同時にエッセイ集のようでもある。だから本書の議論は、学術的な参照や論証だけではなく、「ゆるい」思いつきの連鎖も排除しないで進んでいく。この本の「ぼく」は、叙述上必要なたんなる記号ではなく、このぼく、東浩紀という現実の身体をもった人間を指示している。「ぼく」は、ときおりぼく個人の思い出を語ったり、無根拠な着想を記したりする。

それは考えなしに行ったことではなかった。ぼくなりの工夫であり、また挑戦でもあった。結果として本書は多くの読者を獲得し、大きな賞もいただいた。成功したように思う。

けれども理解されないこともあった。初版の刊行直前、ぼくは長いあいだお世話になったあるかたに、本書のゲラを送ってみた。そのときに返信としていただいた、おもしろかった、でももっと本格的な仕事を読みたかったなという言葉は、いまも寂しさとともに心に残っている。本の読みかたは自由だし、ぼくの力不足もあるだろう。

しかし、もしそのかたが記した「もっと本格的」という言葉が、固有名と専門用語が乱舞し、快刀乱麻のごとくあらゆる事象がざくざくと切られていく（かのようにみえる）一時期の思想書のスタイルを意味するのであれば、ぼくはまさに、その限界を痛感したからこそ、本書のような文体に切り替えたのである。

ぼくはもともと、ポストモダニズムと呼ばれる海外の思想を研究していた。それから四半世紀、いろいろあって大学や論壇を離れ、いまのような在野の物書き兼中小企業経営者という奇妙な立場に辿りついた。まわりにいる人々も変わり、哲学の意義について日常に近い言葉で考えるようになった。

そこからいまの「思想」の世界を見ると、かつてぼくが親しんでいたポストモダニズムやポスト構造主義、あるいはその周辺の文化研究やジェンダー研究やポストコロニアル研究といった新しい学問が、すっかり論争の武器と化し、ひとがひとを非難し罵倒するためのツールに変わってしまっていることに、深い戸惑いを感じざるをえない。リベラルなポストモダニズムは、いつのまにか、もっとも狭量で、もっとも攻撃的な言説のひとつに変わってしまった。そしてその起源は、おそらくはきっと、さきほど指摘したような、読者を聞き慣れぬ固有名と難解な専門用語で圧倒し、世界のすべてが理論で切れるかのように錯覚させる、ある時期の思想書のきわめてマッチョで、そしてナルシスティックな抑圧的なスタイルにある。

だからぼくは、あえて「ゆるく」語ることを選んだ。その選択こそが、いま哲学の可能性に「本格的」に向きあうことではないだろうか。

ぼくは、自分はリベラルで、ポストモダニストだと考えている。けれどもいまのリベラルなポストモダニズムは、ぼくの考えるリベラリズムやポストモダニズムからあまりにも遠い。初版の出版から六年、パンデミックが起き、戦争が起きるなかで、その思いをますます強くしている。

この増補版は二〇二三年の六月に刊行される。その数ヶ月後に『訂正可能性の哲学』という続編が刊行される予定だ。この序文を書いているいま、ぼくは執筆の最終段階に差しかかっている。

そちらでは、本書で積み残されたさまざまな問題が、「訂正可能性」という新たな概念のもとで解決されている。本書で第二部の名称を「家族の哲学（導入）」と改めたのは、『訂正可能性の哲学』の第一部でこそ、「家族の哲学」が完成されたかたちで展開されているからである。そちらではまた、リベラルなポストモダニズムの精神を現代世界のなかでいかに継承し、新しいものとして再生させるかといった問題も、より主題的に議論されている。

ぼくは長いあいだ哲学をやってきた。ぼくのようにいちど人文系の学部で哲学を学んでしまった人間には、自分自身の思想についても、過去の哲学者を参照し、他者の言葉を引用したり批判したりしてしか語れなくなるという厄介な癖がつきがちである。カントが言ったように、シュミットが言ったように、アーレントが言ったように……といった引用の連続でしか、あらゆる議論を展開できなくなるのである。人文系以外のひとには理解されにくいのだが、この癖は人文系出身者の宿痾のようなものだ。

その癖は本書にも残っている。本書には多くの参照がある。続編にも同じく多くの参照がある。それはそれで、アカデミズムに近い読者を安心させるかもしれない。けれどもぼくは、そろそろその癖からも卒業したい。

哲学は、もっと自由で、もっと「ゆるく」あるべきだ。この『観光客の哲学』と『訂正可能性の哲学』は、ぼくが書く最後の、古いタイプの「哲学書」になるかもしれない。あわせて読んでほしい。

二〇二三年四月一四日

本書あるいは本誌は、弊社ゲンロンが二〇一五年一二月に創刊した批評誌『ゲンロン』の時期遅れの創刊準備号（0号）であり、同じくゲンロンが二〇一一年一月に創刊したムック『思想地図β』の三年半の空白を挟んでの終刊号（5号）であり、またぼく東浩紀が二〇一六年から一七年にかけての冬に書き下ろした哲学書でもある。本書を雑誌と捉えるか単行本と捉えるかは、流通上の形式の問題であり、あまり本質的なことではない。とにもかくにも、ぼくは、この書物の最初から最後まで、広告や編集後記を除きすべての文章を自分自身で書き起こした。

本書は哲学書である。ぼくは批評家だが、哲学について考えている。ぼくの最初の文章は一九九三年に出版された。それは、ソ連の反体制作家、アレクサンドル・ソルジェニーツィンについての評論だった。それ以来、四半世紀にわたり、ぼくはさまざまなことを考えてきた。とりわけ、二一世紀のこのネットとテロとヘイトに覆われた世界において、ほんとうに必要とされる哲学はどのようなものかを考えてきた。本書にはその現時点での結論が書きこまれている。

ぼくはこの四半世紀、哲学や社会分析からサブカル評論や小説執筆まで、多岐にわたる仕事を行ってきた。それゆえ、受容も多様で、不毛な誤解に曝されることもあった。本書はその状況を変えるためにも書かれた。だから本書はいままでの仕事をたがいに接続するように構成されている。本書は、『存在論的、郵便的』の続編としても、『動物化するポストモダン』の続編としても、『一般意志2・0』の続編としても、『弱いつながり』の続編としても読むことができるはずである。『クォンタム・ファミリーズ』の続編としてすら、読むことができるかもしれない。

ぼくは本書を書き進めるなかで、この二〇年近い長い年月のなかではじめて、自分の「批評」のスタイルを、素直になんの屈託もなく肯定する心持ちになった。ぼくはいままでずっと、批評家であることに負い目を感じていた。批評なんて書いてもだれも得をしないし、喜ばないと思っていた。その迷いが消えた。本書の執筆を終え、ぼくはいま、かつてなく書くことの自由を感じている。

本書の成立の経緯は複雑である。本書はもともと『思想地図β』の5号として、二〇一三年に刊行され、弊社友の会の会員（第四期）のみなさんに届けられるはずだった。その時点では、複数の執筆者によるムックとして企画されていて、このような単著になるとは考えられていなかった。

ところが、同書の刊行はさまざまな事情で不可能になった。とはいえ、すでに会費は集めてしまっていたので、同じ価値の書籍か雑誌を送り届ける必要があった。そこでぼくは、『ゲンロン』の創刊にあたり、特別にぼくひとりの語り下ろしの準備号を刊行することにした。それが、いまみなさんが手にしている本の出発点となった企画である。同書の制作は、早ければ二〇一五年の秋、遅くとも同年度内の刊行を目指して進められた。夏には語り下ろしの収録を終え、編集作業に入った。構成原稿はほどなくしてできあがり、ぼくの修正もいったん半分以上終わった。

けれどもそこからさきに真の困難があった。二〇一五年の一二月には、創刊準備号であるはずの本書の出版を待たず、『ゲンロン』が創刊された。同誌は好評をもって迎えられた。またゲンロンカフェやスクールなどの運営を通じ、弊社の認知も広がり始めた。そのような変化のなかで、ぼく自身があらためて本書の企画に疑問を覚え始めた。なによりもそれが語り下ろしなのが気にくわなかった。たしかにいまでは評論やノンフィクションの多くは語り下ろしで、今後もその流れは変わらないように思われた。けれども『ゲンロン』の創刊のあと、いまぼくがそれを追うべきかといえば、そうではない気がした。そこでぼくは、二〇一六年の冬になって、それまでの原稿をすべて破棄し、新しい本をゼロから書き下ろすことを決意したのである。本書の原稿はそのあとの三ヶ月間で書かれている。

以下の議論では「誤配」が鍵になっている。その概念を先取りして用いるとすれば、本書はまさしく誤配の産物である。

もしも弊社が『思想地図β』最終号のためにあらかじめ会費を徴収し、のち出版できなくなるという事故がなければ、本書はけっして構想されることがなかっただろう。また、いまから七年前、ひょんなことから起業を決意し、それまでとはまったく異なる人生に足を踏み入れることがなければ、やはりこのような本を書くことはなかっただろう。そしてそのときはぼくはいまごろは、批評の自由をふたたび感じることもなく、本を書くことそのものを止めてしまっていただろう。実際、ぼくはこの一〇年ほど、もう本など書く気はないと言い続けていたのだ。最初から本を書こうとしていたら、ぼくは絶対に本を書けなかったにちがいない。

誤配こそが社会をつくり連帯をつくる。だからぼくたちは積極的に誤配に身を曝さねばならない。それが第四章［増補版では第五章］で記すテーゼだが、本書は、存在そのものがまさにそのよい例になっている。

とはいえ、大前提として、誤配とは迷惑なものである。本書の制作は多くのひとに負担を強いた。出版まで年単位でお待たせした友の会第四期および第五期の会員のみなさん、そしていくども変わる計画と無理のあるスケジュールに振り回された印刷会社と書店関係者のみなさんに、この場を借りて、心よりお詫びを記しておきたい。社員も苦しめた。本書の内容が恩返しになっていたら幸いだ。

批評には、まだ大きなことができる。少なくとも、大きなことを語ることはできる。そんなメッセージが、できるだけ多くの読者に誤配されればよいと考えている。

二〇一七年三月一日

日本語版の序文に書いてあるとおり、本書はいささか複雑な経緯で出版されている。本書は、ぼくが二〇一〇年に創業し、いまも経営している会社「ゲンロン」が支援会員（友の会会員）のため発行した雑誌の一号であるとともに、独立した単行本でもある。前者としては『ゲンロン0』と題され、後者としては『観光客の哲学』と題されている。

台湾ではゲンロンという会社は知られていない。本書も『観光客の哲学』とだけ題されて出版されることになっている。だからこのように記しても、多くの読者には興味をもってもらえないかもしれない。にもかかわらずあえて記しているのは、著者としては、本書の哲学的な狙いを理解するためには、そのようないっけん非哲学的な事情を理解することが不可欠だと感じるからである。

ぼくは国外では、いまだにポップカルチャーや情報社会に詳しいポストモダンの思想家として知られている。いってみれば、スラヴォイ・ジジェクの縮小版のような存在で、現代の文化や政治を「最先端」の「理論」で「分析」してくれる便利なひとだと考えられているようだ。

けれどもそのイメージはぼくの実態とはずいぶん異なっている。ぼくは一九九三年に批評家として活動を始めた。当時はまだポストモダニズムの影響が強く、ぼくもその空気のなかで文章を書き始めた。だから初期にはたしかにジジェクを思わせるような衒学的な仕事も発表しており、そのイメージは国内でも残っている。けれども、ぼくは『動物化するポストモダン』のようなポップカルチャーが主題の著作においても、けっして記号や図像の「分析」だけで満足することがなかった。ぼくはつねに、背後にいる人間に関心をもってきた。

ぼくはポストモダンの時代に教育を受けたので、ポストモダンの言葉をいまでもよく利用する。参照するのも欧米の哲学者が多い。けれどもそれは知識の限界からそうなっているだけであって、主張や関心そのものは、ふつうに理解されるポストモダニズムからはすでに遠く離れている。ぼくがいま哲学を続けているのは、自分がよく生きるため、そしてまたぼくの仕事に関心をもってくれるさまざまな人々がよく生きるためである。哲学はよく生きるための道具でしかない。このようなことはポストモダニスト自身はけっして口にできないだろう。ぼくもかつてはできなかった。けれどもそのようなためらいは、いまはすっかりなくなっている。

ぼくはもともと大学人である。けれども、ゲンロンを創業してからのこの一〇年あまりで、ぼくの立場も支持する人々の層も大きく変わってしまった。ぼくはいまではむしろ大学の外で読まれている。そして彼らの期待に応えようとして本を書いている。『観光客の哲学』もそのひとつである。この変化は日本の読者にはあるていど知られている。けれども国外では知られていない。本書を手にとる読者も、台湾では哲学書や人文書を好む研究者や学生がほとんどだろう。

それはぼくの力不足なのでやむをえない。けれどもほんとうは、日本語版がそうだったように、本書もまた、ポストモダニズムなど聞いたこともないという一般の読書人にこそ届いてほしいと思う。そして本書はそのように書かれているはずである。本書はたしかに哲学書であり、むずかしくややこしい議論も出てこないわけではない。けれども提示している考えは、けっして「最先端」の「理論」といった類のものではない。じっさい本書では、人新世やシンギュラリティといった二〇一〇年代の思想界で流行したジャーゴンはまったく話題になっていない。「観光」への着目こそ二一世紀的かもしれないが、問題提起はきわめて古典的なものである。そして展開される議論もほんとうは、引用される哲学者の主張よりも、ぼく自身の、資金を集め、会社を立ち上げ、従業員を雇用し、一般市民に向けて哲学の声を届けようとしてきたこの一〇年あまりの現実の苦闘のほうと深く結びついている。本書で提示された「観光客」

の概念は、その点ではなによりもまず実践から要請されたもので、理論は後づけで発見されたものにすぎない。このように記すと大学人は失望するだろうが、けれども哲学とはほんらいそういうものではなかったかと、ぼくは思う。

ぼくは生きている。だから文章を書く以外のこともいろいろやっている。その活動はぼくの哲学と不可分である。

日本ではその一体性は少しずつ理解されるようになった。ゲンロンの事業が成功し拡大しているからである。けれども国外で理解してもらうのはまだむずかしい。ぼくが展開しているのはわかりやすい啓蒙や政治運動ではない。日常的に日本語を使っていないと、ゲンロンの実践が本書の主張とどう重なり、いかなる意味をもっているのかは体感できないだろう。その限界をどう乗り越えていくかは、ぼく自身のこれからの課題として残されている。

それでも、本書の出版を機に、もし台湾の読者がぼくの著作以外の活動にも少しでも関心をもってくれるようなのであれば、著者としてたいへん嬉しく思う。『観光客の哲学』は読まれるためだけの本ではない。生きられるための本である。ぼくは生きながら、つまり生活をしながらこの本を書いた。哲学は生きることと結びつかなければ意味がない。その基礎の基礎を多くの哲学者は忘れている。

本書は『観光客の哲学』のふたつめの外国語訳である。韓国語訳はすでに出版されており（二〇二〇年八月）、いまは英語訳が作業中である。刊行から四年でふたつの言語に訳されるのは日本語の思想書としては悪くないペースだが、それでもこのあいだにはさまざまな変化が起きた。本書との関係でとくに重要なのは、新型コロナウイルスによるパンデミックの勃発である。

本書では「観光客」と「家族」が鍵概念になっている。ところがパンデミック発生からのこの一年半で、ふたつの言葉をとりまく環境は劇的に変わってしまった。ひとことでいえば、「観光客」の株は大幅に下がり、「家族」の株は大幅に上がった。

コロナ禍のまえは世界中が観光産業の成長に期待を懸けていた。それがいまや観光客は市民の安全を脅かす感染源として、世界中で警戒の対象になっている。パンデミックそのものは遠からず収束するだろうが、国境を越えた観光客の移動がかつてのように気軽なものになるのにはまだ時間がかかるだろう。

他方で家族への視線も大きく変わった。コロナ禍のまえは、知識人は家族の役割に対して肯定的ではなかった（少なくとも日本では）。たとえば教育や介護については、負担を家庭からできるだけ公共へ移すべきだと論じられていた。ところが突然、ひとは自宅に閉じこもるべきであり、接触は同居家族とのあいだに限るべきだという主張が世界中で行われるようになった。そして知識人からも異議が唱えられなかった。日本語ではこの一年半のあいだに、「ステイホーム」や「おうちごはん」といった新しい言葉がつぎつぎに生まれ日常の語彙に加わっている。おそらく中国語でも似たような新語が造られているのではないかと思うが、「ホーム」にしろ「おうち」にしろ、かつては排除的で差別的な含意をもちうるものとして警戒されていた言葉だった。それがいまや手放しで肯定されているわけである。

いずれにせよこの変化によって、「観光客」と「家族」について考えることは、いまや日本語版の刊行時には想像もできなかったアクチュアリティを備え始めているように思われる。人々はいま、観光客的な開放性を排除し、家族的な閉鎖性を信じることで「感染症に強い」新たな社会を構築しようと試みている。けれどもそんなことがほんとうに可能だろうか。開放性と閉鎖性、「観光客的なもの」と「家族的なもの」は、それほどはっきりと対立するものなのだろうか。本書の問題提起は、じつはそのような大きな問いにもつながっている。

ただし率直に告白すると、それはもしかしたら、ここに訳された議論を読むだけでは十分に伝わらないかもしれない。訳に問題があるのではなく、そもそも日本語版に欠落がある。目次を見ればわかるように、第二部のタイトルである「家族の哲学」には、わざわざカッコをつけて「(序論)」と留保が加えられている。それが意味しているのは、観光客の議論と家族の議論は、四年前の時点ではぼくのなかですらまだクリアにつながっておらず、「(序論)」とだけ記し今後の展開を期待させるくらいしかできなかったということである。

ぼくはその欠落をいつか埋め、『観光客の哲学』の構想を完結させるべきだと考えながらも、なかなか時間がとれず増補論文の執筆に入ることができなかった。けれどもパンデミックの勃発によって、いま記したように、本書の議論には新たな重要性が生まれたと感じるようになった。

そこでぼくは最近、本書で提起された問題を引き継ぎ、開放性と閉鎖性、「観光客的なもの」と「家族的なもの」、ひいてはリベラルと保守の関係を問いなおす新しい論文を書いた。それは「訂正可能性の哲学、あるいは新しい公共性について」と題され、この繁体字版が刊行されるころには日本語で発表されている予定である(『ゲンロン12』、二〇二一年九月)。そこでは「観光客」と「家族」がウィトゲンシュタインとクリプキの言語哲学を参照することで接続され、さらにはそれを政治思想に応用するかたちで、ローティの「連帯」をめぐる議論とアーレントの「制作(仕事)」についての考察を新しい公共性=家族の基礎として位置づけるといった議論が展開されている。ローティとアーレントは本書でも参照されているが、新しい論文では本格的に論じなおされている。

この文章はあくまでも『観光客の哲学』繁体字版のための序文である。議論に欠陥があるなどといわないほうがいいだろうし、そもそもほとんどの読者が読めないであろう日本語の論文を紹介するのはルール違反かもしれない。けれども、もしも本書を読み、「友」と「敵」の対立を崩す「観光客の哲学」の提案などあまりにも抽象的だし、そもそも現実の政治には無関係だと感じた読者がいるとすれば、ほんとうはそちらの論文を読んでいただければ誤解は氷解するはずだと思う。

観光客の哲学は政治に無関係なのではない。それは、政治への姿勢そのものを問いなおす哲学なのだ。ぼくたちは、いっけん政治がすがたを現さないところでも、さまざまなかたちで政治を展開している。そしてそこではいつも「友」と「敵」が蠢いている。観光客を迎え入れれば危険で、家族とともに閉じこもっていれば安心、そのような非政治的な分割こそが、じつはほんとうの政治なのだ。それは、ゲンロンの経営のような非哲学的な活動こそがほんとうの哲学であるということと、まったく同じである。

二〇二一年六月二一日

初出

中国語繁体字版への書き下ろし。二〇二一年の出版予定だったが、その後出版社の事情で刊行中止となった。時事への言及が多く、今後あらためて繁体字版の刊行が決まり序文を書くとしても別の内容にならざるをえないので、ここに収録した。収録にあたり一部削除。

日本語版の序文に書いてあるとおり、本書はいささか複雑な経緯で出版されている。本書は、ぼくが二〇一〇年に創業し、いまも経営している会社「ゲンロン」が支援会員（友の会会員）のため発行した雑誌の一号であるとともに、独立した単行本でもある。前者としては『ゲンロン0』と題され、後者としては『観光客の哲学』と題されている。

英語圏ではゲンロンという会社は知られていない。本書も『観光客の哲学』とだけ題されて出版される。だからこのように記しても、読者には興味をもってもらえないかもしれない。けれどもぼくの哲学を理解してもらうためには、その背景についての理解が不可欠である。

ぼくは日本国外では、いまだにポップカルチャーや情報社会に詳しいポストモダンの思想家として知られている。いってみれば、スラヴォイ・ジジェクの縮小版で、現代の文化や政治を「最先端」の「理論」で「分析」してくれる便利なひとだと考えられているようだ。

けれどもそのイメージはいまの実態からはかけ離れている。ぼくは一九九三年の東京で批評家として活動を始めた。当時はまだポストモダニズムの影響が強く、ぼくもその空気のなかで文章を書き始めた。だから初期にはたしかにジジェクを思わせるような衒学的文章も発表しており、そのイメージは国内でも残っている。けれどもぼくは、『動物化するポストモダン』（同書は英語になっている）のようなポップカルチャーが主題の著作においても、けっして記号や図像の分析だけで満足することがなかった。ぼくはつねに背後にいる人間に関心をもってきた。

ぼくはポストモダンの時代に教育を受けたので、ポストモダンの言葉をいまでもよく利用する。参照するのも欧米の哲学者が多い。けれどもそれは知識の限界からそうなっているだけであって、主張や関心そのものは、ふつうに理解されるポストモダニズムからは遠く離れている。ぼくがいま哲学を続けているのは、自分がよく生きるため、そしてまたぼくの仕事に関心をもってくれるさまざまな人々がよく生きるためである。哲学はよく生きるための道具でしかない。このようなことはポストモダニスト自身はけっして口にできないだろう。ぼくもかつてはできなかった。けれどもそのようなためらいは、いまはなくなっている。

ぼくはもともとは大学人である。ジャック・デリダの研究で東京大学で博士号をとった。けれどもいまはアカデミアに所属していない。ゲンロンを創業し、大学を離れてからのこの一〇年あまりで、ぼくの立場も支持する人々の層も大きく変わった。ぼくはいまではむしろ大学の外で読まれている。そして彼らの期待に応えるために本を書いている。『観光客の哲学』もそのような本のひとつである。この変化は日本の読者には知られている。けれども国外では知られていない。本書を手にとる読者も、哲学書や人文書を好む研究者や学生がほとんどだろう。

それはぼくの力不足なのでやむをえない。けれどもほんとうは、日本語版がそうだったように、本書もまた、ポストモダニズムなど聞いたこともないという一般の読書人にこそ届いてほしいと思う。

本書はたしかに哲学書であり、専門用語も出てこないわけではない。けれども提示している考えは、けっして「最先端」の「理論」といった類のものではない。じっさい本書では、人新世やシンギュラリティといった二〇一〇年代の思想界で流行したジャーゴンはまったく話題になっていない。「観光」への着目こそ二一世紀的かもしれないが、問題提起はきわめて古典的なものである。そして展開される議論もほんとうは、引用される哲学者の主張よりも、ぼく自身の、資金を集め、会社を立ち上げ、従業員を雇用し、一般市民に向けて哲学の声を届けようとしてきたこの一〇年あまりの現実の苦闘のほうと深く結びついている。本書で提示された「観光客」の概念は、その点ではなによりもまず実践から要請されたもので、理論は後づけで発見されたものにすぎない。このように記すと大学人は失望するかもしれないが、けれども哲学とはほんらいそういうものではなかったかと、ぼくは思う。

本書は『観光客の哲学』のふたつめの外国語訳である。韓国語訳はすでに出版されており（二〇二〇年八月）、いまは簡体字版中国語訳が作業中である。刊行から五年でふたつの言語に訳されるのは日本語の人文書としては悪くないペースだが、そのあいだにふたつの大きなできごとが起きた。新型コロナウイルスによるパンデミックとロシアによるウクライナ侵攻である。

ふたつのできごとは世界の様相を一変させただけでなく、本書の読まれかたも大きく変えてしまった。そもそも本書の主題は「観光客」である。パンデミック以前、それは希望に満ちた言葉だった。年間一〇億人を超える人々が国境を越えて移動し、世界中が観光産業の成長に期待を寄せていた。むろん文化的搾取やオーバーツーリズム、環境問題への批判などはあった。けれどもそのうえでも、言語も異なれば文化も宗教も異なる何十億もの人々が、それぞれ勝手にプライベートな目的を抱えて国境を安易に越え地球上をうろうろし始めたという単純な事実には、たしかに新しいグローバル社会の出現を予感させるものがあった。だからこそ本書は、観光客の台頭を、かつてカール・シュミットが設定した友と敵の分割、すなわち伝統的な政治の領域を脱構築するものとして読みなおそうとしたのである。

けれどもいまや状況はまったく変わってしまった。二〇二〇年にパンデミックが起こると、いわゆる自由民主主義の国々を筆頭に、世界の国々はイデオロギーに関係なく一気に国境を封鎖し始めた。都市封鎖も行われた。監視技術も動員された。市民と非市民、非感染者と感染者、公共空間に出る資格のあるものとないもの、つまりは友と敵の分割がふたたび社会秩序の基礎となった。国際便は軒並み止まり、観光産業は壊滅的な打撃を被った。観光客はもはやグローバルな連帯の希望どころか、市民の健康を脅かす感染源として警戒と排除の対象になってしまった。そんな状況も二〇二一年後半には少しは落ち着き、ふたたび観光の時代が戻るかに思われたが、こんどは戦争がやってきた。世界はウクライナという正義とロシアという悪に分断された。SNSは沸騰し、核戦争の可能性までもが日常的にとり沙汰されるようになってしまった。国境を越えた観光客の移動が、かつてのような気軽さとボリュームをとり戻すにはまだ長い時間がかかるだろう。そして戻ってきたとしても、いくつかの国や地域は観光地にはなりえないかもしれない。

それゆえ、本書を手にとるみなさんのなかには、本書の議論をあまりに楽観的で時代遅れのものだと感じるかたもいるかもしれない。いまや世界は友と敵の対立に覆われ、観光客の居場所は限られている。そんな時代に、観光客に友と敵の脱構築を見る哲学がなんの役に立つのか。

その印象は半分は正しい。ぼくはこの本を二〇一〇年代に書いた。多かれ少なかれ二〇一〇年代の多幸症的な時代精神の影響を受けているだろう。二〇二〇年代には歓迎されないかもしれない。

けれども残り半分では誤りだと考える。二〇二〇年代は永遠に続くわけではない。パンデミックも戦争もいつかは終わる。友と敵の対立は絶対ではなく、世界はふたたびグローバルな社会に向かって歩み出すはずだ。そのときにこそ、ぼくはこの本の議論が新たな価値を帯びるはずだと確信している。二〇一〇年代の観光客は、たしかに感染症と戦争にいちど負けたかもしれない。しかしそれは観光客の哲学が不要であることを意味しない。ぼくたちはむしろ、この嵐が去ったあとで、感染症や戦争に負けない、より強い観光客の哲学をあらためて設立しなければならないのである。

最後に。本書の議論は完全ではない。第二部の「家族の哲学」には「序論」と留保が加えられている。それが意味しているのは、本書執筆の時点で第二部の議論は未完成で、おまけに第一部ともきちんとつながっていなかったということである。それは本書の欠点である。

ぼくはいま、その欠落を埋めて本書の議論を発展させ、さらに『一般意志２・０』という別の著作（この本も英訳されている）と接続する続編の著作を記している。その前半部分は「訂正可能性の哲学、あるいは新しい公共性について」と題され、すでに独立した論文として発表されている（『ゲンロン12』）。ぼくはそこでは観光客の概念と家族の議論をウィトゲンシュタインとクリプキを参照して接続し、さらにローティとアーレントについて新しい解釈を提示している。後半部分はいま執筆中だが、来年早くには出版することができるだろう。

著者としては、ほんとうはその続編もすぐに読んでもらいたい。アカデミックな議論への接続が強化されているし、なによりもそちらを読めば、本書の狙いもまたはるかに理解しやすくなるはずだからである。けれども残念ながら、日本語から英語への哲学書の翻訳は、その逆に比べて圧倒的に数が少ない。英訳されるかどうかは本書の評判にかかっているし、時間もかかるだろう。いずれにせよ、その翻訳の交渉が始まるころには、少しは観光の時代が戻っていることを期待している。

訳者のジョン・パーソン氏、アーバノミック社のロビン・マッケイ氏、そしてロビンをぼくに紹介してくれた哲学者のユク・ホイ氏に謝意を捧げる。

ジョンは前出の『一般意志２・０』の訳者であり、ぼくがもっとも信頼する英訳者のひとりだ。ぼくの文体は複雑ではない。それでも、哲学的な内容を語っているが、かといって訳が決まっている専門用語を使うわけでもないぼくの日本語を訳すのは、意外と厄介なはずである。いつもありがとう。

ユクとは二〇一六年の秋に杭州のシンポジウムで知り合った。それから友人としての付き合いが始まり、大きな刺激を受けている。そんな彼はアーバノミック社で本を出版しており、その縁でロビンを紹介してもらえた。アーバノミック社は、現代哲学を牽引する個性的な出版社として日本でも知られている。そのラインナップに加われたことをたいへん光栄に感じている。

本書英訳出版にはサントリー文化財団の海外出版助成事業の支援を受けた。じつはぼくは一九九九年に、最初の著書『存在論的、郵便的』(この本は英訳されていない)で同財団から賞を受けたことがある。ふたたびの支援に感謝したい。

二〇二二年四月一八日

初出
Hiroki Azuma, *Philosophy of the Tourist*, tr. John Person, Urbanomic, 2023 のための書き下ろし。
『ゲンロンβ76+77』、2022年。

第1部

観光客の哲学

第1章　観光

1

二〇一四年に『弱いつながり』という小さな本を刊行した[★1]。そこではぼくは、村人、旅人、観光客という三分法を提案している。人間が豊かに生きていくためには、特定の共同体にのみ属する「村人」でもなく、どの共同体にも属さない「旅人」でもなく、基本的には特定の共同体に属しつつ、ときおり別の共同体も訪れる「観光客」的なありかたが大切だという主張である。

この議論は予想外の反響を呼んだ。観光客という「ウチ」でも「ソト」でもない第三の存在様式という言いかたに、人生論や自己啓発として解釈できる余地があったためだろう。実際、出版社はそのように広告を打ってもいた。

けれども、思想や批評を少しでもかじった読者であれば、そんな話はありふれていると感じたはずである。実際、『弱いつながり』では触れていないが、ぼくの観光客論は、山口昌男の有名な「中心－周縁」図式をはじめ、思想史や批評史のさまざまな議論から示唆を受けて作られている。

そもそれ以前に、ぼくが強い影響を受けた批評家の柄谷行人が、似たようなことを言っている。ある時期の彼は、「共同体」は閉じているからだめだ、「外部」からやってくる「他者」が必要なのだと説き続けていた。ぼくの議論は、柄谷のその議論を更新するものでもある。『弱いつながり』は、その点では本質的に新しいものではない。

とはいえ、本質がどうこうと言いだしたら、古代ギリシア以来、新しいものなどいっさいないのが哲学というものである。むしろ、哲学書としての『弱いつながり』の本質は、その新しくないテーマを新しいスタイルで語ったところ、つまりは本質ではない意匠のほうにあるのかもしれない。さっそく脱線して付け加えれば、本質こそが非本質で非本質こそが本質だというこのねじれた関係は、じつは哲学ではむかしから問題とされていて、本質と非本質のあいだのその決定不可能性こそ哲学の「本質」だとも言える。それはまさに、ぼくが大学時代に研究していたフランスの哲学者、ジャック・デリダの主張だった。

いずれにせよ、『弱いつながり』の観光客論の本質は、あるていどその非本質的なスタイルのほうにある。というのも、ぼくがそこで企てたことは、ひとことで言えば、いままで「他者」や「遊牧民」といった、左翼的で文学的で政治的で、そしてどこかロマンティックな言葉で語られていた

★1　東浩紀『弱いつながり』、幻冬舎、２０１４年。

概念を、「観光」というじつに商業的で即物的で世俗的な言葉に結びつけてしまうことだったからである。そのような試みは、ぼくの知るかぎり、『弱いつながり』と本書がはじめてである。観光客論と他者論は、本質は同じかもしれない。しかしそれでも、「他者が大事だ」と主張するのと「観光客が大事だ」と主張するのとでは、ニュアンスは大きく異なる。そして本書は、まさにそのニュアンスの差異がいま重要だと考え、その差異の意味を理論的に基礎づけるべく書かれた本である。

ぼくたちはこれから本書で、さまざまな哲学者や思想家の名前に出会うことになる。そこに挙がっているひとも挙がっていないひとも含め、この七〇年ほどの、人文系のいわゆる「リベラル知識人」にはひとつの共通の特徴がある。それはみな、手を替え品を替え「他者を大事にしろ」と訴え続けてきたということである。むろん、細かく見れば、その「他者」の捉えかたにもいろいろ差異があり、フランス人のデリダが考える他者の概念は抽象的すぎるとドイツ人のユルゲン・ハーバーマスが言ってみたり、あるいはそのような論争こそがほんとうの他者を見えなくするとアメリカ人のリチャード・ローティが言ってみたりと、議論があったりもした[★2]。しかしそれでも、ぼくたちはみな他者を尊重するべきだ、共同体の外部を尊重するべきだという点では、あるていど影響力のある思想家はみな一致していたと言える。それはおそらくは、二〇世紀の前半、ナショナリズムの高揚の果てに相次ぐ大戦で膨大な死者を生みだした人類がたどりついた、最低限の共通の倫理だった。自分の国のことばかり考えていてはだめだ――それが、つい最近までの、人類社会の（少なくとも公的な場で語られるかぎりでの）基本原理だったのである。

けれどもいま、その状況は急速に変わりつつある。「他者を大事にしろ」という単純な命法に、だれもが耳を貸さなくなり始めている。ぼくは本書では、具体的な政治状況についてはあまり語らない。けれども、もし可能であれば、読者には、本書が、二〇一六年から二〇一七年にかけての時期に、すなわち、イギリスがＥＵからの離脱を決定し、アメリカで「アメリカ第一」を掲げるドナルド・トランプが大統領になり、世界中でテロが相次ぎ、日本ではヘイトスピーチが吹き荒れる、そのような時代に書かれたことは覚えておいてほしいと思う。二〇一七年のいま、人々は世界中で「他者とつきあうのは疲れた」と叫び始めている。まずは自分と自分の国のことを考えたいと訴え始めている。他者こそ大事だというリベラルの主張は、もはやだれにも届かない。

したがってぼくは本書では、他者論ではなく、あえて「観光客」論を展開したいと考える。ぼくはここからさき、ほとんど「他者」という言葉を使わない。この言葉はあまりにも手垢に塗れてい

★2　ハーバーマスによるデリダ批判については、ユルゲン・ハーバマス「時間化された根源性哲学の凌駕」、『近代の哲学的ディスクルス』第１巻、三島憲一ほか訳、岩波書店、１９９９年所収を参照。原書出版は１９８５年。ハーバーマスによるフランス哲学の批判を超克するローティの試みについては、リチャード・ローティ『偶然性・アイロニー・連帯』齋藤純一ほか訳、岩波書店、２０００年を参照。同書でローティが話題にしているのはおもにハーバーマスとフーコーの対立だが、それはハーバーマスとデリダの対立と置き換えてもさしつかえない。三者の「他者」観の差異をきわめておおざっぱに要約すれば、他者とは理性でわかりあえると主張するのがハーバーマス（近代主義者）であり、他者とはむしろわかりあえない存在のことなのだと主張するのがデリダ（ポストモダニスト）であり、そもそも他者の定義なんて深めても意味がないので局面によって使い分けようと主張するのがローティ（プラグマティスト）である。ローティのこの著書についてはのち第五章で触れる。

るからだ。他者と声に出した瞬間に、本書の議論は特定のイデオロギーのなかに組みこまれ、少なからぬ読者を失ってしまう。

しかし、それでも、ぼくが考え続けているのは、結局のところ他者の問題なのである。そしてそれはぼくなりの戦略でもある。他者のかわりに観光客という言葉を使うことで、ぼくはここで、他者とつきあうのは疲れた、仲間だけでいい、他者を大事にしろなんてうんざりだと叫び続けている人々に、でもあなたたちも観光は好きでしょうと問いかけ、そしてその問いかけを入口にして、「他者を大事にしろ」というリベラルの命法のなかに、いわば裏口からふたたび引きずりこみたいと考えているのだ。

観光客から始まる新しい（他者の）哲学を構想する。これが本書の目的である。

誤解を避けるためにひとつ注意を記しておきたい。ぼくは観光客ではあるが（長い休暇は家族と観光旅行に出かけている）、観光学者ではない。また観光業の実践者でもない（ただしのち述べるように、自分が経営する会社で年に一回、ウクライナのチェルノブイリへのツアーを実施してはいる）。観光客に対してフィールドワークを行っているわけでもない。本書の観光についての記述は、あくまでも哲学的な記述、言い換えれば「概念」についての記述にとどまっている。

したがって、「観光客の哲学」をタイトルに掲げているものの、本書は現実の観光産業とはあまり関係をもたない。観光業の実態の紹介はまったく行わないし、観光客の心理の分析も行わない。

本書はあくまでも哲学書である。それも、これからさき読み進めればわかるように、かなり抽象的な議論を行う哲学書である。デリダが「郵便」と言ったからといって郵便局や切手の話をしたわけではないように、あるいは柄谷が「交通」と言ったからといって鉄道や高速道路の話をしたわけではないように、本書もまた「観光」と言ってもホテルやカジノの話をするわけではない。それが本書のスタイルだ。

だから、ビジネスや観光研究に役立つ話を期待した読者は、ここで本を閉じるのがよいかもしれない。本書の「観光客」は、あくまでも、あるタイプの哲学の伝統をよりさきに進めるための、新しい概念の名称になっている。

とはいえ、同時にもうひとつ注意を記しておけば、これは必ずしも、ぼくが現実の具体的な観光に関心をもたないことを意味しない。

ぼくとしては、ほんとうはそちらについても語りたい。ドバイの人工性やカリブ海クルーズの大衆性やディズニーワールドの完成度について、熱く語りたい。あるいはジェフリー・バワが手がけたスリランカのリゾートの魅力について、楽しく語りたい（これらはこの数年でたまたま出かけた場所である）。しかし、じつは既存の哲学や思想の語彙には、観光の体験について積極的に語ろうとするとそれだけでぶつかるような、大きな壁が存在する。みなさんもいま、あるていど人文書に親しんでいる読者であればとくに、ドバイやディズニーランドについて積極的に語ると聞いて、どこか居心地の悪さを感じたのではなかろうか。リゾートやテーマパークについて語るのはいいが、それはなにか思想とはちがうんじゃないか、それはビジネスであり社会学でありジャーナリズムではあるかもしれないが、思想にはならないんじゃないかと思ったのではなかろうか。その直観こそが壁である。

だからぼくたちは、観光について具体的に語るまえに、まずはその壁の正体を探らなければならない。そして必要とあらばそれを壊さなければならない。本書が観光の概念をめぐる抽象的な議論にとどまるのは、そのような制約があるからだ。

だとすれば、本書は、正確には、観光客の哲学そのものというよりも、観光客の哲学を考えることを可能にするための概念的な準備作業、観光客の哲学・序論とでも称するべきものなのかもしれない。いずれにせよ、観光についての哲学的思考は、そのような準備作業を必要としている。

2

それでは議論に入ることとしよう。いろいろとややこしい留保をつけたが、ぼくが観光客の哲学の必要性を提案している背景には、むろん、まずはいま、世界中で観光がブームであるという単純な事実がある。

日本はこの四半世紀ですっかり貧しくなってしまった。日本人はいまや金を使わない。日本で観光がブームだったのは遠いむかしである。だから、観光がブームと言われても首を傾げる読者がいるかもしれない。しかし、そんな読者も「爆買い」という言葉くらいは聞いたことがあるはずだ。二〇一四年から二〇一六年にかけては、中国人観光客の旺盛な消費が日本中の観光地を救っていた。中国人に限らない。日本に来る外国人観光客の数は、目に見えて増加している。

統計を見てみよう。**図1**は観光庁の統計である。この図を見れば明らかなように、日本ではいま、国内観光客の低迷を補うように、外国人観光客の数が急速に増加している。二〇一五年の訪日外国人旅行者数は一九七四万人にのぼり、二〇一六年には二四〇〇万人にまで増えると予想されている。震災直前の二〇一〇年が八六一万人だから、六年で三倍近くに伸びたことになる。日本政府は、これを近い将来に四〇〇〇万人にまで伸ばそうと、

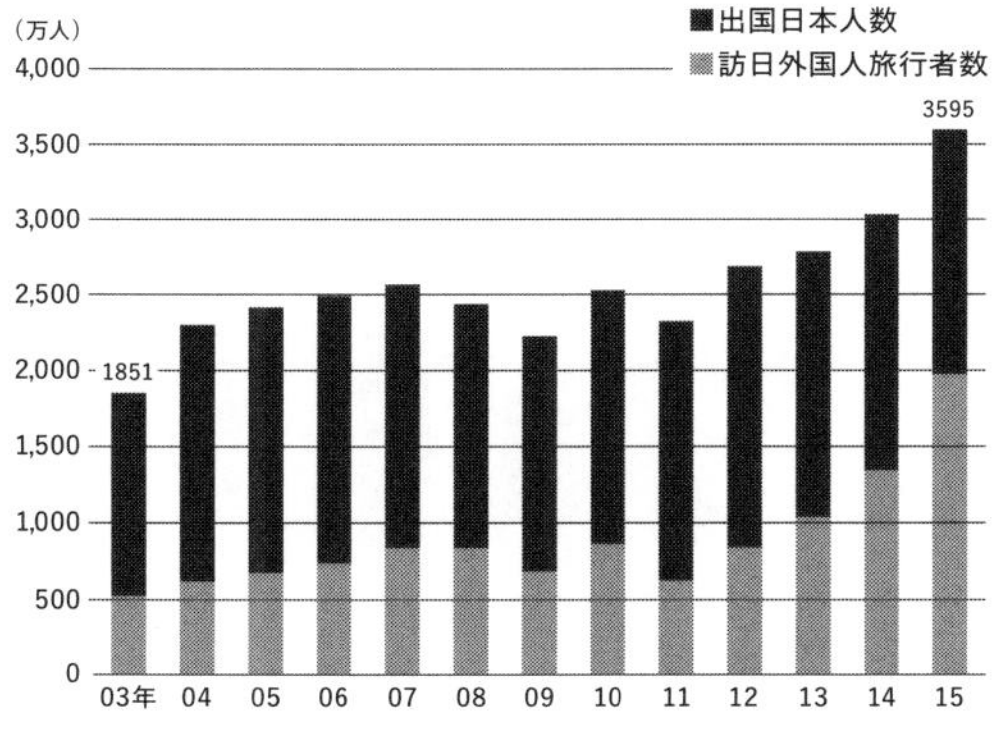

図1
日本政府観光局（JNTO）調べ。2015年は推計値
観光庁ウェブサイトをもとに制作
URL=http://www.mlit.go.jp/kankocho/siryou/toukei/in_out.html

観光産業を積極的に支援している。

　そしてここで重要なのは、じつはこれは日本だけの現象ではないことである。日本はたしかにこの数年、官民を挙げて観光客の誘致に力を入れている。「クールジャパン」もあるしオリンピックもある。右記の急成長にはその成果が現れている。しかし、観光客の増加、とりわけ国境を越える観光客の増加は、全世界的な傾向である。

　もうひとつ統計を挙げておこう。図2は国連世界観光機関の調査結果である。ここに示されているのは、それぞれの国にとっての外国人観光客（インバウンド）、すなわち国境を越える観光客の数だ。

　この図からわかるのは、この二〇年でインバウンドの総数がじつに二倍以上に伸びているということである。その数は、一九九五年の五億二七〇〇万人に対して、二〇一五年は一一億八四〇〇万人にのぼっている。しかも9・11とリーマンショックの影響

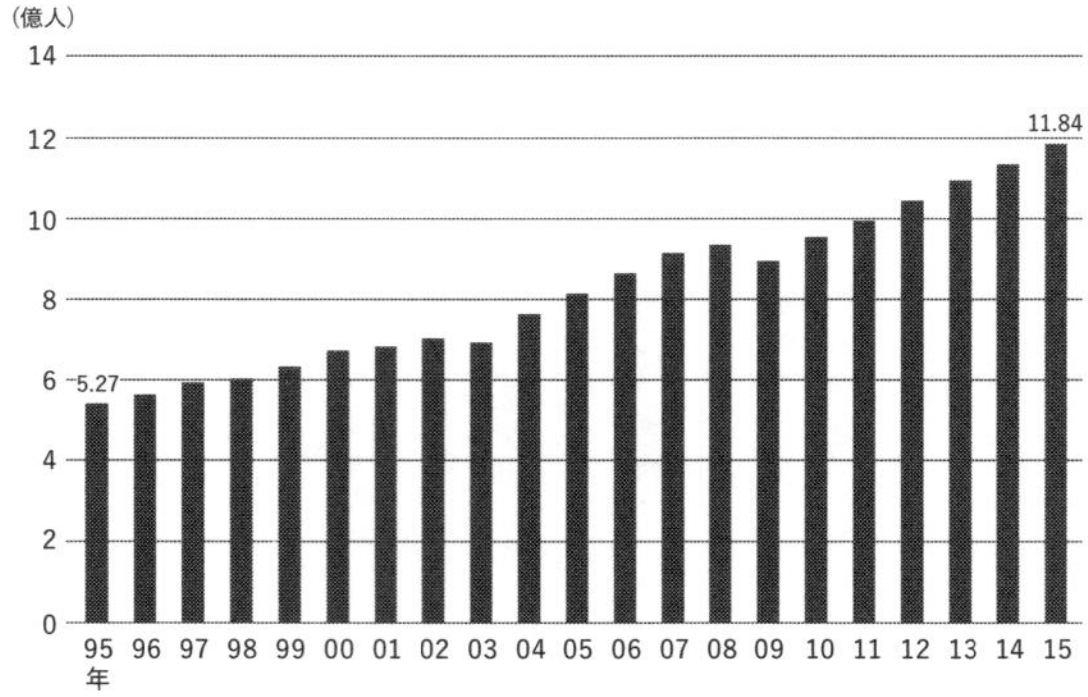

図2
国連世界観光機関2015年白書をもとに制作
URL=https://www.e-unwto.org/doi/book/10.18111/9789284418039, p.15

を除けば、右肩上がりでほぼまっすぐ増加し続けている。この数字はあくまでも国境を越えた観光客の数なので、同じ時期に急成長したはずの中国市場の国内観光客などは含んでいない。それを考慮すれば、成長の傾きはもっと急になるだろう。観光というと日本では、高度経済成長期からバブル期にかけての古い消費活動といった印象が強い。けれども実際にはそれは、二一世紀のもっとも有望な成長産業のひとつなのである。日本政府がいま観光に力を入れている背景には、このような事情がある。

世界はいま、かつてなく観光客に満たされ始めている。二〇世紀が戦争の時代だとしたら、二一世紀は観光の時代になるのかもしれない。

二一世紀は観光の時代になるかもしれない。だとすれば、哲学は観光について考えるべきだろう。本書の出発点には、まずはそんなあたりまえの感覚がある。

では、観光の時代はどのような時代になるのだろうか。その問いに答えるためには、観光とはなにかを定義する必要がある。

ところが観光の定義は意外とむずかしい。日本の観光学の教科書では、観光はざっくりと「楽しみのための旅行」としか定義されていない[★3]。これはあまりにも漠然としていて、ほとんど役に

★3　岡本伸之編『観光学入門』、有斐閣アルマ、2001年、2頁。

立たない。さきほど統計を引用した国連世界観光機関は、観光を「継続して一年を超えない範囲で、レジャーやビジネスあるいはその他の目的で、日常の生活圏の外に旅行したり、また滞在したりする人々の活動を指し、訪問地で報酬を得る活動を行うことと関連しない諸活動」と定義している[★4]。こちらは明確このうえない定義だが、こんどはあまりに形式的すぎて、逆に内容についての規定を含まない。いまの時代、仕事を求めて国境を越える人々(移民)は多く、戦争や災害を避けて他国に逃れる人々(難民)も増えている。この指標は観光客をそのような人々から区別するため導入されたものだが、統計には役立っても、観光についての思考の足がかりにはなりそうにない。

このようなとき、哲学はしばしば語源を調べてみるものである。いちおう日本語から始めてみると、「観光」という熟語は、英語の「ツーリズム tourism」あるいは同語源のヨーロッパの言葉の訳語として明治期に使われ始めたことが知られている。この熟語は『易経』に由来し、もともとは「国の威光を観る」という別の意味で使われていた。それゆえこの語源は、観光の概念について考えるときあまり参考にならない。

そこで「ツーリズム」のほうの語源を調べてみる。「ツーリズム」は、「ツアー tour」に「イズム ism」がついて作られた言葉である。前者の「ツアー」は、いまは単独で旅行を意味する言葉となっている。しかし、辞書を調べると[★5]、じつはこの用法そのものがあまり古いものではないことがわかる。tour は、古フランス語の tor などを語源とする言葉で、旅行の意味をもつようになったのは一七世紀半ばごろらしい。当時のイギリスの貴族には、若いころにヨーロッパ大陸とりわけイタリア半島をめぐり、ヨーロッパ文化の継承者としての自覚を深める教養旅行の習慣があった。それが「グランドツアー」と呼ばれている[★6]。その tour に ism がついた tourism が現れるのはようやく一九世紀初期のことだ。

この歴史からわかるのは、観光(ツーリズム)はかなり新しい言葉だということである。それはあくまでも近代に生まれた言葉なのだ。

観光は近代以降の存在である。これは実際、多くの学者が一致している認識でもある。ぼくはさきほど観光学には観光のはっきりとした定義がないと述べたが、むろん個々の研究には参照すべきものがある。そのひとつ、ジョン・アーリとヨーナス・ラースンによる著作『観光のまなざし』は、「観光者である、ということは「近代」を身にまとう、という特質の一環である」と記している[★7]。旅はむかしから存在した。巡礼も冒険もむかしから存在した。けれども観光は近代以降の社会にしか存在しない。二世紀のローマ貴族がユーフラテス河に「観光」したとか一五世紀のヴェネチア人

★4 佐竹真一「ツーリズムと観光の定義」、『大阪観光大学紀要』開学10周年記念号、2010年による日本語訳。表記一部変更。URL=http://library.tourism.ac.jp/no.10SinichiSatake.pdf
★5 *Oxford English Dictionary*. URL=http://www.oed.com
★6 グランドツアーについて詳しくは、岡田温司『グランドツアー』、岩波新書、2010年が参考になる。
★7 ジョン・アーリ、ヨーナス・ラースン『観光のまなざし』増補改訂版、加太宏邦訳、法政大学出版局、2014年、8頁。なおこの「増補改訂版」は、原書では本文でのち触れる「第三版」に相当している。

がパレスチナに「観光」したとかいった表現は、比喩としてはいいけれども、けっして正確なものではない。

それでは、近代の観光が、それら観光ではない近代以前の旅から区別される特徴はなんだろうか？

アーリとラースンは、それが大衆性だと指摘している[★8]。その大衆性は、産業革命と不可分に結びついている。彼らによれば、ローマにもヴェネチアにも、近代観光に通じるさまざまな制度があった。ローマ帝国には旅行関連の施設があったし、ヴェネチアではパレスチナへの定期的なツアーが組まれていた。しかしローマ人やヴェネチア人の旅はあくまでも一部の富裕層のものだった。他方で近代に現れた観光はけっして一部の富裕層のものではない（さきほど挙げた統計の一〇億という数字が、その大衆性をなによりも証拠だてている）。両者はその点で区別される。

観光が観光になるためには、産業革命が進み、労働者階級が力をもち、彼らの生活様式が余暇を含むものに大きく変わらなければならなかった。言い換えれば、大衆社会と消費社会が生まれなければならなかった。大衆社会と消費社会というこの言葉は、一般には二〇世紀の社会を指すために使われるが、その萌芽は一九世紀半ばに現れている。その萌芽から観光が生まれる。アーリとラースンはつぎのように述べている。「一九世紀の都市の経済的、人口的、空間的変容のもたらした効果の一つは自己の振舞いを自分たちで律する労働者階級の共同体を生んだことである。この共同体は彼らをとりまく社会の新旧いずれの制度からも比較的自立的だったのだ。この様な共同体は労働者階級の余暇の形態を作り上げるのに意味があった」［★9］。その新たな余暇から、新たな産業、すなわち観光が生まれたのである。アーリとラースンは、その歩みを具体的には、一八四〇年代に始まった、イングランドでの海浜リゾートの開発に見ている。一九世紀には労働者による海水浴が流行し、海岸の寒村が急激に都市化する現象が見られた（ブライトンなど）。それはまた、貴族たちに独占されていた一八世紀的な湯治の代替物でもあった。当時の海水浴は、純粋な娯楽ではなく、むしろ湯治に近いものだと考えられていた。

二一世紀のいま、観光は多様化し、大衆観光以外にさまざまな形態が現れている。たとえば、エコツーリズムやスタディツアーなどと呼ばれるものが一例である。それゆえかえって見えにくくなっているが、じつは大衆観光こそが、観光の本来のすがたなのだ。

観光のそのような大衆性は、もう少し属人的な歴史からも確認できる。観光の歴史を語るうえで欠かせない人物として、トマス・クックがいる。ひとむかしまえにヨーロッパを個人で旅行したことのある読者なら、赤い表紙の「トマス・クックの国際時刻表」を覚えているかもしれない。あの

★8 「この大衆的観光のまなざしは北イングランドの工業地帯の裏町に萌したのだ。本章は、工業都市の労働者階級が、生活圏から離れてひと時をよそへ行ってみようと考えたということが、なぜ当時の社会状況と合致した行為となったのか、そのことに焦点をあててみたい。観光のまなざしは、なぜイングランド北部の労働者階級から起こってきたのか。［……］この観光の発展は旅行の、ある意味「民主化」を表している」。『観光のまなざし』、46頁。

★9 『観光のまなざし』、51-52頁。

クックである。

トマス・クックは一八〇八年に生まれ、一八九二年に亡くなった実業家である。その人生はほぼヴィクトリア朝の時代に重なっている。クックは、鉄道を利用した最初の団体旅行（大衆観光）の企画者であり、周遊券やホテルクーポン、旅行小切手、ガイドブックなど、現在の観光業の基礎となる手法のほとんどを開発したと言われている。彼の団体旅行事業は、一八四一年に、開通したばかりの鉄道を利用した一〇マイル強の旅行の斡旋から始まり、一九世紀の後半を通じて急成長を遂げた。一八五〇年代からは国外旅行にも進出し、一八七二年には世界初の世界一周ツアーを実現した。一八八〇年代にはイギリスのエジプト占領を裏で支え（そのころにはもう経営権は息子に移っていたが）、政治的影響力ももった。一八九〇年には、世界中に八四の支店、八五の代理店を抱える、名実ともに大英帝国を代表する巨大企業に成長している。彼の名を冠したトマス・クック・グループは、いまでも世界を代表する旅行代理店であり続けている。

そのクックの事業は、産業革命の中心的な産業、石炭業と織物工業を抱えるイングランド北部から始まっている。彼が対象としたのは、貴族や知識階級ではなく、産業革命を背景に急速に力をつけつつあった中産階級や労働者階級である。つまり、彼はまさに、アーリとラースンが指摘した社会変化に応えようとした実業家だったと言える。実際にクックの最初期の事業のひとつは、まさに、アーリとラースンが注目したような海水浴場への安価な日帰り旅行を提供することだった。

そしてここで重要なのは、そのクックの事業が、彼の啓蒙や社会改良への情熱と不可分に結びついていたことである。彼は、自分は利益のためだけに仕事をしたことはないと公言していた［★10］。クックはたとえば、当時はまだ政治的に微妙な関係にあったスコットランドへのツアーを企画したり、地方貴族の邸宅である「カントリーハウス」の見学を事業化したりした。また彼は敬虔なキリスト教徒で、禁酒運動に熱心に取り組んでもいた。そもそも彼の最初の旅行斡旋事業は、禁酒運動大会のためのものだった。加えてもうひとつ、クックの事業が新しい交通技術（鉄道）と密接に関係していたことも見逃せない。彼が活躍した時代は、イギリス全土を鉄道網が覆っていく時代にぴたりと一致していた。実際に彼の観光事業は鉄道事業会社との連携で拡大し、ツアーの行き先は鉄道が伸びるごとに増えていった。観光と啓蒙と技術のそのような結びつきは、一八五一年にロンドンで開かれた第一回万国博覧会でひとつの頂点を迎えることになった。のちにまた触れるように、このロンドン万博は一九世紀半ばの大衆社会化と産業主義化を象徴するきわめて重要なできごとだったが、クックはまさにそこに一六万人もの人々を送りこんでいる。

クックは、観光を通じて大衆を啓蒙し、社会をよくすることができると本気で信じた人物だった。近代観光の歴史はその信念から始まっている。

それゆえ逆に、クックのその試みは、しばしば貴族や知識人などの既得権益層からの非難に曝されることになった。ある伝記は、その衝突についてつぎのように記している。「カントリー・ハウ

★10　蛭川久康『トマス・クックの肖像』、丸善ブックス、1998年、180頁以下。

スの公開に際しても、なかなか［貴族は］それに応じてくれようとせず［……］クックが率いる団体の無教養、粗野を口にして憚らないのだった。［……］どやどやと群れをなして押し寄せる「大衆」にほとんど生理的な拒否反応を示したのだった。［……］クックは逆にそのことを目標にしていた」。クックは一八六〇年代に、一八世紀まで貴族たちが独占していたグランドツアーの目的地、イタリアへの団体旅行も実現している。それそのものがクックの価値転倒的な意図を証拠だてているが、案の定そこでも自国の（現地の、ではない）政府高官から厳しい批判を受けている。政府高官は、観光客について、マナーをわきまえず、イギリス人の評判を下げるだけの「醜悪な連中」だと罵倒している［★11］。じつは当時は、パリやローマに行ったイギリス人観光客のすがたが、よく保守的なメディアの物笑いの種になっていた。その構図は、一五〇〇年後のいまの日本で、中国人観光客を笑う構図とほとんど変わらない。

　ここまでの議論をまとめよう。観光とはまずは「楽しみのための旅行」であり、「訪問地で報酬を得る活動を行うことと関連しない」「日常の生活圏の外に旅行したり、また滞在したり」することだった。しかしそれは、より本質的には、大衆社会や消費社会の誕生と結びついたものだった。観光は、新しい産業と新しい交通が生みだした新しい生活様式と結びついた行為であり、古い既得権益層と衝突する行為でもあった。

　それでは、これからそのような観光がますます世界を覆っていくとして、それはぼくたちの文明にとってどのような意味をもつだろうか。観光は世界をどう変えるのか。観光客の哲学を構想するにあたり、まず思いつくのはそのような問いである。

しかし、その問いについて考え始めると、ぼくたちはすぐ壁にぶつかることになる。じつはいままでの学問は、このような問いにほとんどなにも答えていないからである。あるいは答えていたとしても、否定的にしか答えていないからである。

どういうことか。研究状況をざっと眺めてみよう。まず、日本の観光学は実学中心である。さきほども触れたように、教科書は観光を「楽しみのための旅行」としか定義していない。実学ではそれで十分なのだろう。ぼくはそれを否定するわけではない。しかしその定義がなにも思考を促してくれないことは明らかである[★12]。

では観光学の外部はどうだろうか。あるいは英語圏はどうか。

★11 『トマス・クックの肖像』、146‐147頁、152頁以下。引用箇所の近くで蛭川は、クックの最大の敵は、この政府高官のようなイギリス人に見られる「スノビズム」だったと述べている（153頁）。ぼくはかつて『動物化するポストモダン』という本で、アレクサンドル・コジェーヴを引用して、この「スノビズム」という言葉と「動物」を対置させたことがある。後者についてはあらためて第三章で触れるが、その対置を思い起こすと、この指摘は興味深い。観光客は動物だった。観光は動物を支援する産業だった。スノビズムは動物に対立する生きかただった。だからこそスノビズムが観光の最大の敵になったのである。

★12 日本では最近、観光学術学会という名の新たな学会が立ちあがっている。設立趣意書には、つぎのように記されている。「日本における観光研究に求められているのは、理論的な学術研究の進展です。これまでの日本における観光研究は、その実学的性質から、学術的考察や分析の面で脆弱であったことは否めません」。観光学術学会「設立趣意書」、2012年。URL=http://jsts.sc/archive

そちらで観光に触れたものとして知られているのは、ダニエル・ブーアスティンが一九六二年の『幻影の時代』で行った指摘である。同書の第三章は「旅行者から観光客へ」と題されている。そこで彼は有名な観光客批判を展開した。『幻影の時代』は「疑似イベント」(マスコミが作りあげた偽のできごと)を鍵概念にした現代社会批判で知られる著作だが、ブーアスティンによれば、観光もまた典型的な「疑似イベント」である。「旅行することは疑似イベントとなってしまった。[……]われわれは窓から外を見る代わりに鏡のなかを見ている。そこに見えるものはわれわれ自身の姿である」[★13]。つまり彼は、旅は本物に触れるからいい、しかし観光は本物に触れないからだめだと述べたのだ。この批判はあまりに単純すぎて、のち観光学のなかからも、ディーン・マキャーネルの一九七六年の『ザ・ツーリスト』など、さまざまな批判が現れている。しかし、それが、いまも残る知的軽視の一種の雛形を作ったことはまちがいない。ブーアスティンが導入した旅(トラベル)と観光(ツーリズム)の対置はいまも生き残っている[★14]。

観光学は、観光の本質について考えない。観光学の外部は、観光を表層的な現象としてしか捉えていない。それゆえ観光の本質についてはだれも考えていない。観光研究史をごくおおざっぱに要約すれば、そのような状況があった。それが変わる兆しが現れたのは、一九九〇年代に入ってのことである。

じつは前掲の『観光のまなざし』はその画期となった著作である。この著作は、一九九〇年にアーリの単著として刊行され、のち二〇一一年にラースンを共著者に加え、内容を大幅に増補して第三版が出版されている（第一版への批判に対する反論やネットの出現を考慮した新たな考察などが入っている）。同書は、ミシェル・フーコーを参照しつつ観光の誕生を「まなざし」の誕生として捉えた著作で、ポストモダニズムや文化研究の成果も活かされており、後続世代への影響も大きい。

けれどもそんな本でさえ、冒頭にはつぎのような注意が記されている。「観光、行楽そして旅行は一般の評者が思ってきた以上に重要な社会現象である。いっけんするとこんなつまらない主題で本を書くことはないだろうと思える。じっさい、社会科学者たちは労働とか政治という重厚なテーマについては苦心を重ねて説いてきたが、行楽などという、取るに足らない現象の説明をせよと言われると、たいへんな困惑を覚えるのではないかと想像されるのである」[★15]。この文章は第三版にも存在している。つまりは観光は、一九九〇年になっても（あるいは二〇一一年になっても！）、いまだ学問的には「つまらない」「取るに足らない」ものだと考えられていたのである。実学以外の観

★13　ダニエル・J・ブーアスティン『幻影《イメジ》の時代』星野郁美、後藤和彦訳、東京創元社、１９６４年、１２８頁。
★14　cf. Dean MacCannell, *The Ethics of Sightseeing*, University of California Press, 2011, Appendix. なおここでは触れるにとどめるが、アメリカの歴史学者、エリック・リードの『旅の思想史』も、「旅」と「観光」のこの対置を導入し、後者を否定している。そしてこの書物が本書の文脈でとりわけ興味深いのは、リードがそこで、観光の誕生に、ヘーゲル主義の死、そして「他者」の概念の死を重ねていることである。「われわれの時代は弁証法のつらい終末の時なのであり、自己同一性を、外部にある他者の敵対的世界に照らして劃定していた人々にとっては悲しい時代なのである。［……］ヘーゲルは死に、埋葬され、現代の意識、現代の旅人の心の中に組み込まれているというわけである」。エリック・リード『旅の思想史』伊藤誓訳、法政大学出版局、１９９３年、３７５頁。観光はヘーゲルの死のあとで生まれる。裏返せば、ヘーゲルを殺さないと観光は理解できない。ぼくたちは第三章でこの問題に本格的に取り組むことになる。
★15　『観光のまなざし』、5頁。

光研究者は、その視線に対してあらかじめ防衛線を張らねばならなかったのだ。

加えて、さらに悲劇的（喜劇的？）なのは、そのような状況をひっくりかえし、観光学の理論的な基礎を築いたはずのアーリたち自身が、現在のグローバル化する観光に対しては否定的な見解を表明していることである。『観光のまなざし』第三版の最終章は、「リスクと未来」と題され、テロリズムと観光の関係や生態系の破壊などに触れたあと、急成長するドバイの観光産業に対する辛辣な批判で終わっている。「ドバイ首長国の衰退は、観光のまなざしの意義ということでは、もっと広い意味での衰退の始まりということになるのだろうか。二〇五〇年の先になっても、まだ比較的広く、またふつうのこととして「観光のまなざし」は機能しているのだろうか」[★16]。いちおうは疑問文で書かれているが、アーリたちの意図が否定にあることは明らかである。彼らは、二一世紀が観光の時代になるとしても、そこにはもはや変質した観光しかないと考えている。

ブーアスティンのような単純な観光批判は、現在では通用しない。観光のさまざまな機能についてもう少し繊細な考察がなされてはいる。しかしそれでも、資本主義と深く結びついた観光のダイナミズムそのものに対しては、観光学者たちでさえいいところを見つけられない。

しかし、だとすれば、なぜいま世界は観光客に覆われつつあるのだろうか？　人類が愚かだからだろうか？　人類はこのまま能天気に、ツーリズムとショッピングモールとテーマパークに囲まれて、ポストモダンの子宮に守られ、そしてそのまま歴史の終わりのまどろみのなかを漂っていくのだろうか？

ぼくはそう思わない。だから観光客の哲学を考えている。

3

観光は一九世紀に生まれた。そして二〇世紀に花開いた。二一世紀は観光の時代になるかもしれない。だとすれば、そろそろ観光の意味について哲学的な考察が必要だ。これが本書のもともとの出発点である。

にもかかわらず、いろいろと調べていくと、観光について哲学的に、しかも否定的にではなく語ることはむずかしいことがわかってくる。それがぼくたちが直面する壁である。観光客の哲学を構想するためには、まずはこの壁を壊さなければならない。本書の議論はここから始まる。

本書はその壁に正面からぶつかっていく。第三章で壁の正体を確定させ、第四章で壁に穴を開ける。そして第五章で、穴のむこうがわに見える来たるべき観光客のすがたを確定させ、第一部の議論を終える。第二部ではまた別の議論が行われる。

第三章と第四章は、ぼくにしては「まじめ」な、堅い哲学論文風の文章で記されている。そこでは、ヴォルテール、カント、シュミット、コジェーヴ、アーレント、ノージック、ネグリといった

★16 『観光のまなざし』、371-372頁。

思想家たちが召喚され、ひとりひとりテクストが読まれていく。本書が哲学書を謳う以上、そのような構成は避けられなかった。しかし同時に、その構成は、哲学書のまわりくどい論述に慣れない読者にとっては、本書全体の流れや狙いを見えにくくするものであるかもしれない。

そこでここでは、第一章を終えるまえに、観光客の哲学を考えることでそもそもぼくはいったいなにをしようとしているのか、より広い文脈のなかでの狙いを直截に記しておこうと思う。狙いは三つある。

ひとつめの狙いは、グローバリズムについての新たな思考の枠組みを作りたいというものである。観光はグローバリズムと切り離せない。言い換えれば、国境の横断と切り離せない。それはトマス・クックが創設したときからそうである。クックは事業創設の当初から国外観光を目指していた。したがって、観光の是非をめぐる議論は、グローバリズムの是非をめぐる議論と切り離せない。グローバリズムの是非は、二〇一七年のいま、まさに世界中で問われている問題である。本書はそのなかで書かれているが、では本書はグローバリズムに対してどのような立場に立つのか。観光客の哲学を構想することからわかるように、本書はけっしてグローバリズムすなわち悪とは考えない。むしろ、グローバリズムを悪としてしか捉えてこられなかったこと、それこそがいままでの人文思想の限界だと考える。

なぜか。理論的な話は第三章以降で行うので、ここではグローバリズムの事実について、単純な見解を述べておきたい。グローバリズムは善か悪か。ぼくがこの問題について考えるとき思い起こすのは、二〇一〇年にＢＢＣが制作し、いまはネットで公開されているひとつの動画である。図３にそのひとコマを模写したものを示す。模写ではわかりにくいかもしれないが、この映像では、スクリーン上の縦軸に平均寿命、横軸にひとりあたりの国民所得が取られ、そのうえに先進国から発展途上国まで、さまざまな国の状況が人口に比例した面積の円でプロットされるかたちになっている。つまりは、国民所得が高く（豊かで）平均寿命が長い（健康な）国ほど、右上にプロットされるわけだ。そして時間を進めるとグラフの全体が変化する。

　興味をもった読者はぜひ実際の映像を見てほしいが、そこで衝撃的なのは、二〇世紀のはじめを起点として時間を進めていくと、ほぼ確実に国家間の格差が小さくなり、すべての国が右上に、つまり豊か

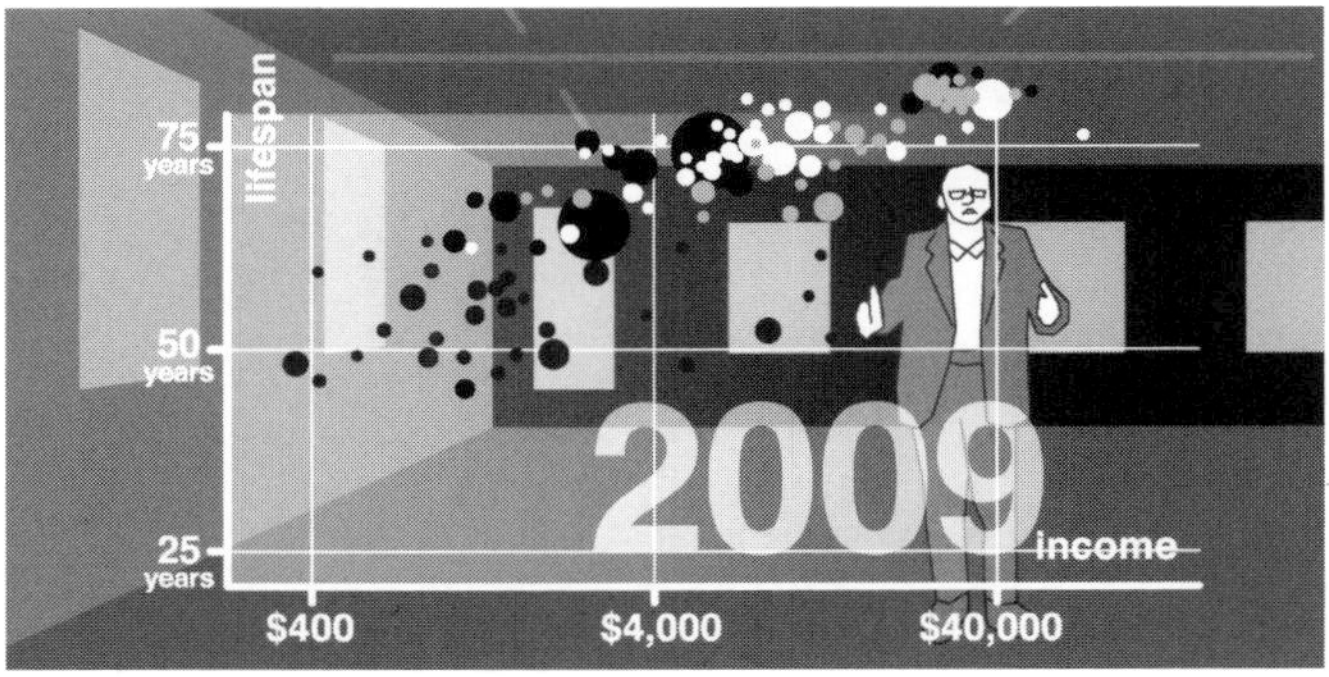

図3
Hans Rosling's 200 Countries, 200 Years, 4 Minutes - The Joy of Stats - BBC Four
映像の1コマをもとに制作
URL=https://www.youtube.com/watch?v=jbkSRLYSojo

で健康な位置に向かっていくということである。むろん、あいだに第一次大戦や第二次大戦のような例外はある。左下に転落していく国もある。たとえば終戦直後の日本がそうである。しかしそれは例外にすぎない。とくに一九七〇年代以降の平均寿命の格差の縮小は劇的で、感動すら覚えるほどである。人類はいま確実に、より豊かで、より健康になっている。

むろんこれは、単純化された「プレゼン」映像にすぎない。「豊か」といっても、そもそも国民所得がほんとうの豊かさを反映しているのかといった疑問はある。しかしそれでもこの映像からは、世のなか、とりわけ左翼メディアで流通する、グローバリズム批判一辺倒の言説とはかなり異なった世界像が浮かんでくることはたしかである。

グローバリズムはたしかに富の集中を強めただろう。先進国内部で貧富の差を拡大もしただろう。しかし同時に国家間では貧富の格差を縮めてもいる。それをどう捉えるか。自国民の犠牲で他国民が豊かになっているので問題だと捉えるか、それとも人類全体は豊かになっているのでよしと考えるか。

否定的に見るか肯定的に見るかはともかく、ひとつだけ言えるのは、いまや世界は急速に均質になりつつあるということである。さきほどの映像でも示されていたことだが（ある国家のひとつの都市を抜き出し、国家と見なしてプロットするというかたちで）、現代では国家間の経済格差は、各国国内の都市と地方の格差よりも小さくなりつつある。一〇年ほどまえ、トーマス・フリードマンの『フラット化する世界』という本がベストセラーになったことがあったが[★17]、その表現を借りれば、世界はいままさに「フラット」になりつつある。ぼくたちはいまや、アメリカでもヨーロッパでもアジアでも旧共産圏でも中東でも、どこの国に行っても、同じ広告に出会い、同じ音楽を耳にし、同じブランドの入ったショッピングモールに行き同じ服を買う、そのような生活ができる時代に生きている。観光客の急増はこの変化と切り離せない。観光客の哲学的な意味を問うとは、この「フラット化」の哲学的な意味を問うということに等しい。

このように記すと、おまえは資本の暴力を肯定するつもりかと怒る読者がいるかもしれない。けれども、本書を最後まで読んでいただければわかるように、ぼくは素朴な資本主義肯定を語りたいわけではない。観光客をめぐる思考がどのように「抵抗」の足がかりになるのか、それはこれからの議論を見てもらいたい。

ふたつめの狙いは、ひとつめに比べて少し抽象的になるが、人間や社会について、必要性（必然性）からではなく不必要性（偶然性）から考える枠組みを提示したいというものである。

そもそも観光は必要に迫られて行うものではない。それは、さきほどの教科書の定義（楽しみの

★17　トーマス・フリードマン『フラット化する世界』上・下巻、伏見威蕃訳、日本経済新聞社、２００６年。なお、第三章で触れる実業家の鈴木健は、世界は「フラット」になったというよりむしろ「なめらか」になったのだと述べている。境界はなくなったが、しかしすべてが均質化したわけではなく、政治にしろ経済にしろ連続的な推移で捉えるべき状態に変わったという意味である。ぼくもその認識に同意するが、ここではわかりやすく人口に膾炙した「フラット」の表現を用いる。鈴木健『なめらかな社会とその敵』、勁草書房、２０１３年参照。

ための旅行）や国連世界観光機関の統計基準（訪問地で報酬を得ない）にもすでに表現されている。生活や職業の必要に迫られて行う旅行は観光ではない。観光は、本来ならば行く必要がないはずの場所に、ふらりと気まぐれで行き、見る必要のないものを見、会う必要のないひとに会う行為である。だからそれは、一部の富裕層だけでなく、中産階級や労働者階級ですら、生きるために不必要なものにあるていどお金を投じることができるようになった、産業革命以降の生産力の上昇した豊かな社会でしか産業としては成立しないのである。

観光のこの不必要性（偶然性）は、都市文化の問題と深く結びついている。アーリとラースンは、観光の誕生が、ドイツの批評家、ヴァルター・ベンヤミンが注目した「遊歩者」（フラヌール）の出現と同時であることに注意を促している[★18]。

一九世紀前半のパリでは、「パサージュ」と呼ばれるガラス屋根つきの商店街建築（アーケード）が流行した。パサージュは室外であるけれど屋根に覆われている。遊歩者とは、その室内とも室外とも呼びがたい空間を、各店の店先を覗きこみながらぶらぶらと無為に歩く人々を指す言葉である。このような人々は、パサージュが出現するまえは存在しなかった。社会学者の若林幹夫が指摘するように[★19]、パサージュはショッピングモールの遠い起源であり（一般にはモールの建築的な起源は一九五〇年代のアメリカに求められるが）、遊歩者はモールを歩く人々の遠い起源である。そして、観光客とは、訪問先の風景のなかに、まさに遊歩者のように入っていく人々のことにほかならない。観光客は訪問先で生活上の必要をもたない。買わなければならないものも、行かなければならないところもない。観光客にとっては、訪問先のすべての事物が商品であり展示物であり、中立的で無為な、つまりは偶然のまなざしの対象となる。観光のまなざしとは、世界すべてをパサージュ＝ショッピングモールと見なすまなざしにほかならないのだ。

ぼくはさきほど、クックが参加したロンドン万博に触れた。じつはこの万博はパサージュと深い関係がある。

一八五一年のロンドン万博は、当時のイギリスで社会の中心が貴族から中産階級に移動し、求められる価値観もまた美から産業へと移動したことを象徴する、歴史的にきわめて重要な事件だったことが知られている。ここでは簡単な紹介にとどめるが、そこでとくに人気を集めたのが「水晶宮」と呼ばれる巨大なガラス建築だった［★20］。鉄骨とガラスの組み合わせで建築され、内部には世界各国の工業生産物がところ狭しと並べられたその巨大建築は（その内部構成そのものが仮想的な世界旅行でもある）、ベンヤミンが示唆するように［★21］、パサージュの一種の理想形態でもあった。ロンドン万博は、まさに観光客＝遊歩者の天国としてつくられていたのである。

★18 『観光のまなざし』、242頁以下。本論では触れることができなかったが、じつはアーリとラースンは観光の誕生が写真の誕生と同時であることも指摘している（というよりもアーリとラースンの著作の主題はそちらにある）。写真もまたベンヤミンの主要なテーマのひとつである。観光、写真、遊歩者はすべて同時期に生まれ、そして内的につながっている。観光はじつはすぐれてベンヤミン的なテーマなのだ。

★19 若林幹夫「多様性・均質性・巨大性・透過性」、若林幹夫編著『モール化する都市と社会』、NTT出版、2013年、213頁以下。

★20 この建築の文化史的意義については、松村昌家『水晶宮物語』、ちくま学芸文庫、2000年が参考になる。

★21 ヴァルター・ベンヤミン『パサージュ論』第1巻、今村仁司、三島憲一ほか訳、岩波現代文庫、2003年、404頁など。

観光客は、訪問先を、遊歩者のようにふわふわと移動する。そして世界のすがたを偶然のまなざしで捉える。ウィンドウショッピングをする消費者のように、たまたま出会ったものに惹かれ、たまたま出会ったひとと交流をもつ。だからときに、訪問先の住人が見せたくないものを発見することにもなる。本書ではぼくは、観光と都市の関係、観光と視覚の関係、観光と複製技術の関係といった表象文化論的な問題系での考察をほとんど行うことができなかったが、しかし、ほんとうは、観光客の本質を捉えるうえでこの「ふわふわ」性（偶然性）はきわめて重要である。そこにこそ観光客の限界があり、また可能性がある。ぼくはのち第五章で、同じ問題を異なった角度から取りあげる。

ちなみに付け加えれば、このパサージュあるいは水晶宮のイメージは、また一九世紀の政治思想とも深く関わっている。有名な空想的社会主義者、シャルル・フーリエは、彼が考える理想の共同体「ファランジュ」のための建築を設計するにあたり、パサージュをモデルとしたことが知られている。つまりフーリエは、ショッピングモールこそがユートピアだと、少なくともその基礎になると考えていたのである。新たな産業と新たな技術に支援された新たな階級が集う新たな消費空間＝パサージュの出現は、当時の社会主義者にユートピアの新しいイメージを与えていた。ぼくはのち第八章で、ドストエフスキーが、まさにそのイメージこそを標的として『地下室の手記』を記したことに触れ、そこから新しい観光客的主体について考えることになる。

最後にもうひとつ。みっつめの狙いは、ふたつめの狙いよりさらに抽象的になるが、「まじめ」と「ふまじめ」の境界を越えたところに、新たな知的言説を立ち上げたいというものである[★22]。

どういうことか。学者は基本的にまじめなことしか考えない。学者とはそもそもがそういう人間である。しかし観光とは「ふまじめ」なものだ。だからそれは、学者たちにとっては、まさに「まじめ」に研究対象にするのがとてもむずかしい。ぼくは第三章以降、観光客の哲学の困難について思想史的な検証を行うが、それはわかりやすく言えばそのような困難でもある。これはまた、冒頭で述べた本質と非本質のねじれとも関係している。

けれども、人文系の学者は、まさにいま「まじめ」と「ふまじめ」のその二項対立こそを超えねばならないというのがぼくの認識である。

なぜか。たとえばテロのことを考えてみよう。テロは「まじめ」に語るべき問題の代表のように思われる。そして観光のような「ふまじめ」な問題とは対極に位置するもののように思われる。しかしほんとうに両者はそれほど遠いのだろうか？

実際にはその両者は意外なほど近いように思われる。アーリとラースンは『観光のまなざし』の最終章で、観光産業の発展は同時にテロのリスクの増大を意味していると警告を発している。「観

★22　なにを「まじめ」に語り、なにを語らないべきか。その分割はきわめて政治的なものであり、ある種の問題については、その「まじめ」そのものの再設定を行わないと語ることができないということがありうる。ぼくはそのむずかしさについて、かつて、日本の戦後責任論を主題とした加藤典洋と高橋哲哉の論争に即して記したことがある。東浩紀編『ゲンロン3』、2016年、22頁以下。

光地は観光者だけでなくテロリストも惹きつけてしまっている」[★23]。テロリストは観光客に偽装するし、ときに観光地を襲う。しかしそれだけではない。二〇一〇年代半ばのいま、テロの最大の問題は、むしろテロリスト自身が観光客的な存在になっていることにある。

ぼくがここで念頭に置いているのは、ホームグロウン・テロリストやローンウルフと呼ばれる、先進国の内部で、組織的な背景がなく孤独に犯罪を準備する新しいタイプのテロリストたちである。彼らはイデオロギーをもたない。標的も政治家や経済要人に限らない。彼らはむしろ、この二一世紀の世界で幸せに生きる一般大衆、それ自体を攻撃する。ロンドン万博に大衆料金で入り（同万博には特定の日に入場料が安くなる制度があった）、パリのパサージュを一銭も使わずに遊歩して楽しんでいた労働者階級、その子孫をこそ標的としている。

現実にそのような事件は頻繁に起きている。本書執筆の前後に限っても、まず二〇一五年の一一月にはパリでライブハウスやレストランが銃撃された。二〇一六年六月にはフロリダでナイトクラブが襲われ、同月のイスタンブールでは空港のロビーが爆破され、同年七月にはニースで花火大会帰りの観光客で賑わう街路にトラックが突入した。年末の一二月にはベルリンでも同じようにトラックがクリスマス市に突入し、そして年が明けて二〇一七年元日には、ふたたびイスタンブールのナイトクラブで銃の乱射が起きている。いずれもとくに政治的なイベントがあったわけではなく、標的になる要人がいたわけでもない。紛争地でもない。犯人が特定されれば（たいていは死んでいるが）いちおうは動機が探られ、ジハーディズム（イスラム過激主義）や難民問題との関連が掘りだされるが、その内実はといえば、ネットで動画を熱心に観ていたていどであることも多い。

そんな彼らの動機については、「まじめ」に考察すればするほど空回りしてしまう。彼らの行為は現実にひとを殺し、ときに自殺までしているのだから、「まじめ」と言うほかない。ひとの死ほど「まじめ」なことはない。しかしその動機をたどると、とても「まじめ」とは思えない浅薄さに出会うのだ。イスラム国（ＩＳ）がネットで公開した、ハリウッド映画ばりに過度な編集が施された処刑動画を観たことのあるひとならば、「まじめ」と「ふまじめ」とのあいだで宙づりにされるこの感覚に覚えがあるはずである。そしていまは世界中で、あの動画に影響を受けてテロリストが誕生している。

そしてここで問題なのは、「まじめ」とも「ふまじめ」とも言えないこのような行為に対しては、じつは政治的な思考は原理的に対処できないということである。なぜならば、のち第三章でカール・シュミットの著作に照らして詳しく見るように、政治的なるものの本質は友（自国民）と敵（テロリスト）を公的な基準で分けることにあるからである。公的とはここで言えば「まじめ」ということである。政治とは原理的に「まじめ」な行為だ、というのがシュミットが指摘したことだ。けれどもいま話題のテロリストたちは、彼らはそもそも「まじめ」な、すなわち公的で政治的な目的をもたないのだ。今後いくら各国の政府が諜報活動をさかんにしても、彼らの計画を事前に捉

★23　『観光のまなざし』、３４１頁。強調を削除。

えることは至難の業だろう。彼らはそもそもが「まじめ」な目的をもたないのだから、その意図も捉えようがない。テロリストたちの動機を「まじめ」に探ろうとすること、それそのものが彼らの行動を見えなくしてしまう。だから、その行動原理を言語化するためには、いちど「まじめ」と「ふまじめ」の境界を棚上げする必要がある。政治的行動の背景には政治的意志なり決断があるという前提を、根本から疑う必要がある。そして観光客的なるものと政治の関係を、根本から再考する必要がある。観光客の哲学について本を書いている背景には、このような問題意識も存在している。

なお、いささか先走って言えば、おそらくは彼ら「まじめかふまじめかわからないテロリスト」をより正確に表象することができるのは、シュミット的な「敵」ではなく、むしろドストエフスキーが前掲の小説で描いたような「地下室人」のイメージである。二一世紀のテロリストは、シュミット的というよりもドストエフスキー的、言い換えれば政治的というよりも文学的な存在なのだ。

政治は「まじめ」と「ふまじめ」の峻別なしには成立しないが、文学はその境界について思考することができる。この意味では本書は、文学的思考の政治思想への再導入の必要性を訴える本でもある。観光客とは、政治と文学のどちらにもおらず、またどちらにもいる存在の名称である。

第2章――二次創作

1

本章は付論にあたる。本来であれば、第一章から第三章へ、議論をまっすぐに進めるのが望ましい。しかし、本書の読者には、いままでのぼくの著作の読者がかなりの数いるはずである。そのなかには、ぼくが二〇一〇年代に入って「観光客」と言いだしたことに対して戸惑っているかた、また、この数年のぼくの実践と本書の関係について疑問を抱いているかたもいるだろう。

そこでここでは、そのような読者のため、本書の構想を過去の仕事に接続するべく、ふたつほど補足説明を記しておくことにした。ぼくの仕事に関心のないかたは、この章はまるまる飛ばしていただいてかまわない。のちにここでの議論に言及するところも数ヶ所あるが、そこで知識がなくても、基本的に本書の内容は理解できるはずである。

それでは、駆け足で補足をすませてしまおう。まず第一の補足は理論的な背景についてである。

たしかにぼくは最近まで「観光」という言葉を使ってこなかった。しかし、観光客のような「ふまじめな存在」についてはかなりまえから考えてはいた。じつはぼくは、似た現象について「二次創作」という言葉で考えていたのである。

どういうことだろうか。ぼくはいまでも、ある世代の読者にはオタク系サブカルチャーに詳しい批評家だと見なされている（実際にはこの数年ほとんどアニメも見ていないしゲームもプレイしておらず、すっかり最新の状況に疎くなっているのだが）。そのような見方が広まったきっかけは、いまから一五年ほどまえ、二〇〇一年に刊行された『動物化するポストモダン』という本だ。

そこでぼくが注目したのは、オタクたちの「二次創作」という行為である。それは、マンガやアニメから、一部のキャラクターや設定だけを取り出し、「原作」から離れて、自分の楽しみのためだけに別の物語を作りあげる創作活動のことである。たとえば、少年マンガを愛する（おもに女性の）読者が、自分のお気に入りのキャラクターに性的な行為を演じさせ、ポルノを作成したりする活動を意味する（こういう作品は実際に無数に存在する）。二次創作はあくまでもアマチュアの出版物であり、流通経路も即売会や専門書店に限定されているが、その影響はたいへん大きく、ある時期以降のオタク文化は二次創作抜きには語ることができない。興味をもった読者は『動物化するポストモダン』にあたってほしい。例は古びているが、本質はいまも変わっていない。

この二次創作は、本書の文脈につなげれば、まさに「観光」的な性格をもつと考えることができる。というのも、それは、特定の作品について、その一部を抜き出し、原作者が期待した読みかたとはまったく別の読みかたを、しかも原作者に対してなんの責任も負わずに「ふまじめに」生みだす働きのことだからである。それは、観光客が、観光地に来て、住民が期待した楽しみかたとはまったく別のかたちで楽しみ、そして一方的に満足して帰るありかたに構造的に似ている。

両者に共通するのは無責任さである。観光客は住民に責任を負わない。同じように二次創作者も原作に責任を負わない。観光客は、観光地に来て、住民の現実や生活の苦労などまったく関係なく、自分の好きなところだけを消費して帰っていく。二次創作者もまた、原作者の意図や苦労などまったく関係なく、自分の好きなところだけを消費して去っていく。

したがって、観光客が観光地の住民から嫌われるように、二次創作もまた原作者や原作の愛読者から嫌われることがある。最近では二次創作はずいぶんと社会的に認知され、原作者とのあいだのトラブルも少なくなったようだが、かつては原作者が、自分の作品をポルノに読み替える二次創作に怒りを表明した例もあったと聞く。そのすがたは、観光客に対して怒りを表明する住民にとても似ている。さらに踏みこめば、観光も二次創作もともに、最初は嫌われるにもかかわらず、時間が経つにつれ受け入れられ、いつのまにか住民や原作者の経済がそれなしには成立しなくなってしまう、そういう皮肉な過程があるところも共通している。前述のとおり、現在のオタク文化は二次創作なしには成立しない。いくら二次創作が嫌いで否定したいと思ったとしても、もはや原作の市場そのものがそれなしには経済的に成立しない。同じように、いまや少なからぬ地方自治体の経済が観光に依存している。

ネットには「原作厨」という興味深いスラングがある。作品の映像化にあたり、なによりも原作の世界観が大事だと考える人々を指す言葉だ。アニメ化ならともかく、小説やマンガの実写ドラマ化や実写映画化では、どうしてもあるていど二次創作的な、つまり原作を変える部分が出てくる。たとえば登場人物の性格が変わったり、物語の結末が変わったりする。そういうとき、原作厨の人々は「原作とちがう」と文句を言うわけだ。

この原作厨の抵抗は、観光地の住民が、観光客の想像に対して抱く違和感と同じ構造をしている。たとえば、日本に短期滞在した外国人が、「ゲイシャ」「フジヤマ」「アキハバラ」ばかりに注目し、写真を撮り帰っていくとする。彼らの写真は、日本に住むぼくたちからすれば、多様な現実のなかから彼らが好むイメージだけを取り出した、いわば「日本の二次創作」にすぎない。ぼくたちはそれを「日本についてなにもわかっていない」と笑う。それはまさに原作厨の態度である。住民が観光客を認めないように、原作厨は二次創作を認めない。しかし、同時に、住民の経済が観光客なしには成立しないように、原作厨の喜びもじつは二次創作（二次創作的な実写ドラマ化や実写映画化）なしには存在しない。なぜならば、それこそが原作者を潤わせるからである。実際、それがいくら「原作とちがう」ものだったとしても、実写ドラマ化や実写映画化によって、原作は売れ、より広い読者を獲得するのが現実である。

ぼくは『動物化するポストモダン』で、このような現実に注意を向けつつ、現代の社会や文化について考えるためには、「二次創作をするオタク」の存在を無視するわけにはいかないと訴えた。

そこから出てきたのが「データベース消費」の概念である。原作者と二次創作者の関係を住民と観光客の関係に重ねる以上の並行関係を念頭に置けば、ぼくのサブカルチャー論は、たやすく本書の観光客論に接続できるはずである。

もう少しだけ記しておく。ぼくは二〇〇七年に、『動物化するポストモダン』の続編にあたる『ゲーム的リアリズムの誕生』という著作を出している。

『動物化するポストモダン』は社会分析の書物だったが、その続編でぼくが試みたのは作品分析である。ぼくの考えでは、ある時期以降（おおざっぱには一九九五年以降）のオタク系コンテンツは、大なり小なり、みな最初から二次創作の想像力を内面化するようになっている。二次創作の市場が一定規模を超えると、作家はみなあらかじめ二次創作で読み替えられる可能性を考えるようになるし、その読み替えを先取りしてキャラクターを作ったほうが商業的に成功しやすいと判断するからである。その結果、市場に流通する物語やキャラクターは独特の偏りを帯びてくる。キャラクターの設定やデザインは、二次創作されやすいように「萌え」化するし、物語のほうも、最初からいくらでもスピンオフを作ることができるように、パーツに分かれたデータベース化が進むことになる。あるゲームのジャンルでは、物語の二次創作（読み替え）が先取りされた結果、同じ事件がいくども繰り返すループ（時間の反復）のモチーフが流行したりすることになる。

これはポストモダン社会ではじつに一般的な現象だと言える。オタク文化にかぎらず、現代社会においては、ある作品が、それ自体の価値だけで評価され流通することはほとんどない。あらゆる作品は、「ほかの消費者がその作品をどう評価するか」、そして「自分がこの作品に評価を与えたとして、ほかの消費者は自分のその評価についてどう考えるか」といった、「他者の視線」を内包したかたちで消費されることになる。

それは理論的には、かつてケインズが「美人投票」の例で語り、ルネ・ジラールが「欲望の三角形」という言葉で語り、社会システム理論が「二重の偶有性」と命名した現象である。かりにそれらの言葉を知らなくても、フェイスブックの「いいね!」機能を思い浮かべれば、その本質はたやすく理解することができる。ひとは、気に入った投稿を素朴に「いいね!」するわけではない。むしろ「いいね!」をつけると他人からの評判が上がるものに対してこそ、積極的に「いいね!」をつけていく。そのため、ネットワーク全体で見ると、政治のような、ひとにより賛否が分かれる厄介な話題は避けられ、猫画像や料理画像のような「無害」なコンテンツにどんどん「いいね!」が集まっていくことになる。ぼくたちはいま、「他人の欲望を欲望する」(他人のいいね!にいいね!する)メカニズムが、かつてなく猛威を振るう世界に生きているのである。

ぼくは『ゲーム的リアリズムの誕生』で、そのような状況は新しい批評の視座を求めると主張した。そこでは、作品を分析するにあたって、まず作品自体の評価があり、つぎにその消費環境があるという常識的な順序が適用できない。作品自体があらかじめ消費環境を織りこんでいるので、分析者もそれを考慮して作品に向かわなければならない。いわば「メタ作品」を分析する「メタ視線」が必要になる。二次創作を想定して原作が作られるというのは、まさにその状況の好例である。

思想の世界では、ボードリヤールが、一九七〇年代にまさにそのような「メタ批評」の必要を説いていたことが知られている（シミュラークル論）。ただ、具体的な方法論はとくに提示されていなかった。ボードリヤールたちポストモダニストの指摘は、英語圏ではのちに制度化され文化研究（カルチュラル・スタディーズ）を生みだす。日本ではそれに相当する「メタ視線」の分析は、批評や現代思想ではなく、むしろその外側から現れている。大塚英志が一九八九年に出版した『物語消費論』と宮台真司らが一九九三年に刊行した『サブカルチャー神話解体』の二冊が、その先駆的な例だ。ぼくの仕事は彼らの延長線上にある。

小説でも映画でもマンガでもなんでもよいが、作品を愛するひとというのは、たいていの場合、作品そのものの読解を重視し、その消費環境についての分析は「社会学的なもの」として排除しがちである（いまでも文芸誌にはそのような時代錯誤な批評が溢れている）。けれども現代においては、作品の内部（作品そのもの）と外部（消費環境）を切り離し、前者だけを対象として「純粋な」批評や研究を行うという態度、それそのものが成立しない。外部が内部にどのように繰りこまれているのか、そのダイナミズムを理解しなければ批評も研究も存在できないのだ。ぼくは『ゲーム的リアリズムの誕生』で、そのダイナミズムへの注目を「環境分析」的読解と名づけた[★1]。

これは本書の言葉で言えば、観光客の視線による分析が、現代のコミュニティ分析や地域研究では最初から必要だということを意味している。ひとはしばしば、住民が無自覚に生きている「素朴な土地」がまず最初にあって、つぎに観光客に発見され、経済的利益と引き替えに素朴さを失っていくという順序で事態を捉えがちである。けれどもほんとうにそうか。現代の消費環境においては、最初に原作があって、つぎに二次創作が来るのではない。原作者は最初から二次創作について考え抜いている。だとすれば、同じように、最初に「素朴」な住民がいて、つぎに観光客が来るという順序もじつは転倒しているのではないか。否、むしろ、いまはあらゆる場所が、観光客の視線をあらかじめ内面化し、町並みやコミュニティをつくるように変わってしまっているのではないか。言い換えれば、すべてがテーマパーク化しているのではないか。この問題は慎重な検討に値する。

ところで、ぼくはさきほどから「ポストモダン」という言葉を使っている。この言葉についても短く補足しておきたい。

ポストモダンという言葉は、一時期のフランス思想で好まれたものである。日本では一時フランス思想が妙なかたちで流行し(ニューアカ)、そのあと流行が一気に終息したために、この言葉の使用を好まないひとが一定数いる。彼らは、ポストモダンという言葉が出てきただけで嘲笑し、時代遅れの議論と決めつける傾向がある。

けれども、そのような人々のほとんどは、実際にはポストモダンをめぐる議論に詳しくなく、この言葉に対して流行語として反応しているだけである。本書ではこれからもときおりこの言葉が登

★1 東浩紀『ゲーム的リアリズムの誕生』、講談社現代新書、2007年、154頁以下。

場するが、それはこのような日本での流行とはなんの関係もないものと考えてほしい。もともとポストモダンあるいはポストモダニズムという言葉は、一九七〇年以降の時代を示す文化史的な概念にすぎない。その時期に現代社会のありかたが大きく変容したのは事実であり（この点については第七章でふたたび触れる）、それ以降の時代は以前とはなんらかの言葉で区別しなければならない。フランス人はそれをポストモダンと呼んだ。それだけである。それゆえ表現はちがっても似た概念を使う学者は多くいる。たとえば、ウルリッヒ・ベックやアンソニー・ギデンズのような非フランス語圏の社会学者は、ほぼ同じ事態を「再帰的近代化」と呼んでいる[★2]。「再帰性」とは、自分の行動が他人にどう見えるのかをつねに意識して行動を決定する、そのようなメタな態度の名称であり、つまりは「他者の欲望を欲望すること」の名称である。ぼくたちはまさに「他者の欲望を欲望すること」が全面化する社会に生きている。この点ではポストモダンはまったく終わっていない。否、それどころか、ポストモダンがますます深くなった時代に生きている。

二一世紀のポストモダンあるいは再帰的近代の世界においては、二次創作の可能性を織りこむことなしにはだれも原作が作れず、観光客の視線を織りこむことなしにはだれもコミュニティがつくれない。本書の観光客論はこのような射程のなかで構想されている。

二次創作者はコンテンツの世界での観光客である。裏返して言えば、観光客とは現実の二次創作者なのだ。

2

第二の補足は、本書とこの数年の実践との関係についてである。ぼくは二〇一三年に『福島第一原発観光地化計画』という本を出版した[★3]。福島は二〇一一年の原発事故で世界的に「有名」になってしまった、その状況はもう覆らない、だとすればその状況を逆手にとり、被災地を広島やアウシュヴィッツのようにダークツーリズムの「聖地」にすることは考えられないか。そのような提案が書かれた書物である。

ダークツーリズムとは、イギリスの観光学者が一五年ほどまえに提案した概念で、戦争や災害など「悲劇の地」を観光の対象とする新しい実践のことを指す[★4]。日本でも震災後に注目され、現在は専門誌も発刊されている。ぼくは同じ二〇一三年に『チェルノブイリ・ダークツーリズム・ガイド』という本も出版しており[★5]、そこでは、一九八六年に福島と同じく原発事故を起こしたウクライナのチェルノブイリでいま観光地化が進んでいる現実を紹介し、被災地復興の参考にしても

★2　ウルリッヒ・ベック、アンソニー・ギデンズ、スコット・ラッシュ『再帰的近代化』松尾精文ほか訳、而立書房、1997年参照。

★3　東浩紀編『福島第一原発観光地化計画』、ゲンロン、2013年。この著作は『思想地図β』第4号の下巻にあたる。

★4　cf. John Lennon, Malcolm Foley, *Dark Tourism*, International Thomson Business Press, 2001.

★5　東浩紀編『チェルノブイリ・ダークツーリズム・ガイド』、ゲンロン、2013年。この著作は『思想地図β』第4号の上巻にあたる。

らうべく情報を提供した。『福島第一原発観光地化計画』は、それを受けて出版されたものだ。

一部の読者はご存じかと思うが、この本の出版は激しい反発を呼んだ。内容以前に「観光地化計画」という名称へ強い批判が寄せられた。また、東京出身で、福島に縁がないぼくがこのような本を出版したこと、その事実そのものへの反発も強かった。加えて決定的だったのが、福島県出身で社会学者の開沼博が、同計画の参加者で、前掲書へ寄稿もしているにもかかわらず、本が出版されると態度を翻し、批判者へと変わったことである。当時のぼくへの批判はきわめて強かったので、もしかしたら読者のなかにも、東浩紀は「観光地化計画」という名称で被災地を食い物にした人物という印象をもつかたがいるかもしれない。

本書は「観光客」をタイトルに掲げている。それゆえ、わずか四年前の同じ「観光」を掲げた同書の存在を無視するわけにはいかない。そこで、同計画と本書の関係について簡単に補足しておこうと思う。

いまの説明からわかるとおり、『福島第一原発観光地化計画』への批判はほとんどが内容に関するものではなかった。多くが「観光地化」という名称に基づく単純な誤解、あるいはそこから連想を重ねた中傷で、反論に値するものではなかった。それらの中傷については、ぼくおよびぼくの会社が、同計画の取材や出版に関して、公的な資金や電力会社の援助を一円ももらっていないことを明確にすれば十分である。

それゆえぼくが反論すべきは、唯一開沼による批判に対してだけだと思われる。ただし開沼は観光地化計画の内容にはほとんど言及していないので、論点を取り出すのはむずかしい。しかしそれでも、二〇一五年にぼくが開沼と『毎日新聞』紙上で展開した往復書簡、および同時期に彼が出版した『はじめての福島学』を読むと[★6]、ひとつの争点が浮かびあがってくる。開沼の主張は、要は、福島イコール原発事故のイメージを強化する試みはやめろというものである。福島には原発事故以外の多様な側面がある。被災者は原発事故以前から生きているし、以後も多くは原発事故と無関係に生きている。被災地に関わるならば、まずはその日常感覚を受け入れるべきではないか。そこで「観光地化」などと言いだすのは彼らの気持ちを踏みにじるものではないか。

その主張はよく理解できる。福島の人々が、福島を原発事故のイメージで塗りつぶすのは暴力だと感じるのは当然である。そもそも福島県は広く、事故が起きた浜通り地域は同じ福島でも会津から一〇〇キロ近く離れている。福島県の多くの地域には、同じ福島でも原発事故の影響はほとんどない。開沼はまずその事実を啓蒙すべきだと考える。ぼくはその点で開沼と同意見である。

けれども、ぼくが疑問に思うのは、まさにそのような啓蒙が万能ではないからこそ、観光地化の提案が必要なはずではなかったかということである。言い換えれば、ぼくの提案は最初から開沼の

★6　東浩紀、開沼博「脱「福島論」往復書簡」、毎日新聞（ウェブ版）、2015年。URL=http://mainichi.jp/correspondence/　開沼博『はじめての福島学』、イースト・プレス、2015年。

啓蒙の「あと」にあるはずなのに、なぜそれを無視して批判するのかということである。

観光とは現実の二次創作であるという観点から考えてみよう。福島が原発事故のイメージで塗りこめられてしまうとは、本書の言葉で言い換えれば、福島のイメージが、もともとの現実（原作）を離れて、事故の印象を中心に「二次創作」されてしまうことを意味する。福島の二次創作、いわば「フクシマ化」は、ときに「風評被害」と呼ばれている。震災から六年が経ち、風評被害の認識も広がり、国内では福島と言われ原発事故を思い浮かべるひとはかなり減ってきている。けれども国外ではそう簡単にはいかない。国内には「原発事故以前の福島」（原作）を覚えているひとがたくさんいるが、国外ではそうではないからである。国外では福島の名を原発事故（二次創作）ではじめて知ったひとが多い。

そこから生じるであろう状況は、日本でいま「チェルノブイリ」がなにを意味するかを考えてみればたやすく想像できる。チェルノブイリにも事故以前の長い歴史がある。豊かな自然もある。実際に後述するように、いまのチェルノブイリは放射能汚染の点でかなり回復を遂げている。そもそもチェルノブイリの事故から、もう三〇年以上の月日が流れているのである。けれども、日本人のどれだけが「現実のチェルノブイリ」を想像できるだろうか。いまだに「放射能で汚染された不毛の土地」「奇形の子どもが生まれた呪われた土地」といったイメージに囚われているのが、たいていのひとの限界なのではないだろうか。だとすれば、福島についても同じことが起きると考えるのが合理的である。「フクシマ」は国際的には、チェルノブイリと並ぶ原発事故や放射能汚染の代名詞になっている。被災者がどれほど不愉快に思ったとしても、福島がそのような特別な地名になったことは事実である。

では、その現実に対してどのような態度を取るべきか。むろんぼくも、まずはフクシマの虚構性に抗うべきだと考える。ぼく自身、チェルノブイリで似た試みを行っている。ぼくの会社では、『チェルノブイリ・ダークツーリズム・ガイド』の出版後、一年に一度、希望者をチェルノブイリの旧立入禁止区域と事故を起こした原発構内に案内するツアーを開催している。ツアーはすでに四回実施され、参加者は一〇〇人以上にのぼる。そこで彼らが口を揃えて漏らすのが、チェルノブイリは想像していたよりもはるかに「ふつう」だったという感想である[★7]。「ふつう」というのは、つまり、「放射能で汚染された不毛の土地」という二次創作とは関係のない日常がそこにあったということである。そのかぎりではぼくは、福島を原発事故のイメージで塗りつぶすなと訴える開沼と、ほぼ同じ立場で活動しているとも言える。

しかし、ぼくは福島については、もういちだん複雑な戦略を立てるべきだと考える。そして出版したのが『福島第一原発観光地化計画』である。

いまや世界には福島の二次創作（フクシマ）ばかりが流通している。その現実は原作（本来の福島）

★7　大山顕「チェルノブイリは「ふつう」だった」、「デイリーポータルZ」、２０１６年。URL=http://portal.nifty.com/kiji/161118198099_1.htm

を大切にするひとからすれば耐えがたいだろう。開沼はその耐えがたさを訴える。いわば彼は原作厨の立場に立っている。その気持ちは尊重されるべきである。しかし同時に、このポストモダンの世界で、二次創作をけっして消し去ることができないこともまた事実である。フクシマをめぐる幻想は、これからもどうしようもなく再生産され続ける。だとすれば、そのような二次創作＝フクシマの流通を逆手に取って、人々の一部でも原作＝本来の福島に導くことはできないか。つまりは、原発事故以外の福島について情報発信するだけではなく、まったく逆に、「事故現場を見てみたい」「廃墟を見てみたい」といった感情を逆手に取って福島の魅力を世界に発信する、そのようなプログラムは考えることができないか。ぼくが行ったのはそのような提案である。

原作を大切にしてもらうためには、いちど二次創作を通らなければならない。これはいっけんわかりにくいかもしれない。論理だけ追えば、言葉遊びのようにも見えるだろう。けれども具体的にはとてもわかりやすい話である。たとえば、ぼくがいまチェルノブイリに人々を案内することができるのは、彼らが二次創作のチェルノブイリ（放射能汚染の不毛の土地）をいちど信じたからである。原発事故がなければ、そしてチェルノブイリが「ふつうではない」と思わなければ、だれがわざわざウクライナの辺境の田園地帯まで赴くだろうか。同じように開沼が『はじめての福島学』を出版することができたのも、そもそもあの事故があったからのはずである。原発事故がなければ、そしてモンスター化したフクシマが流通しなければ、なぜわざわざ福島学など構想する必要があるだろう。二次創作がなければ原作への回路もない、そういうことはありうるのだ［★8］。

ぼくはさきほど、チェルノブイリツアーの参加者はみな「ふつう」だと感想を漏らすと述べた。けれどそれは失望を意味しない。むしろ関心の広がりを意味する。チェルノブイリの歴史は古く、記録は一二世紀にまで遡り、かつてはユダヤ人が人口の半分を占める町だった。チェルノブイリが位置するポリーシャ地方は美しい森が広がる沼沢地帯で、いまは廃墟となってしまった発電所近くの町、プリピャチはソ連を代表するユートピアとして建設された先進的な人工都市だった。

日本人の多くはそのようなことを知らない。関心ももたない（外国人の多くが現実の福島に関心をもたないように）。そしてチェルノブイリに対し幼稚な幻想を抱いている。しかしぼくたちはそれを一方的に責めるべきではない。むしろそれを利用すべきである。なぜならば、たとえ動機が幼稚な幻想であったとしても、いちどチェルノブイリに赴き、そこが「ふつう」であることを知ったツアー参加者は、必然的にその事故以外の背景情報に関心を抱くことになるからである。そしてこんどはその厚みのなかで、あらためて事故の意味を考えることになるからである。実際に、それがぼくが毎年のチェルノブイリツアーで狙っている効果である。ぼく自身もまた、最初にチェルノブイリを訪れたときには、幼稚な幻想しか抱いていなかった。ひとは、自分が「ふつうではない」と思いこ

★8　ぼくはのち本論で、観光客について論じるなかで、フランスの哲学者、ジャック・デリダの「誤配」という概念を鍵として借用することになる。そのデリダの哲学には、もうひとつ「エクリチュール」（文字）という有名な概念がある。それは「パロール」（話し言葉）と対をなし、デリダにおいては、文字は話し言葉から派生するものだが、しかし話し言葉もまた文字なくしては成立しないというねじれた相互依存を範例に、ものごとの本質が非本質に本質的に依存してしまう関係を一般に意味する概念として使われている。ここでぼくが「福島」と「フクシマ」に見いだしているのは、まさにそのねじれた関係の問題である。観光地化とはエクリチュール化のことなのだ。

んでいた場所に赴き、そこが「ふつう」であることを知ってはじめて、「ふつうでない」ことがたまたまそこで起きたという「運命」の重みを受け取ることができる。「ふつうであること」と「ふつうでないこと」のその往復運動こそが、ダークツーリズムの要である。

これは空理空論だろうか。そうかもしれない。そうではないかもしれない。いずれにせよ、ぼくは『福島第一原発観光地化計画』で、以上のような水準で観光地化の必要性を提案したつもりだった。それは実践的であると同時に理論的であり、哲学的であると同時に政治的な挑戦のように思われた。

けれども残念ながら、そのようには理解されず、議論も広がらなかった。復興事業は生々しい利益が絡む世界である。書き手のキャリアも関係する世界である。ぼくにはその生々しさを乗り越える賢さやタフさは欠けており、結果として観光地化の提案は、宛先を見失ったまま空中分解してしまった。その結果については、ぼくはいまも自分の能力不足を痛感している。

いずれにせよ、ぼくの提案は権力や資本と関係していなかった。ぼくの福島をめぐる提案は、純粋に知的かつ倫理的な関心に駆動されていた。本書にはその関心の核心が書かれている。その点では本書は『福島第一原発観光地化計画』の続編でもある。

第3章 — 政治とその外部

1

ぼくは二〇一一年に『一般意志2・0』という本を出版している［★1］。その中核はルソーの再読である。

ルソーは、近代民主主義の礎を築いた思想家として知られている。しかし同時に、ロマン主義文学の父としても知られている。そして、『人間不平等起源論』や『社会契約論』の著者である思想家としてのルソーの人間観と、『新エロイーズ』や『エミール』や『告白』の著者である文学者としてのルソーの人間観には、じつはかなり開きがあるというのが哲学史的な常識である。

ルソーは、政治思想家としては、個人は共同体の意志にしたがうべきだと主張した、全体主義に近い立場の人物として知られている。「一般意志はつねに正しい」という『社会契約論』の一節（第二編第三章）はあまりにも有名である。この一節は、共同体の意志が個人の意志に優越すべきだと主張するものとして受け取られ、実際、のち参照するカール・シュミットのような保守の思想家によって肯定的に評価されている[★2]。他方でルソーは、文学者としては、孤独を尊び、偽善を憎み、共同体の規範の押しつけを許さない徹底した個人主義者として受け入れられている。『新エロイーズ』は、慣習や階層に縛られない自由な感情の発露としての恋愛表現の起源と考えられている。『告白』は、私的な性体験や嫉妬感情の赤裸々な記述で多くの読者に衝撃を与えた。そちらではルソーは、全体主義者どころか、むしろドストエフスキーと比較されるような情熱的な実存主義者だと考えられている。全体主義か個人主義か。社会か実存か。つまりは政治か文学か。エルンスト・カッシーラーは、その分裂を「ジャン゠ジャック・ルソー問題」と呼んだ[★3]。

しかし、そこにはほんとうに分裂があるのだろうか？　社会と実存は対立するのだろうか？　ぼくは疑わしく思った。そこでぼくは『一般意志2・0』では、『社会契約論』、とりわけそこで提出された「一般意志」という有名な概念の再解釈が、分裂の謎を解く鍵となることを示そうとした。詳しくは同書を読んでほしいが、ぼくがそこで打ちだしたのは、ルソーの「一般意志」の概念は、社会と交わりたくない、他人とも会話したくない、人間がそもそも嫌いな人々、現代風に言えば「ひきこもり」や「コミュ障」の人々のために構想された、社会性の媒介なしに社会を生みだしてしまう逆説的な装置として読むべきだという提案である。

★1　東浩紀『一般意志2・0』、講談社、2011年。
★2　カール・シュミット『独裁』田中浩、原田武雄訳、未來社、1991年、133頁以下参照。
★3　エルンスト・カッシーラー『ジャン゠ジャック・ルソー問題』生松敬三訳、みすず書房、1974年。

ルソーは人間が嫌いだった。社会も嫌いだった。『学問芸術論』や『人間不平等起源論』に記されているように、彼はそもそも、人間は、社会などつくらず、したがって学問も芸術ももたず、家族単位でばらばらに生きるのが本来のすがただと考えていた。にもかかわらず、人間は現実には社会をつくった。なぜか？　ルソーは、人間は本来は社会などつくりたくないはずだと信じていたからこそ、逆にその問いに答えねばならなかった。言い換えれば、個人主義の文学者が集まり全体主義的な社会を生みだすメカニズムを考案しなければならなかった。「一般意志」の概念はその必要性から生みだされたのだ。この観点で読めば、『新エロイーズ』も『告白』も『社会契約論』も、矛盾なく一貫して理解できる。

というわけで『一般意志2・0』は書かれたのだが、そうなると逆につぎの疑問が湧いてくる。ルソーに分裂はない。ぼくはそう考える。だとすると、いったいなぜ人々はそこに分裂を見てきたのか？

じつは本書の主題である「観光客の哲学」は、その疑問と深く関係している。本書は表面的には『一般意志2・0』の延長にある著作ではない。ルソーを読み解くわけでも社会契約を扱うわけでもない。しかし、本書の主題の「観光客」は、まさに、社会などつくるつもりがないが、にもかかわらず社会をつくってしまう存在の範例として考えられている。この点では本書は『一般意志2・0』の続編でもある。

人間は人間が好きではない。人間は社会をつくりたくない。にもかかわらず人間は現実には社会をつくる。言い換えれば、公共性などだれももちたくないのだが、にもかかわらず公共性をもつ。ぼくには、この逆説は、すべての人文学の根底にあるべき、決定的に重要な認識のように思われる。

実際、多少とも社会思想史に詳しい読者であれば知っているように、それはルソーの時代においては、多くの哲学者に共有された認識だった。たとえば、『社会契約論』とほぼ同時期に出版されたアダム・スミスの『道徳感情論』は、まさにルソーと同じように、私的で孤独な個人がいかにして社会を構成するようになるのか、そのメカニズムを主題としている。その探求はいまでもまったく色褪せていない。けれども、ふしぎなことに、一九世紀以降の人文系の社会思想においては、この逆説はなぜか思考の中心にならなかった。かわりに中心には、人間はそもそも人間が好きであり、社会=国家をつくるものであり、社会=国家のなかでどんどんみずからを高めていくものであり、むしろそうでない人間は「人間」の名に値しないのだという、不自然なドグマが居座ることになった。いわゆるヘーゲル主義の問題でありナショナリズムの問題だが、詳しくはまたあとで記す。いずれにせよ結果として、一九世紀以降の世界においては、社会性のある人間と社会性のない人間、公共性のある人間と公共性のない人間、公的な人間と私的な人間、政治家と文学者、前章での言葉を使えば「まじめ」な人間と「ふまじめ」な人間とが単純に切り分けられることになった。ルソーの思想は、その切り分けのなかで捉えるからこそ、分裂しているように見える。そして、第一章で示唆したように、観光客あるいはテロリストもまた、その切り分けのなかで捉えるからこそ、見えなくなるのである。二一世紀の思想は、もういちどそれを見えるようにしなければならない。

人間は人間が好きではない。人間は社会をつくりたくない。にもかかわらず人間は現実には社会をつくる。なぜか。

本書は、その謎を解くヒントを、一般意志の再読にではなく、観光客のありかたに見いだそうと試みるものである。それはまた同時に、一九世紀以降の、まじめな公とふまじめな私を対置させる政治思想への異議申し立てでもある。

この第三章では、観光客の哲学の基礎固めを行う。ぼくはまず、ルソーとほぼ同時代のふたりの哲学者を取りあげ、観光客について思考するためのふたつの手がかりを引き出す。続いて時代を下り、二〇世紀の三人の哲学者を参照することで、その手がかりを展開するためには思想そのものをどのように変えるべきなのか、その課題を明らかにしたいと思う。

観光客について考えること、それは、近代の標準的な人間観を更新し、新たな人間観、新たな社会観、そして新たな政治観を提示することにつながっている。

2

哲学者のひとりめは、ルソーと同時期に活躍し、またルソーの論敵でもあったヴォルテールである。

ルソーの論敵と記したが、じつはこの紹介にはあまり意味はない。というのも、ルソーは論敵だらけの人物だったからである。ルソーは、啓蒙主義が頂点を迎え、社交界とサロン文化が花開いた一八世紀半ばのパリで活動していた。しかし、さきほど記したように、彼自身は人間嫌いで、社交性に欠けた被害妄想気味の人物でもあった。それゆえルソーは、ヴォルテールだけでなく、多くの同時代人と諍いを起こしている。なかでも有名なのはディドロおよびヒュームとの諍いで、前者についてはルソー自身が『告白』に詳細な記録を残しており、後者は書簡集として出版されている[★4]。両者ともに、哲学的議論を期待して読むと溜息しか出ないくだらない諍いでしかないが、しかし裏返せば、そのようなくだらなさこそが、さきほど触れた逆説（なぜ人間は人間が嫌いなのに、人間と社会をつくるのか）を問うルソーの原動力だったとも言える。とはいえ、この話もまた踏みこむと長くなるので別の機会に譲る。いずれにせよ、ヴォルテールはルソーの同時代人だった。

そのヴォルテールの代表作に『カンディード』という奇妙な小説がある。一七五九年に出版された作品で（『社会契約論』の三年前であり、スミスの『道徳感情論』と同年である）、現代風に言えば、ドタバ

★4　ルソーとディドロの諍いについては、ルソー自身の晩年の著作『告白』の第9巻を参照のこと。小林善彦訳、『ルソー全集』第2巻、白水社、1981年。以下、全集、論集については、参照した文書の訳者名のみを書名の前に記した。巻全体をひとりが訳している場合、書名の後に訳者名を記している。
　ルソーとヒュームの諍いについては、山崎正一、串田孫一『悪魔と裏切者』、ちくま学芸文庫、2014年が参考になる。本文で記したとおり双方ともに諍いの内容はじつにくだらなく溜息しか出ないが、近代民主主義の礎が現実にはどのような人物によってつくられたのか、ルソーの人格を知るうえで（けっして否定的な意味においてだけではなく）これらの「論争」は『人間不平等起源論』や『社会契約論』と並んで必読である。

タ冒険小説のなかにところどころ哲学的な省察が入ったような、じつにふしぎな形態の小説である。いまの読者にはあまりなじみがないかもしれないが、文学史では高く評価されていて、後世の作家に与えた影響も大きい。たとえば、第八章で読解するドストエフスキーは、『罪と罰』や『カラマーゾフの兄弟』のような代表作を構想するにあたり、ロシア版の『カンディード』を書きたいと繰り返し言っていたことが知られている。つまり『罪と罰』や『カラマーゾフの兄弟』は、ある意味でこの小説の子孫なのだ。ロシアの文芸理論家、ミハイル・バフチンは、この作品を、ソクラテスとドストエフスキーがともに属する「メニッペア」なるジャンル（対話的でカーニバル的な文学）を代表する傑作だと評価している[★5]。ソクラテスは哲学者、ドストエフスキーは文学者という区別は、ここではあまり意味がない。ソクラテス、ヴォルテール、ドストエフスキーの三者は、いずれも、強烈な笑いと風刺であらゆる価値を批判し、相対化する達人だった。

ではヴォルテールはなにを批判していたのか。『カンディード』は哲学史においても評価が高い。そこでは同作の重要性は、ライプニッツが主張した「最善説」（オプティミズム）を批判したところにあると言われる。

最善説とは、「世界は最善であり、悪の事実にもかかわらず合目的的であり、有限な諸事物の価値は、普遍的全体を実現する手段として肯定されるというテーゼ」のことである[★6]。要は、世界は全体としてうまくいっているんだから、細かい悪いところには目を瞑っておけという考えだ。その起源はプラトンやアリストテレスにまで遡る（というよりも日常的にはあらゆるところに見いだせる）が、最善説の哲学をもっとも体系的に展開したのは、一七世紀から一八世紀にかけて生きた哲学者、ライプニッツである。彼は『弁神論』で、「あらゆる可能的世界の中に最善なるものがないとしたら神はいかなる世界をも産出し得ないであろう」と記している[★7]。神は存在する。神は最善である。したがって、神がこの世界をつくったのだとすれば、この世界もまた最善のはずだ。そんな世界に悪があるように見えるのは、ぼくたち人間の知性が制限されているからにすぎない。現実に戦争や災害や事故があり、苦しむひとがいたとしても、それは神の計りしれない配慮において、必ず最善につながり救済につながっている。これがライプニッツの世界観である。

神がいるとかいないとか、世界が最善かどうかといった話だけ聞くと、いかにもキリスト教固有の問題であるかのように響く。実際にそれは神学論でもあって、最善説を認めるか否かは、神の存在を認めるか否かの選択に直接に連動している。ドストエフスキーの読者であれば、ここで『カラマーゾフの兄弟』の有名な一節を思い起こすことだろう。そこでは登場人物のひとり（イワン）が、もうひとり（アリョーシャ）に向かって、たとえ将来的にはキリストが復活し、救済が実現されるとしても、いまここでの苦しみや悲しみがあるかぎり神の存在は認められないと熱弁を振るうことになる[★8]。そこで標的とされているのはまさに最善説である。ロシア版『カンディード』を書きた

★5　ミハイル・バフチン『ドストエフスキーの詩学』望月哲男、鈴木淳一訳、ちくま学芸文庫、1995年、269頁以下。
★6　『岩波 哲学・思想事典』、岩波書店、1998年。「オプティミズム」の項目。執筆は酒井潔。
★7　『ライプニッツ著作集』第6巻、佐々木能章訳、工作舎、1990年、127頁。

いというドストエフスキーの夢は、ここできちんと実現されている。

けれども、その起源がギリシア哲学に遡ることからわかるように、最善説はキリスト教を離れても成立する議論である。というのも、最善説の本質は、神の有無以前に、ぼくたちが生きるいまこのこの現実、その唯一性や一回性に対する態度にあるからである。最善説の支持者はこの現実に「まちがい」はないと考える。すべての苦しみや悲しみに意味があると考える。批判者はそうではないと考える。なんの意味もなく、無駄に苦しめられ殺されるひともいると考える。重要なのはその対立である。

では、この両者のどちらが「正しい」のか。じつはその問いにはあまり意味がない。ぼくたちはそもそもひとつの現実しか生きることができず、だれもこの現実をほかの現実と比較することができないので、そこに「まちがい」があるかどうかも決定できないからである。最善説の是非は、ぼくたちがひとつの現実に閉じこめられているかぎり、原理的に答えることができない。

だからそれは最終的には、議論で解決すべきものではなく、ひとりひとりの信念に委ねるべきものである。この世界に「まちがい」はあるのか。あると思うひともいれば、ないと思うひともいるだろう。それはともに正しいと言うほかない。むしろ重要なのは、その信念が実践に与える影響のほうである。ライプニッツは、「まちがい」はないと信じたほうがひとは幸せになれると考え、ヴォルテールは、逆にあると考えなければひとは誠実に生きることができないと考えた。ヴォルテールは、まさにその誠実さを証明するためにこそ、『カンディード』を書いたのである。

ところでこのように記すと、最善説の是非は結局は信仰の問題で、学問とは、とりわけ「理系」の学問（自然科学）とは関係ないと思われるかもしれない。しかしそれは誤解である。吉川浩満は『理不尽な進化』で、まさにヴォルテールを参照しつつ、一九世紀半ばに誕生した進化論の最善説的な性格を指摘している[★9]。ダーウィンの『種の起源』は、『カンディード』からちょうど一〇〇年後に出版された。ダーウィンが唱えた進化論は、一般には、歴史に特定の目的を見いだす（文系的な？）イデオロギーを一掃した、信仰など入る余地のない、完全に科学的な世界観だと見なされている。けれども、吉川によれば、そこにも最善説が入りこんでいる。なぜならば、進化論とはそもそも、いまぼくたちが目にしているこの生物相、すなわちこの現実こそが、長い淘汰の結果として生まれた「最善」の生物相であるはずだというきわめてライプニッツ的な信念に支えられているからである。形態だけを見れば、生物にはしばしば欠点がある。しかし、それらの「まちがい」も、淘汰の過程ではきちんと理由があって残ってきたものだと捉えるのが、言い換えれば、本質的にはまちがいでは「ない」ものだとして捉えるのが、進化生物学者の公理なのだ。吉川によれば、

★8　第二部第五編「プロとコントラ」第三節の末尾。そこでイワンはつぎのように語っている。「そしてやがて世界のフィナーレ、永久調和の瞬間にすばらしく価値ある何かが起こり、現れて、すべての人間の心を満たし、すべての怒りを鎮め、人間の罪や、彼らによって流されたすべての血をあがない、しかもたんに人間に生じたすべてを許すばかりか、正当化までしてくれる、とな。／でもな、たとえそうしたことがすべて生じ、実現したところで、このおれはそんなものは受け入れないし、受け入れたくない！　やがて平行線も交わり、おれ自身がそれをこの目で見て、たしかに交わったと口にしたところで、やはり受け入れない。／これがおれの本質なのさ、アリョーシャ、これがおれのテーゼなんだ」。ドストエフスキー『カラマーゾフの兄弟』第2巻、亀山郁夫訳、光文社古典新訳文庫、２００６年、２１９頁。

★9　吉川浩満『理不尽な進化』、朝日出版社、２０１４年、２０５頁以下。

その発想の是非は、いまだに進化生物学で問われ続けている。彼は、スティーヴン・ジェイ・グールドによるリチャード・ドーキンスへの批判（適応主義批判）の本質は、学会では十分に理解されなかったが、まさにその最善説的性格に対する批判にあったと主張している。

この世界に「まちがい」はあるのか否か。それはあまりに原理的な問いなので、経験科学の発見によって決着がつくものではない。それゆえ逆に、その選択は、実証だけで支えられるはずの科学にも深く侵入しうる。ヴォルテールのライプニッツ批判は、この点では、いまも二世紀半前と変わらず重要である。

ヴォルテールは『カンディード』で、世界は「まちがい」に満ちていると訴えた。どのように訴えたのか。本論の文脈で興味深いのが、そこで彼が旅のモチーフを取り入れていたことである。

第一章で触れたように、ヴォルテールが生きた時代には、イギリスの上流階級の子弟のあいだでグランドツアーが流行していた。その慣習は大陸諸国にも広まり、ルソーも若いころイタリアへ旅行をしている。そのため当時の小説には、旅をする主人公がしばしば現れる。ただしそこで描かれる旅は、必ずしも、現実のグランドツアー、すなわちイタリアへの旅行にかぎらなかった。たとえば『新エロイーズ』では、失恋した主人公は船に乗りいったん世界中を旅している。このような仕掛けが用いられたのは、当時、すなわち啓蒙主義時代のヨーロッパの人文知が、ヨーロッパ外からもたらされたさまざまな「驚異」により、大きな変容を遂げつつあったからである。フーコーが

『言葉と物』で描きだしたように、当時の知識人たちは、あらゆる学問領域を横断して、人間とはなにか、理性とはなにか、文明とはなにかといった定義そのものを根底から再構築する必要に迫られていた。そしてその再考を促すもっともわかりやすい契機が、ヨーロッパの外への旅だった。ヴォルテールもその仕掛けを利用している。『カンディード』の主人公、カンディード（作品の題名は主人公の名前である）はあちこちに旅をしている。

物語を簡潔に紹介しておこう。カンディードは純朴な青年で、ウェストファリアの片田舎に暮らしていた。パングロスという家庭教師がいて、彼にライプニッツの哲学（最善説）を学んでいた。そして美しい貴族の娘に恋をしていた。

そんな彼が、あるトラブルから故郷を追い出されて旅に出る。そして、ブルガリアで戦争に巻きこまれ（これは実際にはプロシアの戦争のことだと言われている）、リスボンで大地震にあい（これは実際に一七五五年に起きた）、南米にわたり宝石を手に入れたりと波瀾万丈の人生を送る。ヨーロッパ北部に始まり、地中海からオスマントルコ帝国、さらにはアルゼンチンやパラグアイなどの新大陸までを股にかけたその移動は、まさに世界規模である。そしてカンディードは、その過程で、筆舌に尽くしがたい苦しみを経験し、戦争や災害の悲惨な光景をたくさん目にし、最善説に疑いを抱くようになる。そして、そんなあるとき、同じように故郷を追われ、梅毒の乞食に落ちぶれたパングロスと再会する。また、ユダヤ人の妾になり、すっかり美貌が衰えた貴族の娘にも再会する。パングロスと娘は不条理に苦しんでいる。けれどもパングロスはどうしても最善説の誤りを認めない。世界の「まちがい」を認めない。物語の最後になっても、彼は貧困にあえぎながら、世界に「まちがい」はないのだと叫び続ける。「個々の不幸は全体の幸福をつくりだす。それゆえに、個々の不幸が多ければ多いほど、すべては善なのだ」[★10]。この滑稽さが『カンディード』の要である。世界には「まちがい」がある。ヴォルテールは、その認識を読者に与えるために、主人公に世界旅行をさせた。ぼくはここに、観光というモチーフが効果的に使われた最初の哲学を見たいと思う。

観光は社会学的には一九世紀に誕生した。ヴォルテールの時代にまだ観光は存在しない。そもそも『カンディード』の物語を素直に読めば、主人公の旅は観光ではまったくなく、むしろ難民の移動や人身売買に近い。

にもかかわらず、ぼくが『カンディード』で描かれた旅を「観光」と呼びたいのは、それがあくまでも仮想の旅行だからである。仮想というのがわかりにくければ、思考実験のための架空の旅行であり、想像力の拡張のための架空の旅行だと言ってもいい。近代の観光産業が、クックの社会改良主義とともに生まれたことはすでに述べた。観光は、観光客の啓蒙を、すなわち想像力の拡張を目的としていた。『カンディード』の旅も同じものを目的としている。『カンディード』にはたしかに世界各地の地名が登場する。しかしヴォルテール自身はヨーロッパの外に出ていない。またこの作品はそもそも紀行文や調査報告ではない。風刺小説である。したがって、そこで語られる物語はほとんどが荒唐無稽なほら話であり、本書の言葉で言えば「二次創作的」なステレオタイプでしかない。ロシアのアゾフ海では人間が人間を食べているし、南米の奥地には道ばたの小石まで純金の黄金郷が存在する。つまりは、さきほど第二章で挙げた例につなげれば、そこで描かれたのはすべて「福島」ではなく「フクシマ」にすぎない。けれども、ヴォルテールはおそらく、彼の目的のためにはそれで十分だと考えたのだ。否、むしろそのほうがよいと考えたのかもしれない。彼は、最善説を否定するにあたり、悲惨な個々の現実を突きつけるのではなく（というのも、そのような事例の列挙はたやすく最善説に回収されるので）、むしろ、世界旅行という思考実験を導入することで、世界にはつねにぼくたちの想像を超えた悲惨な現実があるかもしれないという、その可能性一般を突きつけようと試みたのである。ぼくはここに、現代のダークツーリズムに近い問題意識を見る。観光が、知識の拡張というより、むしろ想像力の拡張と不可分のものであること、ぼくはこの問題に第一部の最後で戻ることになる[★11]。

　思考実験としての世界旅行について、もうひとつ例を挙げておく。ルソーやヴォルテールと同時代の有名な哲学者に、ディドロという人物がいる。『百科全書』の編纂で歴史に残る哲学者だが、彼は一七七二年に『ブーガンヴィル航海記補遺』という短いテクストを記している。

『ブーガンヴィル航海記補遺』は、ルイ・アントワーヌ・ド・ブーガンヴィルという実在の冒険家

★10　ヴォルテール『カンディード 他五篇』植田祐次訳、岩波文庫、２００５年、２８３頁。この台詞は物語の最後に出てくるものではないが、パングロスの哲学は最後まで変化しないので、彼の哲学を紹介するうえではさしつかえない。

★11　本論ではこれ以上議論しないが、観光と想像力の関係について考えるうえで、トマス・クックが１８７２年に最初の世界一周ツアーを行ったまさにそのとき、同時にジュール・ヴェルヌがパリの日刊紙で『八十日間世界一周』を連載していたという符合はきわめて示唆的である。『トマス・クックの肖像』、１８５頁以下参照。

が記した実在の世界旅行記に着想を得て、その偽の補遺として書かれており（つまりブーガンヴィル自身は書いていない）、その内容も、ヨーロッパ人の牧師とタヒチ人のあいだの架空の対話、およびその対話をめぐるふたりの読者のあいだの架空の対話の二部から成っているというじつに奇妙な本である。架空の対話は、むろんすべてディドロが書いている。一八世紀のこのようなテクストを読んでいると、現在の哲学がいかに堅苦しく不自由になってしまっているかを痛感するが、それはともかく、そのなかでディドロは、未開の「タヒチ人」（それそのものがディドロの空想だ）につぎのように発言させている。

お前さんの国で［近親相姦によって］火あぶりにされようがされまいが、わしの知ったことじゃないよ。しかし、お前さんはタヒチの風習を楯にとってヨーロッパの風習を非難してはいけないが、それと同じで、お前さんの国の風習をかつぎ出してタヒチの風習を非難するのもどうかと思うよ。わしらはお互いにもっとがっちりした規則がほしいわけだ。ところで、その規則というのは何だろう？［★12］

ヨーロッパ人は近親相姦を否定する。しかし「タヒチ人」は否定しない。ディドロは『カンディード』と同じように、世界旅行の仮定を導入することによって、人間や社会の本質について、ヨーロッパの常識に囚われない普遍的な視座を獲得しようとしている。現代思想に多少詳しい読者であれば、ここで、二〇世紀を代表する文化人類学者、クロード・レヴィ＝ストロースの仕事を思い起こすかもしれない。レヴィ＝ストロースはまさに、緻密なフィールドワークと大胆な理論によって、ヨーロッパ人の常識的な人間観や社会観（ヨーロッパ中心主義）を切り崩した人物だった。その人類学的視線は、ルソーとヴォルテールの時代の思考実験の直系の子孫でもある［★13］。

3

哲学者のふたりめは、イマヌエル・カントである。この哲学者についてはあらためて紹介する必要はないだろう。この三世紀でもっとも大きな影響力をもった哲学者である。カントの影響下でヘーゲルが生まれ、カントへの反発からニーチェやハイデガーが生まれ、のちカントの復興として分析哲学が生まれる、そんな巨大な存在だ。

★12 ディドロ『ブーガンヴィル航海記補遺 他一篇』浜田泰佑訳、岩波文庫、1953年、70頁。一部漢字表記を変更。

★13 クロード・レヴィ＝ストロース「人類学の創始者ルソー」塙嘉彦訳、山口昌男編『未開と文明』新装版、平凡社、2000年参照。この講演の記録で、レヴィ＝ストロースは「ルソーは、当時はまだ存在しなかった人類学という科学を、それが登場する実に一世紀も前に、構想し、欲し、予告し、そしていっきに既成の自然および人間の列に加えた人であります」と記している（57頁）。なお、本論では結局まったく触れる余裕がなかったのだが、ここでレヴィ＝ストロースは「憐れみ」の重要性についても述べている。ルソーの「憐れみ」については、本論ではのち第五章でローティの哲学（プラグマティズム）に関連して触れる。観光客の哲学は誤配の哲学であり、したがって憐れみの哲学であるというのが、そこでぼくが打ちだす主張なのだが、レヴィ＝ストロースが人類学とは憐れみの学問だと言っていることとあわせれば、結局のところ本書でぼくが言おうとしているのは、観光客とは小さな人類学者であるべきだという提言として要約できるのかもしれない。

そのカントは、ヴォルテールの『カンディード』から四〇年ほどのち、フランス革命期の一七九五年に『永遠平和のために』というタイトルの小著を出版している。同書は、カントが晩年に（カントは一八〇四年に七九歳で死んでいる）記した短いテクストで、長いあいだあまり重視されなかった。けれども、二〇世紀に入り、国際連盟や国際連合ができる時代になってあらためて注目を浴びることになり、いまではカントのもっともよく読まれる本のひとつになっている。

この本の主題は、タイトルのとおり「永遠平和」を実現するための条件の検討である。「永遠」と入っているのは、たいていの平和は一時的な「休戦」でしかないのに対し、この本ではより強力な平和維持体制の創設が問題となっているからだ。カントは、これからもしばらくのあいだ、世界には多数の主権国民国家が存続するだろうし、それを超える統一政府も生まれないだろうと考えた（この想定は二二〇年後のいまも変わらず通用する）。そのうえで、対等に並び立つ複数の主権がある状況で、平和を維持するためにはどうしたらよいのかと問うたのである。

カントの主張を要約しておこう。彼は、永遠平和の設立のためには三つの条件が必要だと記している。

ひとつめは「各国家における市民的体制は共和的でなければならない」というものである（第一確定条項）。これは各国の国内体制についての規定である。永遠平和の体制に参加する国は、専制的であってはならない。国民が王に盲目的にしたがう国ではなく、自分たちで自分たちを統治する国でなくてはならない。これがまず第一の条件だ。

最近の日本では「民主主義」という言葉が便利なキャッチフレーズとして広まっているので、このように記すと「それは民主主義的な社会であれということか」と受け取る読者がいるかもしれない。しかしカントは「民主主義的でなければならない」とは述べていない。共和主義（統治方法についての概念）と民主主義（統治者の人数についての概念）は本質的に異なる概念であり、民主主義的ではない（統治者の数は少ない）が共和主義的である（行政権と立法権が分離している）社会は十分にありうる。カントが重視したのは、あくまでも共和主義のほうであり、むしろ民主主義は否定している[★14]。

ふたつめは「国際法は自由な諸国家の連合制度に基礎を置くべきである」というものである（第二確定条項）。こちらはこんどは国際体制についての規定である。まずはそれぞれの国が市民の自由を保障した共和国になり、つぎにそれらの国々が合意のうえに上位の国家連合をつくる。カントはこの順序がきわめて大切だと考えていた。これがのち、二〇世紀に入って、国際連盟や国際連合の（そしていま崩壊の危機に直面しているEUの）理論的な基礎になる。ここで重要なのは、さきほども記したように、カントが世界共和国（統一政府）について実現性を否定していたことである。彼は、

★14　たとえばカントはつぎのように述べている。「そこで次のように言えるであろう。国家権力をもつ人員（支配者の数）が少なければ少ないほど、またこれに反して国家権力を代表する程度が大きければ大きいほど、それだけいっそう国家体制は共和制の可能性に合致し、漸進的な改革を通じて、ついには共和制にまで高まることが期待できる、と。こうした理由から、この唯一完全な法的体制の達成は、すでに貴族制の方が君主制の場合よりも困難であるが、民衆制になると、暴力革命による以外は不可能である」。カント『永遠平和のために』改版、宇都宮芳明訳、岩波文庫、２００９年、36－37頁。

主権国家はみな世界共和国の実現を好まないし、好むようになる理由もないので、実現はむずかしいと考えていた。だから彼はかわりに、主権国家がみな平和を望まないとしても、結果的に平和を実現してしまうような「消極的な代替物」について考えようとしたのである[★15]。それが彼の提案する永遠平和の体制だ。その発想は、人間はみな社会が嫌いだが、にもかかわらず社会がつくられる理由を探求しようとしたルソーと共通している。

そして最後が「世界市民法は普遍的な友好をもたらす諸条件に制限されねばならない」というものである（第三確定条項）。この条項は説明がむずかしい。というのも、さきのふたつがあくまでも国家のありかたを問うものだったのに対して、この第三条項は社会や個人のありかたに踏みこんでいるからである。

「普遍的な友好をもたらす諸条件」とはなんだろうか。カントは興味深いことを述べている。カントによれば、ここで「問題とされているのは人間愛ではなく、権利であ」る。カントが考えているのは、諸国民がたがいに愛しあい、尊敬しあうべきだといった友愛や感情の問題ではなく、あくまでも権利の問題なのだ。では具体的には、いかなる権利の保障が「普遍的な友好をもたらす諸条件」になるのか。カントはそこで「訪問権」について語る。国家連合に参加した国の国民は、たがいの国を自由に訪問しあうことができなければならない。それは「地球の表面を共同に所有する権利に基づいて、たがいに交際を申し出ることができるといった、すべての人間に属している権利」であり、この権利の保障なしに永遠平和は存在しない。そしてカントによれば、これがきわめて重要なのだが、それはあくまでも訪問の権利だけを意味し、客人として扱われ歓待される権利は含まない。「友好の権利、つまり外国人の権限は、原住民との交際を試みることを可能にする諸条件をこえてまで拡張されはしないのである」とカントはきっぱりと記している[★16]。外国人は交際を「試みる」ことはできる。でもその成功は保障されないし、保障されなくてよい。

この訪問権の規定は、短いながらも謎めいており、それだけに研究者に注目されてきた。カントはここで、永遠平和が、第一および第二条項の規定にかかわらず、国家を対象とする条件だけでは成立しないと述べているように見える。永遠平和は、各国が共和国になり、国家連合がつくられるだけでは達成されない。それは、「世界市民法」が成立し、個人が国境を越えて自由に移動できるようにならないと達成されないのである。

さて、本書の文脈で興味深いのは、この訪問の権利の規定が、いま読むとあたかも観光の権利の規定であるかのように読めることである。

カントの時代にはまだ観光産業は存在しない。観光する大衆も存在しない。したがって、学問的には、カントがここで観光客について語ったと考えることはできない。おそらく彼が念頭に置いていたのは外交官や貿易商人である。彼はマスツーリズムの時代など想像もできなかっただろう。

★15 『永遠平和のために』、47頁。
★16 『永遠平和のために』、49–50頁。強調を削除。

けれども、ぼくは、そのように読み替えたほうが、カントの構想の本質をよりクリアに取り出せるのではないかと考える。どういうことか。

前述のように、この第三条項は、そのまえに置かれた第一および第二条項とは明らかに異質である。いちおうは『永遠平和のために』のなかの論理では、第一条項が国内法、第二条項が国際法、第三条項が世界市民法に対応するという建てつけになっているが、この世界市民法なるものそのものが、実在する国内法および国際法とは異なり完全に仮想的なものであり、すでに異質である。これは裏返せば、この第三条項が、第一および第二条項のなんらかの弱点を補うものとして構想されたはずであることを示唆している。ではその条項にはいったいどのような弱点があり、第三条項でどのように補われたのか。

第一および第二条項が説く永遠平和への道は、じつはきわめて単線的である。それは、成熟した市民が集まって成熟した国家（共和制）をつくり、成熟した国家が集まって成熟した国際秩序（国家連合）をつくり、その結果として永遠平和が訪れるという、成熟の連鎖の物語だからである。しかしそのような物語は、必ず、成熟していない国（共和的でない国）は国際秩序から排除してよい、否、むしろ排除すべきだという発想を呼び寄せるだろう。それは現実に起きている。冷戦崩壊以降、とりわけ二〇〇一年のアメリカ同時多発テロ以降、世界はしばしば「ならずもの国家」という表現を使うようになった。それはまさに国際秩序から排除すべき国家の名称である。かつて、イラク、イラン、北朝鮮などにその名称があてられた。いま話題のイスラム国（ＩＳ）も同じ枠組みで捉えられている。
ならずものと名指したからといって、そうたやすくその存在を排除することはできない。むしろならずものは増え続けている。いまや国際政治の軸をなす対立は、国家と国家の対立ではなく(むろんそれがないわけではないが)、むしろ国際秩序とその「外部」=ならずものたちの対立である。ならずもの国家は、国家としての成熟=国際秩序への参入を拒否している。しかし国際社会はその拒否そのものを拒否している。結果としてならずもの国家はますます怒りを深めていく。ぼくたちはそのような悪循環に直面している。この対立は、従来の政治学が問題とする国益の対立とは位相が異なっている。それはむしろ第一章で述べたテロリストの「ふまじめさ」と関係している。

現在の国際社会は、その悪循環にうまく対応できていない。現実に対応できていないだけではなく、基礎となる理論が存在しない。本書冒頭で述べたように、二〇世紀後半の人文思想は他者への寛容を積極的に説いてきた。しかし、ならずもの国家の台頭は、まさにその倫理の説得力を失わせる。他者への寛容はたしかに重要だが、しかし寛容になるためには相手もあるていど成熟していないと困るというしごくまっとうな反論に対して、従来の他者論はほとんどなにも言い返すことができない。実際、アメリカのリベラルの代表である政治哲学者のジョン・ロールズは、湾岸戦争ののち「無法国家」の排除を認めているし[★17]、ドイツの左翼知識人の代表である社会学者のユルゲ

★17 ジョン・ロールズ『万民の法』中山竜一訳、岩波書店、2006年、116頁以下。本書の原書は1999年に刊行されたものだが、そのさらに原型となった講演は1993年に行われている。

ン・ハーバーマスも、一九九九年のコソヴォ空爆を支持している。ともに少なからぬ読者の失望を招いた発言だったが、先進国を代表する責任ある知識人として、彼らにしてもそれ以外の態度表明はむずかしかっただろう。そのむずかしさの原因は、遡れば二世紀前の『永遠平和のために』の第一および第二条項にある。成熟した市民が成熟した国家をつくり、成熟した国家が成熟した国際秩序をつくるという歴史観を採用するかぎり、国際社会は未成熟なものを排除せざるをえない。そして排除された未成熟は、幽霊のように、テロとして回帰し続けるのだ。

しかし、第三条項は、まさにこのジレンマから脱出し、別のしかたで永遠平和への道を考えるヒントを含んでいる。そしてそのヒントは、カントがあくまでも外交官など一部の政府関係者を想定して記したであろう訪問の権利を、彼自身の意図を超え、大衆観光客の移動を想定した観光の権利としてあえて読み替えることで、さらにクリアに見えてくる。これがぼくの提案である。

ぼくの考えでは、この第三条項の追加でカントが提示しようとしたのは、国家と法が動因となる永遠平和への道とはべつに、個人と「利己心」「商業精神」が動因となる永遠平和へのもうひとつの道があり、この両者が組み合わされなければ永遠平和の実現は不可能だという認識である。

彼は『永遠平和のために』の「第一補説」でつぎのように記している。

自然は、賢明にも諸民族を分離し、それぞれの国家の意志が、国際法を理由づけに用いながら、そのじつ策略と力によって諸民族を自分の下に統合しようとするのを防いでいるが、しかし自然は他方ではまた、互いの利己心を通じて諸民族を結合するのであって、実際世界市民法の概念だけでは、暴力や戦争に対して、諸民族の安全は保障されなかったであろう。商業精神は、戦争とは両立できないが、おそかれ早かれあらゆる民族を支配するようになるのは、この商業精神である。つまり国家権力の下にあるあらゆる力（手段）のなかで、金力こそはもっとも信頼できる力であろうから、そこで諸国家は、自分自身が（もとより道徳性の動機によるのではないが）高貴な平和を促進するように強いられ、また世界のどこででも戦争が勃発する恐れがあるときは、あたかもそのために恒久的な連合が結ばれているかのように、調停によって戦争を防止するように強いられている、と考えるのである。［★18］

カントはここで、国家と法だけでは永遠平和の設立には不十分であることをはっきりと述べている。複数の民族に分かれ、複数の国家意志のもとに置かれた人々は、「利己心」を通じてしか結合できない。「商業精神」こそが各国家を国家連合の設立へと誘う。永遠平和は商業なしにはありえない。この補説と第三条項をあわせて読むと、カントの訪問権のアイデアが、「利己心」「商業精神」と不可分なものだったことがわかる。

★18 『永遠平和のために』、73－74頁。強調を削除。

したがって、その訪問権の概念の射程は、国家意志と結びつく外交官の「訪問」ではなく、商業主義的な観光のイメージで捉えたほうが、より正確に測ることができると思われる。観光は市民社会の成熟と関係しない。観光は国家の外交的な意志とも関係しない。言い換えれば、共和制とも国家連合とも関係しない。観光客は、ただ自分の利己心と旅行業者の商業精神に導かれて、他国を訪問するだけである。にもかかわらず、その訪問＝観光の事実は平和の条件になる。それがカントが言いたかったことではないか。

それもまた、二一世紀のいま現実に起きていることである。国際社会が「ならずもの国家」を指定し、テロリストを生みだしている裏側で、世界は膨大な数の観光客を送り出してもいる。彼ら観光客は必ずしも「共和国」から来るとはかぎらない。中国もロシアも中東諸国も、西欧の基準では成熟した国家と言えないかもしれず、それゆえ国家としては、永遠平和設立のための国家連合には加えてもらえないかもしれない。

けれども、それらの国の市民も、観光客としては世界中を闊歩しており、そしてそのかぎりで祖国の体制とは無関係に平和に貢献している。実際、日本と中国あるいは韓国との関係はつねに深刻な政治的問題を抱えているが、相互に行き来する大量の観光客によって、関係悪化はかなり抑止されている。

観光のこのような機能は、それが発明されたときすでに意識されていた。クックはスコットランドへの最初のツアーを企画するに際して、それが両地域の友好に結びつくことを期待していた[★19]。

カントは、大衆観光の存在こそ知らなかったが、この第三条項で、まさに、個人が主体となる移動のそのような政治的機能を先駆的に見据えていたとは言えないだろうか。だからこそ彼は、訪問＝観光の権利を、世界市民の権利として、つまり祖国の体制とは無関係に尊重されるべきものとして規定したのではないだろうか。したがって、ぼくたちは、ならずもの国家は排除するほかないかもしれないが、ならずもの国家からの観光客は排除してはならない。中国といくら国交が悪化しても中国からの観光客を受け入れねばならないし、ロシアといくら国交が悪化してもロシアからの観光客を受け入れなければならない。それは中国なりロシアなりを国家として評価するからではない。そのような権利を普遍的に保障しなければ、それ自体は中国やロシアと無関係につくることができる永遠平和のための国家連合、それそのものの原理が内部から蝕まれるからなのである。

前述のように、カントは訪問の権利と客人の権利を区別している。訪問の権利が保障するのは、相手国に行く権利だけであり、友人として歓迎されることは含まない。これはまさに、観光客のありかたをそのまま記述したかのような規定である。旅行代理店が観光客に保障するのは、相手国に行く権利だけであり、友人として歓迎されることではない。観光が観光であるかぎり、観光客の身の安全は保障されるけれど、保障されるのはそこまでである。実際には、観光客として訪れたさきで住民の非難にあい不愉快な思いをするかもしれない。友好は訪問＝観光なしには存在しえないが、

★19 『トマス・クックの肖像』、14頁以下。

訪問＝観光が必ずしも友好を生みだすとはかぎらない。このように条件を列挙するとわかるように、カントの訪問権はそもそも、外交官をモデルとするより観光客をモデルとしたほうが理解しやすいのだ。外交官は、カントの規定と異なり、たいていの場合は客人の権利（歓待される権利）を享受できてしまう。

成熟した市民が成熟した国家をつくり、成熟した国家が成熟した国際秩序をつくり、最終的に世界平和が達成される。カントは、永遠平和にいたるそのような単線的な歴史を語るとともに、そこから外れる「利己心」と「商業精神」の道も同時に提示していた。訪問＝観光の観念は、そこで決定的な役割を果たしている。

4

ヴォルテールによれば、観光する人々は「まちがい」に気がつく。カントによれば、観光する人々は永遠平和を設立する。

このふたつのテーゼはいっけん関係がないように見える。しかし両者はともに、単線的な歴史への抵抗という契機を共通してもっている。成熟した市民が成熟した国家をつくり、成熟した国家が成熟した国際秩序をつくり、万人の幸福が達成される。それはまさに最善説の世界観である。実際にカントは『永遠平和のために』のなかで、いくどか「運命」や「摂理」といった表現を用いている。「自然の機械的な過程からは、人間の不和を通じて、人間の意志に逆らってでもその融和を回復させるといった合目的性がはっきりと現われ出ているのであって、そこでこうした合目的性は、〔……〕〔ある観点で見れば〕運命と呼ばれるし、〔……〕〔別の観点で見れば〕摂理と呼ばれるであろう」〔★20〕。カントのこの文章は、国家は戦争のような「まちがい」を犯すが、しかしその「まちがい」もまた、自然の賢明さにより最終的には永遠平和という善につながるのだという信念をはっきりと表明している。ヴォルテールは、まさにそのような信念を拒否するために『カンディード』を記した。そしてカントは、その同じ信念が取りこぼすものを救うためにこそ（彼自身はその意図を十分に自覚していなかったかもしれないが）、第三条項を記載したというのがぼくの考えである。

それでは、そのような観光客の政治的な――というよりも亜政治的な可能性、国家から国家連合への単線的な物語に属さない、未成熟な「ふわふわした存在」がつくりだす友好の可能性について、哲学はどのような議論を行っているのだろうか。

第一章で指摘したように、ぼくたちはここで哲学の大きな壁に出会うことになる。ただ、こんどはぼくたちはあるていど哲学の言葉を手に入れている。その壁の正体をできるだけ明らかにしてみよう。

★20 『永遠平和のために』、56頁。強調を削除。

カントの『永遠平和のために』から一四〇年ほど下った二〇世紀に、同じドイツ語圏にカール・シュミットという法学者が現れる。シュミットは一九世紀末生まれだが、二〇世紀の思想家と呼んでさしつかえない。この学者はじつに問題含みの人物で、第二次大戦時にはナチス政権の理論的支柱となり、戦後は戦争犯罪人として逮捕された。けれども同時に、独特の理論構成で知られ、保守、リベラルの区別なく戦後の社会思想に大きな影響を与えてもいる。支持者には極右もいれば極左もいる。

その彼の仕事のなかでも、もっとも有名で、理論的にも重要なもののひとつが、一九二七年に発表され、のち一九三二年に刊行された『政治的なものの概念』である。シュミットはそこで、政治が政治として機能するのは「友」と「敵」が峻別されているときだけだという、たいへん大胆な理論を提唱した。それは一般に「友敵理論」と呼ばれている。

どのような理論だろうか。『政治的なものの概念』は、表題のとおり「政治とはなにか」を主題としている。シュミットによれば、抽象的な判断には、必ずその判断の基礎となる固有の二項対立がある。たとえば、美学的な判断は美と醜の二項対立（美しいかどうか）に、倫理的な判断は善と悪の二項対立（正しいかどうか）に、経済的な判断は益か損かの二項対立（儲かるかどうか）に支えられている。それらの対立はすべて原理的に独立している。美しいけれど正しくないことや、正しいけれど儲からないといったことは、世のなかにいくらでもある。ぼくたちがそのような判断ができるのは、美学と倫理と経済が独立した判断の範疇を構成しているからである。判断の独立性は、それそれ固有の二項対立をもっていることで保証されている。

だとすれば、政治を政治として、美学からも倫理からも経済からも区別する、固有の二項対立とはなんだろうか。シュミットは、それは友と敵の対立だと考えた。

政治は、友と敵の二項対立のうえに成立する。しかし友と敵の対立とはなにか。彼は、それは「具体的・存在論的な意味において解釈すべき」であり、「経済的・道徳的その他の諸概念を混入させて弱めてはなら」ないと述べている[★21]。「具体的・存在論的な意味」とは、要は殺すか殺されるかの意味だということである。

戦争のような極限状況において、友を守るために敵を殲滅する判断を下す。それがシュミットの考える政治の本質である。そしてその判断には、美醜、善悪、損益といった別の二項対立は関わってはならない。「経済的・道徳的その他の諸概念を混入させ」れば、どんな戦争においても、敵の主張のほうが正しい、あるいは敵と組んだほうが儲かるといった判断があるかもしれない。しかし、そのような判断は、原理的に政治とは別の種類の判断であり、政治的判断に関係してはならない。つまりは、たとえそれが倫理的に正しくなく、経済的に損になる行為でしかなかったとしても、友の存在を守るためにやらねばならないことがあるとすれば、断固それを遂行するべきであり、それこそが「政治」だというのが、シュミットの考えなのである。これが友敵理論だ。

★21　カール・シュミット『政治的なものの概念』田中浩、原田武雄訳、未來社、1970年、17頁。

ここで注意しておきたいのは、シュミットのいう「友」「敵」が、この言葉から連想される常識的な意味とは異なるいささか独特な概念だということである。それは私的な友情や敵意とはいっさい関わらない。

シュミットの考える「敵」は、あくまでも「公的な敵」、すなわち共同体の敵を意味している。それは、私的な敵、つまり、ぼくなりあなたなりが私的な理由で敵対的感情を抱いているもろもろの個人のことは意味しない。だから、ある人物が私的には敵だが、公的には友ということはありうる。実際に戦争においては、私的には憎んでも憎みきれない人物とも、同じ国民として見知らぬ「敵」相手にともに戦うことになる。あるいは逆に、私的な友とも、公的な敵として戦いあうことになる。そのような状況はときに戦争の滑稽さあるいは悲劇として語られるが、シュミットによれば、むしろそれこそが政治＝戦争の本質である。友敵の区分は公が、そして公だけが行う。

友敵は公的な存在であり私的な存在ではない。そして友敵の区別がなければ政治はない。これは、シュミットの政治についての思考が、まずは共同体の境界画定を前提としていることを意味している。

政治はまず、世界を内部（友）と外部（敵）に分け、共同体（友の空間）を確立する。そしてその区別には、政治的な理由以外に根拠がなくていい。なぜならば、そもそもその境界画定そのものが政治の専権事項だからである。実際、シュミットの「敵」についての説明はほとんど同語反復になっている。「政治上の敵が道徳的に悪である必要はなく、美的に醜悪である必要はない。経済上の競争者として登場するとはかぎらず、敵と取引きするのが有利だと思われることさえ、おそらくはありうる。敵とは、他者・異質者にほかならず、その本質は、とくに強い意味で、存在的に、他者・異質者であるということだけで足りる」[★22]。政治は無根拠に敵を定める。そのうえで政治は、共同体の存続を第一に考え、必要とあらばほかのあらゆる判断を停止する。以上が『政治的なものの概念』の主張である。

ここでは触れるにとどめるが、このような「政治優先」「共同体優先」の考えは、シュミットの思想の全体を貫いている。彼は『政治神学』という別の著作で、主権者（政治を行うもの）とは「例外状況」で決定を下すもののことであり、そして例外状況とは、すべての法秩序が停止し、国家の存続が問われるときのことであると記している[★23]。日常は法で支配できる。しかし例外状況になると政治が必要になる。そして政治は、倫理も経済もすべてを飛び越えて、共同体の存続のみを考慮し、超法規的な判断を下すことができる。シュミットはそう考えた。

あらためて指摘するまでもなく、これはきわめて危険な思想である。それは独裁を肯定し敵の殲滅を肯定し、しかもそこにいっさい異論の入る余地を残さない思想である。実際にシュミットは、さきほども記したように、この思想に導かれ、ナチスの独裁を支持し、ユダヤ人の排除政策を推進

★22 『政治的なものの概念』、15–16頁。
★23 カール・シュミット『政治神学』田中浩、原田武雄訳、未來社、1971年、19頁以下。

することになった。

5

友敵理論はじつに危険な思想である。とはいえ、それは単純に危険だという理由で排除できるものでもない。なぜならば、それは、ユダヤ人が嫌いだとかドイツ国家の偉大さを示したいといった感情的な理由だけで作られたものではなく、国家とはなにか、人間とはなにかを考え抜いた結果として、論理的に引き出された理論でもあったからである。

どういうことか。カントとシュミットのあいだにヘーゲルという哲学者がいる。近代の法体系や政治理論に絶大な影響力をもった哲学者である。

そのヘーゲルは、国家を市民社会の「理性」にあたるものだと捉えた。たとえばいま、ぼくたちは日本列島という地理的な境界のなかに住んでいる。同じ言葉を使い、モノやカネを交換し、ひとつの社会を形づくっている。けれども、ヘーゲルはそれだけでは国家にはならないと考える。国家は、その人々が、われわれはひとつの土地に住み、ひとつの歴史を共有し、ひとつの社会をつくるひとつの民族なのだという自己意識を抱いたときに（ヘーゲルの言葉を使えば「おのれを思惟し、おのれを知り、その知るところのものを知るかぎりにおいて完全に成就するところのもの」になったときに［★24］）はじめて生まれる。それがヘーゲルの考えである。つまりは国家とは、事実の産物というより、なによりもまず意識の産物なのだ。この規定は近代政治思想の基礎をなしている。

そしてここで決定的に重要なのが、ヘーゲルの哲学において、市民社会から国家へのその移行が、たんなる歴史的あるいは社会学的な展開としてではなく、人間の精神的な向上と結びつけて語られていたことである。

ヘーゲルによれば、人間はまず家族のなかで「自然的な倫理的精神」として現れる。ひらたく言えば、家族の愛に包まれた自足した存在として生きることになる。しかしつぎに家の外に出る。市民社会に入る。市民社会というのは、ひととひととが、愛ではなく言語や貨幣を媒介に交流する領域のことである。そこではひとは、みな他者の欲望を介して自分の欲望を満たすようになる。ヘーゲルの言葉を使えば「利己的目的は、おのれを実現するにあたって［……］普遍性によって制約される」ようになる[★25]。それは、ひとが、主観性と客観性、特殊性と普遍性、つまりは私と公のあいだで引き裂かれた存在となることを意味している。市民社会のなかの人間は、ひらたく言えば、愛のなかで自足できなくなり、自分が他人から見たらどう見えるのか、自分は社会のなかでなにをやるべきなのか、そのことばかり考えなければいけなくなるのである。

そして最後に、国家が、まさにその分裂を統合する契機として現れる。ヘーゲルによれば、ひと

★24 ヘーゲル『法の哲学』第2巻、藤野渉、赤沢正敏訳、中公クラシックス、2001年、216頁（第二五七節）。
★25 『法の哲学』第2巻、91頁（第一八三節）。

は国家に所属し、国民になることによってはじめて、公的＝国家的な意志を私的な意志として内面化し、普遍性を特殊性のなかで経験するようになる。というよりも、ヘーゲルの考えでは、そのような内面化の実現（特殊性と普遍性の統合）こそが、国家なるものの精神史的な存在意義なのだ。『一般意志2・0』の読者のため付け加えておけば、特殊性と普遍性を統合する「国家意志」というこの奇妙な概念の想定こそが、ヘーゲルがルソーの「一般意志」の解釈として引き出したものであり、すなわちルソー問題（個人主義と全体主義の分裂）のヘーゲルなりの解決になっている。

ひとは、家族から離れ、市民を経て、最後に国民になることではじめて成熟した精神に到達する。「個々人の最高の義務は国家の成員であることである」とヘーゲルは記している[★26]。

ひとは国家に属さなければ精神的に成熟しない。これはあまりにも奇妙な主張のように思える。少なくともその考えは、グローバリズムが世界を覆い、モノとヒトの流通が日常的に国境を越えている二一世紀の現代では、端的に時代遅れのように感じられる。実際に情報社会論の世界では、伊藤穰一の「創発民主制」や鈴木健の「なめらかな社会」の提案などに代表されるように[★27]、国境を含め、あらゆる境界は幻想にすぎず、情報技術の進展によりそれらの境界は順次解体されていくはずだといった議論が一定の影響力をもっている。それらの議論は、思想的には次章で触れる「リバタリアニズム」の一分岐と位置づけられ、おもに経営者やエンジニアに支持されている。

けれども、ヘーゲルの国家論は、哲学的に見ると、そのような議論よりもはるかに深い射程をもっていると考えられる。というのも、そこで提示された国家の必要性は、実際に存在する国家の必要性としてだけではなく、むしろ、精神の歩みの問題として考えられているからである。人間は自分のことしかわからない（特殊性しかわからない）。しかし他方でひとりでは生きていけない（普遍性がないと生きていけない）。ではどうやってその両者に折り合いをつけるのか？ ヘーゲルが「国民になること」の必要性をもち出すのは、まさにその疑問に答えるためである。

　だからそれは、国家論として記されているが、けっして政治思想や社会思想の枠に収まりきるものではない。それは、人間についての、とくにその成熟についての思考と不可分に結びついた議論なのである。人間がきちんとした人間になるためには、家族の一員であること（即自）や、市民社会で他者に触れること（対自）とはべつに、なんらかの上位の共同体に属すること（即自かつ対自）が絶対的に必要だと、ヘーゲルはそう考えたのだ。

　勘のいい読者は、ここで議論が本章冒頭の問いに戻ってきたことに気がつくだろう。ぼくは、「人間は人間が好きではない。人間は社会をつくりたくない。にもかかわらず人間は現実には社会

★26　『法の哲学』第2巻、217頁（第二五八節）。強調を削除。

★27　伊藤穰一「創発民主制」公文俊平訳、国際大学GLOCOM、2003年（URL=http://www.glocom.ac.jp/project/odp/library/75_02.pdf）。鈴木健『なめらかな社会とその敵』。前者の全文と後者の一部は、東浩紀監修『開かれる国家 角川インターネット講座12』、KADOKAWA、2015年にも収録されている。本文では批判的に紹介しているが、ぼくたちの社会が国境含めさまざまな境界で制御されていること、それそのものがいまや自明性を失っており、境界画定を前提とするものとは別の新しい政治過程を構想する必要があるという点については、ぼくもまた伊藤や鈴木と認識を共有している。ただし、伊藤と鈴木がその境界解体が技術的手段で行われると考えるのに対して、ぼくはそこで人文的な発明が必要だと考える。観光客の哲学はその発明の名称だ。

をつくる。なぜか」と問いかけた。一九世紀のヘーゲルは、その問いに対して、「人間は国家をつくり、国民になることで、社会をつくりたくなかった未成熟な自分を克服することができるから」と答えた哲学者なのである。

さて、さきほど紹介したシュミットの友敵理論は、まさにこのヘーゲルの人間観を突き詰めたところに現れている。

人間が人間であるためには、なんらかの国家意志を内面化し、普遍性と特殊性を統合しなければならない。その統合の作用がなければ人間はなく、したがって国家がないところに人間はない。それゆえ、人間が人間であるためには、美や倫理や功利の判断とはまったく別の水準で、所属先の国家が存在しなければならない。政治とは、まさにその国家を存続させる営みである。シュミットは、このような論理のもとでこそ、友敵を峻別し、国家の輪郭を明らかにする「政治」の重要性を指摘できている。

したがって、友敵理論はたんなる危険思想ではないし、また時代遅れの理論として片づけられるものでもない。むしろそれは、前述のようなヘーゲルの人間観が乗り越えられないかぎり、これからもいくらでも再来しうる思想だと考えられる。

実際にそれは、いままさに再来の可能性が高まっている思想だと言うこともできる。というのも、『政治的なものの概念』は、二〇一七年のいま読みかえすと意外にアクチュアルな記述に満ちた本だからである。

『政治的なものの概念』はじつは、ワイマール期のドイツで高揚していた自由主義的で個人主義的な思潮に抵抗するために書かれた書物である。当時のドイツではすでに、交通や交易の発展によって、国境は遠からず消滅し、国家もなくなり世界はひとつになるといった、いまのグローバリズムとそっくりの主張が展開されていた。シュミットの議論はその思潮への抵抗として組み立てられている。それゆえ『政治的なものの概念』は、いまのグローバリズム批判にもつながる例示や記述に満ちている。

これは歴史的には当然のことである。現在のグローバリズムは、そもそもが、一九世紀から二〇世紀初頭にかけていちど進んだ自由主義と経済統合の動きが、両大戦と冷戦による七〇年ほどの中断を経て、あらたによみがえったものである。したがって、一九三〇年代のシュミットの関心と二〇一〇年代のぼくたちの関心に並行性があっても、とくに驚くことではない。それゆえ、シュミットの友敵理論は、グローバリズムが進むいま、あらためて復活する可能性が大いにある。しかもそれは、現在行われているる凡百のグローバリズム批判よりも、はるかに哲学的深度が深い。

グローバリズム（二〇世紀初頭の自由主義）を批判する論者は、むかしもいまも数多くいる。彼らは多くの場合、グローバリズムの導入は自国産業にとって損になると、あるいは自国文化を破壊するといった主張を展開する。けれども、シュミットはその類の議論には関わらない。なぜならば彼の考えでは、そのような批判は、政治的な判断に経済的あるいは美学的な判断（グローバリズムは損だ、あるいは醜いといった判断）をもちこんだものにすぎず、結局は政治の価値を損なうものだからである。

そうではなく、シュミットがグローバリズムを拒否するのは、端的にそれが友敵の区別を抹消し、政治そのものを抹消するからなのだ。彼は当時活躍した自由主義の論客の名を挙げ、その議論においては「闘争という政治的概念は［……］経済的側面で競合に、他方「精神的」側面で討議に化してしまう」のだと、言い換えれば、自由主義は「国家および政治を、一方では個人主義的な、したがって私法的な道徳に、他方では経済的な諸範疇に従属させ、その独自の意味を奪い去る」のだと記している[★28]。自由主義は国家の必要性を経済や道徳に還元する。しかし、友敵の区別は、それが個人の利益になるから（経済的に得だから）行うものでもなければ、心の支えになるから（倫理的に正しいから）行うものでもない。それは、人間が人間であろうとするかぎり、精神の構造から必然的に要請される。自由主義者はその根本を理解していない。シュミットはその無知にこそ苛立っている。

したがって、シュミットは、国家の消滅を企てるグローバリズムは、たとえそれが経済的に利益をもたらそうと、あるいは自国文化の拡大につながろうと、とにかく拒否すべきだと考える。国家が存在しなくなったら、政治は存在しなくなる。政治が存在しなくなったら、人間は人間でなくなってしまう。シュミットは、人間が人間であるために、グローバリズムを拒否するのだ。これ以上に強い批判の論理があるだろうか。

シュミットは、国境なき世界の理想について、つぎのように憂鬱な調子で記している。

およそ国家が存在するかぎりは、つねに、複数の諸国家が地上に存在するのであって、全地球・全人類を包括する世界「国家」などはありえない。［……］もしも地上のさまざまな民族・宗教・階級その他の人間集団がすべて一体となり、相互間の闘争が事実上も理論上も不可能となるならば、［……］そこに存在するものはただ、政治的に無色の世界観・文化・文明・経済・道徳・法・芸術・娯楽等々にすぎず、政治も国家もそこには存在しないのである。地球・人類のこのような状態が果たして到来するのか、またいつ到来するのか、わたくしは知らない。

［……］

「世界国家」が、全地球・全人類を包括するばあいには、それはしたがって政治的単位ではなく、たんに慣用上から国家と呼ばれるにすぎない。またもし実際に、たんに経済的な、また交通技術的な単位を基礎として全人類・全地球が統一されるのであれば、それはまだ、まず第一に、たとえば同じアパートの居住者や、同じガス会社に加入したガス利用者や、同じバスの旅客が、社会的「単位」であるというのと同様な意味での「社会的単位」であるにすぎない。［★29］

★28 『政治的なものの概念』、91－92頁。強調を削除。
★29 『政治的なものの概念』、61－62、68頁。強調を削除。

人間は人間であるかぎり、国家をつくり、友をつくり、敵をつくる。だから国家は必ず複数存在しなければならない。裏返せば、もしこの惑星上にただひとつの世界国家しかなくなり、公的な敵がいなくなったとしたら、それはもはや哲学的には、国家がなく、政治もなく、それゆえ人間がいない世界と言うほかない。シュミットはそう主張するのである。

ひとは、普遍的な意志を特殊な意志として内面化することで、はじめて精神的に成熟し「人間」となる。その契機は、家族でも市民社会でもなく、国家だけが与えることができる。ひとは国民にならなければ人間になることができない。友敵の区別がなければ人間になることができない。グローバリズムを撃つ論理を探るなかで、シュミットはこのような理論にたどりついた。

あらためて確認するまでもなく、これは、本書の主題である観光客の哲学にとってじつに厄介な障害となる理論である。

友敵の対立をくぐりぬけないと、ひとは人間になりえない。だとすれば、「村人でも旅人でもない観光客」は、そもそも人間未満の未熟な存在ということになる。個人のたんなるまとまりは、「同じアパートの居住者や、同じガス会社に加入したガス利用者や、同じバスの旅客」を超えるものではなく、政治的な検討に値しない。だとすれば、祖国の体制を離れ、個人の私的な動機に基づき国境を越える観光客の集団は、原理的に政治的思考の対象にはなりえないことになる。ぼくはさきほど、観光客の哲学を考えるとは「国家から国家連合への単線的な物語に属さない、未成熟な

「ふわふわした存在」がつくりだす友好の可能性」について考えることだと記したが、以上のように、友敵理論の存在は、そしてその背景にあるヘーゲルのパラダイムは、そのような思考の可能性をあらかじめ奪い去っている。近代の人文思想には、人間についてまともに考えようとすればするほど、観光客についてはまともに考えることができなくなるという構造があるのだ。

しかし、障害は同時に可能性でもある。観光客の哲学を阻むヘーゲルとシュミットのパラダイムは、逆に、観光客の哲学がどのようなものであるべきか、そのすがたを裏側から照らしだすものでもあるだろう。

近代思想は、人間は友敵の対立をくぐらないと成熟しないと述べた。だとすれば、ぼくたちは、観光客の哲学を設立するために、その対立をくぐらない別の成熟のメカニズムを探る必要がある。言い換えれば、国家への所属を介さずに、普遍と特殊を重ね合わせるメカニズムを考える必要がある。また近代思想は、家族から市民社会へ、そして国家へ、さらに国家連合へという単線的な精神史を考えた。だとすれば、ぼくたちは、その単線を複線化すべく、家族と市民社会を経たあと、国家にいたることのない、別の政治組織の可能性を考えねばならない。

抽象的すぎるだろうか。そう響いたかもしれない。しかし、ぼくが言おうとしているのはきわめて具体的なことである。人間がもし、特定のただひとつの国家に属し、その価値観をきちんと内面化し、つまり国民としての自覚に目覚め新聞を読んだり選挙に行ったりデモに行ったりし、そしてそのあとで世界市民にいたるというやりかたではなく、ほかの方法でいきなり普遍性を手に入れることができるとしたら、それはどのようにしてか。ぼくが考えたいのはその可能性なのだ[★30]。

6

ここまでの議論で、観光客の哲学の課題を、かなりはっきりとつかむことができたのではないかと思う。

家族から市民へ、国民へ、そして世界市民へといった単線的な物語から外れるもの、それは近代思想の枠組みでは原理的に政治の外部とされているけれども、ぼくはむしろそこにこそ新たな政治の回路があると考えたい。その可能性を記述する言葉こそ、観光客の哲学であり、本書が手に入れたいものである。

というわけで、つぎの第四章ではいよいよその課題に取り組むことになるが、そのまえに本章の後半では、友敵理論と観光客の哲学の対立関係を多角的に捉えるべく、シュミットと同時代のふたりの思想家を参照し、ふたつの新たな言葉を導入しておきたいと思う。観光客の哲学の可能性は、さまざまな問題と連動している。

ひとつめの言葉は「動物」である。ぼくは前章で、二次創作の概念を紹介するにあたり、『動物化するポストモダン』という著作に触れた。同書の議論では、タイトルにあるとおり「動物」が鍵となっている。

ぼくはその動物の概念を、アレクサンドル・コジェーヴというフランスの思想家から借りている。コジェーヴは、シュミットよりひとまわり年下の人物で、シュミットとも交流があった（シュミットは一八八八年生まれでコジェーヴは一九〇二年生まれ）。モスクワ生まれで、ロシア革命後にドイツに亡命し、戦後はフランスの外交官としても活躍したユニークな経歴をもつ哲学者である。

そのコジェーヴは、一九三〇年代に行われた講義の記録をまとめ、一九四七年に出版された『ヘーゲル読解入門』という書物で（正確にはそこにさらに一九六八年の第二版で加えられた長い注で）、つぎのようなことを述べている。「ヘーゲルやマルクスの語る歴史の終末は来たるべき将来のことではなく、すでに現在となっている［……］。私の周囲に起こっていることを眺め、イエナの戦いのあとに世界に起きたことを熟考すると、イエナの戦いの中に本来の歴史の終末を見ていた点でヘーゲルは正しかったことを私は把握したのである」［★31］。コジェーヴは、人間が人間として生きる「歴史」

★30　国民（成熟した大人）としての自覚を介することなく、未成熟な個人がいきなり普遍とつながる回路を模索すること。サブカルチャー評論の言葉に翻訳すれば、これはすなわち「セカイ系」の問題である。「セカイ系」とは、国家や社会などの現実的な舞台設定の導入ぬきに、主人公の小さな恋愛と世界の破滅のような巨大なできごとを短絡させる物語類型の総称で、日本のオタク系コンテンツでは2000年代にあるていどの流行を見た。ぼくはこの言葉を、サブカルチャーでの用法を拡大し鍵概念にして、新しいタイプの文芸批評を書こうと試みたことがある。興味のあるかたは、東浩紀『セカイからもっと近くに』、東京創元社、2013年を参照されたい。本書第二部は「家族の哲学」を主題としているが、それは同書収録の新井素子論と深い関係をもっている。新井は「不気味なものの家族」を考えた作家だった。彼女が愛したぬいぐるみとは不気味なもののことである。

★31　アレクサンドル・コジェーヴ『ヘーゲル読解入門』上妻精、今野雅方訳、国文社、1987年、245-246頁。強調を削除。

は本質的に一八〇六年のイエナの戦い（ナポレオン戦争）で終わっていたのであり、二〇世紀のふたつの大戦は、現在がすでに「ポスト歴史」（歴史の終わりのあとの時代）に入っていることを確認させるものにすぎなかったと述べた。のち二〇世紀も終わり近くになって、アメリカの政治学者、フランシス・フクヤマがこの図式を援用して「歴史の終わり」論を主張し、同名の著書（『歴史の終わり』）が世界的なベストセラーとなったので、そちらを経由して知っている読者が多いかもしれない。ただしフクヤマのほうは、歴史の終わりを確認する契機を冷戦の終焉に定めている。

人間の歴史が終わるとはいかにも奇抜な主張に聞こえるが、この背景にも、シュミットの思想と同じくヘーゲル独特の人間観が横たわっている。ヘーゲルの考えでは（コジェーヴが解釈し要約したヘーゲルの考えでは）、人間とは、みずからの存在を賭けて他人の承認を求め、環境を変革し続ける精神的な存在にほかならない。「人間は自己の人間的欲望、すなわち他者の欲望に向かう自己の欲望を充足せしめるために自己の生命を危険に晒し、それによって自己が人間であることを「証明」する。［……］このまったくの尊厳を目指した生死を賭しての闘争がなかったならば、人間的存在者は地上に存在しなかったであろう」［★32］。裏返して言えば、誇りを失い、他人の承認も求めず、与えられた環境に自足している存在は、たとえ生物学的には人間であってももはや精神的には人間とは言えないというのが、コジェーヴとヘーゲルの考えである。だから、人類がみなそのような自足した存在になってしまえば、人間の歴史は――種としての人類そのものが存続したとしても――終わる。コジェーヴが第二次大戦後の世界を「ポスト歴史」と呼んだのは、このような人間観を踏まえてのことである。戦後の冷戦に直面した彼は、人類はナポレオン戦争以来なにも本質的に新しい理念を発明しなかったのだと、なかば絶望的な気分に囚われていたわけだ。

そして「動物」という言葉は、まさにその「ポスト歴史」についての記述に登場する。

歴史の終末の後、人間は彼らの記念碑や橋やトンネルを建設するとしても、それは鳥が巣を作り蜘蛛が蜘蛛の巣を張るようなものであり、蛙や蟬のようにコンサートを開き、子供の動物が遊ぶように遊び、大人の獣がするように性欲を発散するようなものであろう。そうなった場合、これらすべてが「人間を幸福にする」と述べることはできなくなる。むしろ、ポスト歴史の動物であるホモ・サピエンスという種（これは豊かできわめて安全な暮らしを過ごすことになろうが）は、みずからの芸術や愛や遊びに関わる振舞いに基づき満足することになるであろうと言わねばなるまい。［★33］

ポスト歴史の世界でも、人間は社会活動をする。都市を造り文化を創る。しかしそれはもはや「人間」の活動とは言えない、むしろ動物の戯れに近い。

コジェーヴは、この強烈な文章の直後に、「ポスト歴史の動物」の例としてアメリカの消費者を

★32 『ヘーゲル読解入門』、16頁。強調を削除。
★33 『ヘーゲル読解入門』、245頁。強調は引用者。

挙げている。「アメリカ的生活様式はポスト歴史の時代に固有の生活様式であり、合衆国が現実に世界に現前していることは、人類全体の「永遠に現在する」未来を予示するものである［……］。人間が動物性に戻ることはもはや来たるべき将来の可能性ではなく、すでに現前する確実性として現れたのだった」[★34]。戦後のアメリカに生きているのは、誇りを失い、他人の承認も必要とせず、与えられた環境に自足して快楽を求め商品を買っているだけの動物的な消費者の群れでしかない。そこにはもはや「人間」はおらず、歴史もなく、したがって永遠の現在だけがある。それがコジェーヴの見立てである。

コジェーヴは、アメリカの消費者は「動物」だと規定した。ちなみに付け加えれば、彼は同じ注で戦後の日本にも触れ、日本人はある理由で動物にはならないと述べている。しかし、ぼくは『動物化するポストモダン』で、彼の「動物」「ポスト歴史」の規定は、ある時期以降の日本のオタクたちにこそあてはまると指摘した。そしてそこから、前述のような二次創作のダイナミズムへの注目を経て、最終的に「データベース的動物」という独特の概念の提案にいたるのだが、ここではそちらについて詳しくは紹介しない。いずれにせよ、ジャンクフードと娯楽に囲まれ、政治も芸術も必要とせず、つぎつぎと提供される新商品に快楽を委ねているだけのアメリカの消費者が「動物」にしか見えないという指摘は、ヘーゲルのパラダイムを知らなくとも、直感的に理解できる読者が多いだろう。そのかぎりでは、コジェーヴは、多少言いすぎの嫌いはあれ、けっして奇抜なことは言っていない。

そして、ここで注意しておきたいのは、コジェーヴがこの歴史観を打ち出したのが、まさにシュミットが『政治的なものの概念』を出版したのと同じ一九三〇年代だったということである。前述のように『ヘーゲル読解入門』は複雑な成り立ちの書物で、一九三〇年代の講義が一九四〇年代に出版され、そこにさらに一九六〇年代に注が加わっており、いま引用した箇所はその最後の注の一部である。だから文章そのものは一九六〇年代に書かれたものなのだが、「人間」「歴史」「動物」をめぐる議論の構図が一九三〇年代に作られたことはまちがいない。したがって、コジェーヴの問題意識はシュミットのそれと深く共鳴している。実際にいま引用した「ポスト歴史」についての文章を、さきほど引用したシュミットの「世界国家」についての記述と比較すると、驚くほど近い比喩で構成されていることに気がつくだろう。シュミットもコジェーヴもともに、人間と人間の生死を賭けた闘争がなくなり、国家と国家の理念を賭けた戦争が解消され、世界がひとつになり消費活動しか存在しなくなった時代における人間の消失を問題にしている。シュミットはそれを政治の喪失（自由主義化）と呼び、コジェーヴは歴史の終焉（動物化）と呼んだ。

シュミットもコジェーヴもグローバリズムに抵抗した。国境を越え、均質な消費社会で世界を覆うグローバリズムは、彼らにはヘーゲルの人間観への深刻な挑戦に見えた。シュミットの友敵理論をコジェーヴのポスト歴史論と接続することで、ぼくたちは、そのグローバリズムが導く人間のす

★34 『ヘーゲル読解入門』、２４６頁。強調と原語挿入を削除。

がたを形容するものとして「動物」という言葉を手に入れることができた。人間には必ず友と敵がいる。そして国家がある。しかし動物には友も敵も存在しない。そして国家も存在しない。

国家を離れ、民族を離れ、他者の承認も歓迎も求めず、個人の関心だけに導かれてふわふわと行動する観光客は、以上の点でまさに「動物」だと言うことができる。実際、ここでは詳しくはたどらないが、観光の歴史はグローバリズムの歴史と密接に関わっている。初期のグローバリズムが第二次大戦で一頓挫したときに、トマス・クックが一九世紀に立ち上げた事業(トマス・クック・アンド・サン社)も大きな危機を迎えている。同社は一時国有化すらされている。それが復活するのは、一九七〇年代以降、「ポスト歴史」の動物化がますます全面化し、ポストモダンと呼ばれる高度消費社会が実現した時代においてのことである。観光は歴史の終わりの申し子である。観光客の思想的な意味について考えることは、ポスト歴史の動物の思想的な意味について考えることにほかならない。

7

ふたつめの言葉は「消費」である。それに関連して「労働」「匿名」も鍵となる。こちらで読みたいのはハンナ・アーレントだ。

アーレントもまた、ユニークな経歴をもつ哲学者である。彼女は一九〇六年生まれで、コジェーヴとほぼ同世代にあたる。ドイツ出身のユダヤ人で、のちアメリカに亡命し、戦後はおもに英語で執筆を行った。『全体主義の起原』や『イェルサレムのアイヒマン』といった著作が有名で、ナチスの犯罪を鋭く追及した政治哲学者という印象が強いが、他方で若いころは、そのナチスに近い有名な哲学者、ハイデガーの愛人だったというゴシップもよく知られている。もともと二〇世紀を代表する哲学者のひとりと見なされていたが、この二〇年ほどでますます評価が高まっている。

そのアーレントは、一九五八年に『人間の条件』という著作を出版している。タイトルから想像されるように、そこで問題とされたのも、シュミットやコジェーヴと同じく人間の消失である。アーレントもまた、人間には、生物学的な人間（ホモ・サピエンス）であることとはべつに、「人間」として生きるための独特の哲学的条件があると考えた。そして現代では、人々はその条件を失っていると考えた。『人間の条件』は、人々がその条件を取り戻すために書かれた書物である。

それでは、アーレントはなにが人間の条件になると考えたのか。アーレントは、人間が行う社会的な行為（アクティヴィティ）を三つに分類している。活動（アクション）と仕事（ワーク）と労働（レイバー）である[★35]。そして彼女は、「活動」と「仕事」は人間の生に意味を与えるが「労働」は意味を与えない、にもかかわらず現代社会では労働が優位になっているのが問題だ、と議論を立てた

★35　以下本書での引用は、ハンナ・アレント『人間の条件』志水速雄訳、ちくま学芸文庫、1994年による。ただし本書では、同書で「活動力」と訳されているactivitiesを「行為」と訳しなおしている。activities単体としては「活動力」の訳のほうが適切だが、「活動力」と「活動」を異なる概念として区別するのは、日本語の語感としてあまりに無理があるように思われたからである。

のである。

どういうことだろうか。話を簡単にするため、「活動」と「労働」の対立に絞って説明してみよう[★36]。

アーレントは、古代ギリシアのポリスを公共性のひとつの理想だと考えた。「活動」はそんなギリシア市民の政治的な（ポリス的な）行為をモデルに考えられた理念型である。それは具体的には、広場＝公共空間（アゴラ）にすがたを現し、演説をし、他人と議論するといった言語的で身体的な行為を意味している。二一世紀のいまであれば、議会への立候補や政治集会での演説に加え、市民運動に参加したりＮＰＯで社会奉仕を行ったりするような行為を広く指す言葉だと理解すればいい。対して「労働」は「人間の肉体の生物学的過程に対応する行為」である[★37]。生物学的過程に対応するとは、つまりは、そこでは身体の力だけが問われるということを意味している。それは現代で言えば、コンビニやファストフード店のバイトのような、だれが行っても同じで、人数と時間のみで換算される賃労働を名指している。

そしてここで重要なのが、アーレントがこのふたつの概念を、行為者の固有名性に注目して対置していることである。固有名性とは、ひらたく言えば「顔」「名前」の問題のことである。アーレントは、活動においては行為者の固有名性が決定的に重要だと考える。実際、政治家の演説において重要なのは、なにを述べているかという内容よりも、むしろだれがその演説をしているかという

「顔」のほうである。他方で労働では顔や名前はまったく重要ではない。工場労働者やバイト店員は匿名の数にすぎない。実際、コンビニに商品を買いに行くときに、だれがレジの担当者かを気にする消費者はほとんどいないだろう。どの店舗かすら気にしていないかもしれない。労働においては、アーレントの言葉を借りれば、顔のない「生命力」が売買されているにすぎないのである。

アーレントはこの対立を「他者」や「公共性」の有無の対立にも重ねている。アーレントによれば、活動の場には必ず「他者」がいる。聴衆がいない演説はありえないし、奉仕先と顔を合わせないボランティアはありえない。活動の本質は、たがいに顔を曝し、差異を認めあったうえでの言語的なコミュニケーションにあるので、必ず他者の存在を要求する。それは公共の意識にもつながる。

対照的に、労働の場には他者がいない。労働の本質は、人間が顔をなくし、人数と時間で計量される「生命力」を提供することにある。だからそこには他者が現れようがないとアーレントは考え

★36 ここで省略した「仕事」は、「すべての自然環境と際立って異なる物の「人工的」世界を作り出す」行為だと規定されている（『人間の条件』、19－20頁）。つまり「労働」が金目当てのコンビニでのバイト、「活動」が社会貢献が目的のボランティアや政治運動に相当するとすれば、「仕事」は業務や趣味でのものづくりに相当する。本論では、大きな議論の組み立て（政治と経済の二層構造）の関係上この第三項を簡単に位置づけられないので説明を省いたが、この「仕事」こそほんとうは現代社会を考えるうえで重要な概念である。現代はオタクとエンジニアの時代である。それはつまり「仕事」の時代だとも言えるからである。アーレントは『人間の条件』で、近代ではまず活動が仕事に置き換えられたのだが、その勝利はただちに労働に乗り越えられたのだと記している（464頁以下）。産業革命は仕事する人間＝工作人の勝利の結果だった。この観点から見れば、第七章で検討する情報技術革命とは、まさにネットを舞台にして仕事する人間＝工作人の復活が試みられた運動だったと言える。そしてそれは、理想主義者によればさらに活動の復活（政治の復活）にもつながるはずだった。しかし、実際には、労働の蔓延、すなわちフェイクニュースとアフィリエイトで転がされる匿名のネットユーザーの蝟集しか生みださなかったのである。

★37 『人間の条件』、19頁。

る。読者のなかには、そんなことはない、たとえばコンビニのレジ係は客という他者に接しているではないか、そこには人間と人間の関係があるではないかと疑問に思うひともいるかもしれない。

しかし、アーレントであれば、そこでの客は「生命力」の宛先になっているだけで、他者として現れているわけではないのだと答えることだろう。コンビニ店員と客の関係は、人間と人間の関係というより機械と人間の関係に似ている。具体的に考えても、コンビニレジの仕事はロボットやセルフレジでも置き換え可能であり、近い将来にはそうなるだろう。労働には他者が存在せず、労働者は賃金のためだけに働く。それは、労働は本質的に「私的」な（自分のための）経験であり、公共の意識につながらないことを意味している。バイトは時給のためにタスクをこなしているだけであり、コンビニをよくしたいとか社会をよくしたいとか思って働いているわけではない。

以上の整理のうえで、アーレントは、人間が人間として生きるのは「活動」に従事するときだけであり、「労働」の場では人間の条件は奪われているのだと主張した。それが『人間の条件』の要である。

アーレントはつぎのように記している。「〈労働する動物〉は、自分の肉体の私事の中に閉じ込められ、だれとも共有できないし、だれにも完全に伝達できない欲求を実現しようともがいている」。労働は、動物的な欲求（食欲など）を孤独に満たすためのものにすぎない。だから労働ではひととひとはつながることができない。ぼくの満足（賃金）はあなたの満足とは独立している。それに対し、「活動とは、物あるいは事柄の介入なしに直接人と人との間で行われる唯一の行為であり、多数性という人間の条件、すなわち、地球上に生き世界に住むのが一人の人間ではなく、多数の人間であるという事実に対応している」。物の欲求はひとを孤独な満足に閉じこめるだけだが、活動＝言語のコミュニケーションはひととひとをつなぐことができる。ひとはそこではじめて、「自分がだれであるかを示し、そのユニークな人格的アイデンティティを積極的に明らかにし、こうして人間世界にその姿を現わす」のだ[★38]。

人間は、顕名で（名を顕して）、他者と議論し、公共の意識を抱くときにはじめて人間であることができる。けれども、匿名で、他者との議論なく、生命力を自分ひとりの賃金と交換しているときには人間であることができない。これが『人間の条件』の基礎をなす概念対立である。顕名で公共的である存在だけが「人間」の名に値する。匿名で私的な存在はその名に値しない。だとすれば後者は、コジェーヴの言葉を借りれば「動物」と呼ぶべきだろう。実際、アーレントは「労働する動物」という表現も用いている。

アーレントのこの整理は、哲学の知識がなくてもたやすく理解することができる。コンビニのバイトでは人間の条件が奪われていると言われれば、そんなものかなと頷く読者も多いだろう。

しかし、このアーレントの哲学は、理論的には大きな弱点を抱えていることも知られている。な

★38 『人間の条件』、177、20、291頁。引用一部改変。

ぜならば、そもそも彼女がモデルとして参照した古代ギリシアの都市国家は、奴隷制のうえに成立していたものだったからである。

古代ギリシアではたしかに、顕名で公共的な「人間」と匿名で私的な「労働する動物」が明確に分かれていたかもしれない。アーレントはその区別を現代に復活させることを提案した。けれども実際にはそこには、顕名の市民たちによる活動＝政治＝ポリスは、彼ら市民がそれぞれ所有する奴隷たちの匿名の労働＝家政＝オイコスで支えられるという、じつに残酷単純な下部構造があったのである。だとすれば、その区別を現代にそのままもちこみ蘇らせようとすることは、はたして適切な選択だろうか。政治活動やボランティアの公共的な価値ばかりを強調し、労働に関わっているかぎり人間は人間になることができないと論を立てるのは、むしろ労働の現場から生まれるさまざまな思考を政治の場から排除することにつながるのではないだろうか。ひらたく言えば、アーレントこそが、コンビニバイトをいちばん人間扱いしていないのではないだろうか。政治学者の齋藤純一は、アーレントの哲学を高く評価しつつも、『人間の条件』については、「生命にかかわるあらゆる問いを公共的空間から締めだ」し「身体の必要や苦しみを語る声を不適切かつ不穏当なものと見なす」ものなので「根底から批判されねばならない」と厳しく記している[★39]。

では、その弱点はどう克服すればよいのだろうか。「労働する動物」がつくる公共性が考えられねばならないとして、それはどのような人間観と政治観を必要とするのか。それらの問いへの回答は専門家に任せるとして、本論の文脈で重要なのは、『人間の条件』のその弱点が、まさにシュミットの友敵理論やコジェーヴのポスト歴史論の弱点と同じ原因で生まれたと考えられることである。ぼくがここでアーレントの例を出したのは、一般に彼女が、シュミットやコジェーヴ、とりわけシュミットとは対照的な思想家だと考えられているからである。実際、ナチスに協力したシュミットと、ナチスの迫害を恐れ亡命したユダヤ人のアーレントは政治的に対極に位置している。アーレントは左翼で、シュミットは右翼である。けれども、そのようなイデオロギーの意匠を剝ぎ取ると、彼らの思想は驚くほど近い構造をもっている。

どういうことか。シュミットもコジェーヴもアーレントも、一九世紀から二〇世紀にかけての大きな社会変化のなかで、あらためて人間とはなにかを問うた思想家である。そこでシュミットは友と敵の境界を引き政治を行うものこそが人間だと答え、コジェーヴは他者の承認を賭けて闘争するものが人間だと答え、アーレントは広場で議論し公共をつくるものこそが人間だと答えた。答えはいっけん三者三様だが、彼らが人間と対比したものを考えると、共通の問題意識が浮かびあがってくる。シュミットが友敵理論を構築したのは、友と敵の分割を気にせず、経済的な利益だけを追求する人間(自由主義者)が現れたからである。コジェーヴが闘争の精神をもち歴史をつくるものこそが人間だと主張したのは、闘争も歴史も必要とせず快楽に自足する人々(動物的消費者)が現れたからである。そしてアーレントが『人間の条件』を執筆したのは、ふたたび引用を繰り返せば、「自

★39　齋藤純一『公共性』、岩波書店、2000年、56-57頁。

分の肉体の私事の中に閉じ込められ」た、他者を必要としない「労働する動物」が現れたからである。

コジェーヴは動物的な消費者を批判し、アーレントは「労働する動物」を批判した。近代の大衆社会では労働者はそのまま消費者になる。だから労働の問題と消費の問題は表裏一体である。

実際、アーレントは消費もまた労働と同じ論理で批判している。彼女によれば、労働は生命力を貨幣に変え、消費はその貨幣で動物的欲求を満たすだけの行為である。労働が公共につながらないように、消費も公共につながらない。彼女はつぎのように記している。「〈労働する動物〉の余暇時間は、消費以外には使用されず、時間があまればあまるほど、その食欲は貪欲となり、渇望的になる」。したがって、「苦痛と努力の足枷から完全に「解放された」人類は、世界全体を自由に「消費」するようになり、人類が消費したいと思うすべての物を日々自由に再生産するようになるだろう」が、その「ユートピア」で生まれるのは「幸福」を追求する「大衆文化」だけで、人間の生になにも意味を与えてくれないだろう[★40]。この文章は、さきほど引用した世界国家の理想を批判するシュミットの文章、ポスト歴史の「動物」の生を皮肉交じりに描くコジェーヴの文章と、驚くほど言葉づかいが似ている。

シュミットとコジェーヴとアーレントは同じパラダイムを生きている。彼らはみな、経済合理性だけで駆動された、政治なき、友敵なきのっぺりとした大衆消費社会を批判するためにこそ、古きよき「人間」の定義を復活させようとしている。言い換えれば、彼らはみな、グローバリズムが可能にする快楽と幸福のユートピアを拒否するためにこそ、人文学の伝統を用いようとしている。
本書が「観光客」について考えることで乗り越えたいのは、まさにこの無意識の欲望である。二〇世紀の人文学は、大衆社会の実現と動物的消費者の出現を「人間ではないもの」の到来として位置づけた。そしてその到来を拒否しようとした。しかし、そのような拒否がグローバリズムが進む二一世紀で通用するわけがない。実際、人文学の影響力は今世紀に入って急速に衰えている。だから、ぼくたちは人文学そのものを変革する必要がある。それが、本書の基礎にある危機意識である。

最後に付け加えておこう。シュミットやアーレントたちのあと、二〇世紀の後半には、表面的には、大衆社会や消費社会の分析に取り組む学派があちこちで現れる。フランス語圏におけるジャン・ボードリヤールやロラン・バルトのような記号論的な消費社会分析、英語圏における文化研究（カルチュラル・スタディーズ）と呼ばれる文化社会学の一派、あるいはドイツ語圏のフリードリヒ・キットラーやノルベルト・ボルツなどである。ポストモダニズムと呼ばれるのはだいたいそれらの組み合わせで、いわゆる「現代思想」の業界でよく参照されるのはむしろその動向である。だからそちらを知る読者は、人文思想が大衆社会を排除したなんていつの話だと疑問に思うかもしれない。そもそもその業界では、ヘーゲルの政治観や人間観はとっくに乗り越えられたことになっている。

★40 『人間の条件』、193-196頁。

しかし実際には、その生半可な理解のほうが罠なのである。なぜならば、現実を見れば、いま名前を挙げたポストモダニストたちの社会分析や文化分析が――個別の現象や作品の解釈であるていどの成果をあげたとはいえ――公共とその外部、人間とその外部、政治とその外部を分割する二項対立の解体にいっさい手をつけることができず、また現実の政治にもほとんど影響を与えることができなかったことは明らかだからである。

ポストモダニストはたしかに、政治とその外部を「脱構築」すると主張していた。そしてそれは学会や一部読者層のあいだで流行はした。しかし、現実の社会においては、そのような彼らの主張そのものが、非政治的なもの（戯れ）として政治の外部に排除されたと言える。彼らポストモダニストたちの仕事はときおり「文化左翼」と総称されるが、その命名（文化）そのものが、彼らの仕事が政治的なものだと見なされていないことを証拠だてている。実際に二〇一七年のいま、国内でも国外でも、いわゆる「現代思想」の担い手は、文化左翼に甘んじ大学のなかで文学批評や芸術批評を講義するか、あるいはすべての理論を捨てて（つまりポストモダニストの矜持を捨てモダニストに戻り）、古い「政治」のスタイルを受け入れデモに参加し街頭に出るか、どちらかしかできなくなっている。そこでは政治とその外部の対立がみごとに再生産されている。なにひとつ脱構築されていないし、なにひとつ変わっていない。ぼくはその状況に思想の敗北を見る。だから、ぼくは、もういちど基礎の基礎に戻り、近代思想の人間観と政治観を、過去のテクストの小手先の解釈変更などに頼るのではなく、根本から問いなおすべきだと考えるのだ。

観光客は、その企図のためにとても適した存在である。観光客は大衆である。労働者であり消費者である。観光客は私的な存在であり、公共的な役割を担わない。観光客は匿名であり、訪問先の住民と議論しない。訪問先の歴史にも関わらない。政治にも関わらない。観光客はただお金を使う。そして国境を無視して惑星上を飛びまわる。友もつくらなければ敵もつくらない。そこには、シュミットとコジェーヴとアーレントが「人間ではないもの」として思想の外部に弾き飛ばそうとした、ほぼすべての性格が集っている。観光客はまさに、二〇世紀の人文思想全体の敵なのだ。だからそれについて考え抜けば、必然的に、二〇世紀の思想の限界は乗り越えられる。

ヘーゲルが、家族から市民へ、そして国民へという弁証法でしか人間を定義できなかったのだとしたら、観光客から立ちあがる人間の定義はありえないものか。それがぼくが考えていることである。

第4章　二層構造

1

観光客の哲学を考えること、それはオルタナティブな政治思想を考えることである。ひとがもし、特定の国家に属してその価値観を内面化するのではなく、ほかの回路で普遍性を手に入れることができるとしたら、それはどのような道をたどることによってか。匿名で、動物的な欲求に忠実で、だれの友にもだれの敵にもならず、ふわふわと国家間を移動する観光客、そんな彼らがもし公共の可能性を開くとすれば、その公共性はどのようなものでありうるか。それが本書の問いだ。

前章で明らかにしたように、この問いは、家族から市民へ、国民へ、そして世界市民へという単線的な精神史を前提とするかぎり、原理的に答えることができない。そこでは、国民になることは政治的になることに等しく、そして国家について考えることは政治について考えることに等しいからだ。

しかし、ぼくたちは、いま、まさにその等式そのものを疑わねばならない現実に直面している。

二一世紀の世界は、カントやヘーゲルが生きた時代の世界と大きく異なった構造をしている。むかしもいまもともに国民国家を基礎とし、国家が集まって国際社会をつくっているが、その集まりかたやつくりかたはまったく異なっている。国家について考えることが政治について考えることに等しいとは、もはや言えない。現代世界では、国家を介さない政治、もはや国家には管理できない政治の領域が巨視的にも微視的にも広がっている。だからぼくたちは新しい政治思想を必要としている。

国家に管理できない政治の領域の例として、第一章では近年のテロリストを挙げた。それでは、そもそもなぜそんな領域が生まれるのか。

この章では、前半でそのような領域（政治と呼ばれない政治の領域）を必然的に生みだす現代世界の構造を明らかにし、そのあと後半でいよいよ、その非政治的な政治がつくりだす公共や普遍の可能性、つまりは観光客の哲学について語り始めたい。

まずは国家のイメージについて考えてみよう。そもそも国家とはなにか。ヘーゲルは国家を市民社会の「自己意識」だと捉えた（正確には少し異なるのだが、本書ではそのように要約する）。

ある土地にたくさんの個人が住み、たがいの生産物を交換し、ともに生きる。それが市民社会だが、それだけでは国家は生まれない。なぜならば、彼らは、自分たちがなにをしているかを自覚せず、ただ目のまえの必要性に駆動されて交換しているだけだからである。彼らがその現実について反省し、自分たちがなぜこの他者たちと関わりをもっているのか、その理由を探りアイデンティティの意識が加わることではじめて国家は生まれる。それがヘーゲルの哲学の要である。国家とは市民社会の自己意識である。この単純な定義はいまでも大きな示唆を与えてくれるが、もうひとつ同じように注目すべき定義がある。

ぼくは前章でカントの『永遠平和のために』を参照した。彼の国際体制論は興味深い想定を導入している。カントは、「国家をもった民族」はひとつの人格（Person）をもつものと見なしてさしつかえないと記している[★1]。

むろんその根拠は示されない。ただそう記しているだけである。しかしその想定は、たんなる思いつきにとどまらず、カントの議論の要になっていると考えられる。というのも、彼は、複数の国家が国際社会を構成することと複数の人間が市民社会を構成することを類比的に並べ、そこから国際体制論を始めているのだが、そのような類比はそもそも国家を人間と等置しないと成立しないからである。それゆえ、同じ等置は『永遠平和のために』のほかの箇所でも顔を出している。たとえばカントは、前章でも紹介したように、永遠平和を目指す国家連合の設立のためには、構成国それぞれがまず共和国にならねばならないと主張する。この規定（第一確定条項）の意味についてはさまざまな研究があるが、とりあえずここで重要なのは、国家が共和国にならないと国家連合に入れてもらえないというその話は、構造的には、人間が大人にならないと市民社会に入れてもらえないという、ごくありふれた「おまえも大人になれ」的な話と完全に同じかたちをしているということである。カントは、人間が成熟すれば市民社会をつくるように、国家もまた成熟すれば永遠平和をつくると考えた哲学者だった。

カントは、国家は人格だと考えた。ヘーゲルは、国家は市民社会の自己意識だと考えた。このふたつの定義を組み合わせると、つぎのイメージが導かれる。人間に身体と精神があるように、国民国家（ネーション）には市民社会と国家があるというイメージである［★2］。ネーションというひとつの「実体」の身体的な側面と精神的な側面、あるいは経済的な側面と政治的な側面、それぞれが市民社会と国家に相当する。

このイメージは、ナショナリズムの時代の世界観をきれいに表現している。ナショナリズムがいつ始まったのか、その規定は研究者により異なるが、ここでは大澤真幸が執筆した浩瀚な研究書、

★1　カントは「国家としてまとまっている民族は、個々の人間と同じように判断されてよい」と述べ、また別の箇所では国家は「道徳的人格として」（als einer moralischen Person）扱うべきであり、簡単に分割したり統合したりすることはできないと記している。『永遠平和のために』、39、15頁。人間をひとりひとり尊重しなければならないように、国家もまた、その大きさや力にかかわらず平等に尊重すべきだというのがカントの考えだった。

★2　ネーション（nation）というヨーロッパ語は、日本語では「国民」とも「国家」ともふたつあわせて「国民国家」とも訳される。国民が人々のこと、国家が法や行政の諸制度のことを指すとすれば、ネーションはその両者をあわせた政治的、経済的、文化的統一体を意味する言葉で、「国民国家」の訳語ではそれが表現されている。けれども、日本語としては「国民国家」は日常的には使われず、政治学や歴史学のかなり専門的な用語という印象を与える。そこで本論では、基本的には「国民」あるいは「国家」を用い、それでも誤解が生じそうなときにかぎって「（ネーション）」とカタカナを補うことにした。なお、「国家」と訳されるヨーロッパ語には、他方で state, état, Staat などの一群の言葉があり、こちらは法や行政の諸制度としての国家を意味する。つまり日本語の「国家」はネーションとステート双方を意味する言葉でもあり、これもまたヨーロッパの国家論を日本語で考えること、あるいはその逆をむずかしくしている。のち第六章で、ヘーゲルの弁証法と柄谷の四象限論を比較するときにも、同じ翻訳の問題が生じている。第六章★5参照。

『ナショナリズムの由来』の記述にしたがうこととする。同書によれば、ナショナリズムは、起源こそ絶対王政期に遡るが、本格的に始動したのは、一八世紀末から一九世紀にかけて、まさにカントとヘーゲルが活躍した時代のことである。その時代には、ネーションの単位で政治制度が整備されるとともに、それまでなかば自然に生まれていた徴税や経済の範囲が、「国民経済」という言葉であらたに捉え返されるようにもなった。言語や生活様式を共有する人々が住み、同じ法や警察に支配され、統一の意志のもとで交通網が整備された一定の地理的領域が、政治の単位だけではなく、経済の独立した単位としても認識されるようになったのである。そしてそれは、アーネスト・ゲルナーが指摘するように、のち文化の単位とも見なされるようになった[★3]。

カントとヘーゲルはナショナリズムの出発点に立ち会った。それゆえ彼らの国家観は、来たるべきナショナリズムの時代における世界観の雛形となった。そこでは、個人でも家族でも部族でもなく、あらたに現れた「ネーション」なる単位こそが、政治と経済と文化の共通の基体と見なされたのだ。

しかしながら、ぼくたちはもはや、以上のような素朴なナショナリズムの時代には生きていない。ぼくたちはいま、食べるもの、着るもの、見るもの、聴くもの、ほぼすべての商品が、国境を越えて、つまりネーションなど存在しないかのように流通している時代に生きている。ぼくたちは、東京でもニューヨークでもパリでも北京でもドバイでも、どこでも変わらずマクドナルドでハンバーガーを食べ、GAPで服を買い、ショッピングモールでハリウッド映画を観ることができる。あるていど豊かで安全な都市を歩いているかぎり、人々の服装や街頭の広告はほとんど変わらず、ネーションのちがいを意識する必要はほとんどない。言い換えれば、人類社会は、かつてシュミットやアーレントが恐れていたように、消費という点ではほとんどひとつの社会になりつつある。冷戦後のこの四半世紀でその変化は劇的に進んだ。これからもその変化はますます進むことだろう。ネーションはいまや経済と文化の基体になっていないのだ。

にもかかわらず、ここで問題なのは、そんな現代でも、いまだ国境は存在し、ネーションもナショナリズムも存在していることである。それどころか、それらの存在感は逆に増し始めている。ぼくはこの文章を二〇一七年に記している。去る二〇一六年は、世界各国でグローバリズムへの反発が顕わになった年だった。イギリスはEUからの離脱を決め、アメリカはトランプを大統領に選出した。ヨーロッパの世論は難民の排除に大きく傾いている。日本でも近年は公然と排外主義が語られている。

かつて、ナショナリズムの時代は終わり、これからはグローバリズムの時代が来ると楽観的に語られたことがあった。前章で触れたように、いまでも情報社会論ではそのような楽観主義が見られる。しかしその「移行」は、かりに未来では実現するとしても、そう簡単に進むものではなさそう

★3　大澤真幸『ナショナリズムの由来』、講談社、2007年、106、220頁以下。

である。現実にはこの四半世紀、グローバリズムが高まるとともに、ナショナリズムもまたその反動として力を強めている。そしていまや両者の衝突こそが政治問題となっている。つまりは、世界はいま、一方でますますつながり境界を消しつつあるのに、他方ではますます離れ境界を再構築しようとしているように見える。ぼくたちが生きているのは、カントが夢見た国家連合の時代（ナショナリズムの時代）でもなければ、SF作家やIT起業家が夢見る世界国家の時代（グローバリズムの時代）でもなく、そのふたつの理想の分裂で特徴づけられる時代である。

この分裂はなぜ生じたのだろうか。前掲の大澤の著作は、その分裂のメカニズムを説明するため、きわめて複雑な論理を編み出している[★4]。それこそが彼の大著の主題でもある。しかしぼくには、それは、もっとシンプルな、ある意味で身も蓋もない現実の帰結にすぎないように感じられる。

ナショナリズムの時代の世界像の意味を、あらためて考えてみよう。そこでは国家と市民社会は、ひとつの実体（ネーション）の精神と身体になぞらえられていた。

ここで精神と身体の対比を、フロイト的な意味での「意識」と「無意識」の対比に、あるいはさらに低俗に、「上半身」と「下半身」の対比に重ねてみる。上半身は思考の場所、下半身は欲望の場所である。だとすれば、国民（ネーション）にとって、国家＝政治は思考の場所、市民社会＝経済は欲望の場所だと言うことができる。実際、国民は政治の場では政策について理性をもって熟議するし、経済の場では必要と欲望にしたがい自由にモノを購買するものだと見なされている。

この比喩をさらに推し進めてみる。人間はふだん、上半身の合理的な思考に基づき行動している。少なくともそのつもりになっている。他人に見せるのは上半身の顔だけである。けれども、現実にはつねに下半身が抱く非合理な欲望に悩まされている。欲望の管理は、健全な社会生活を営むうえで致命的に重要である。それに失敗すると病気になる。それがフロイトの精神分析の教えである。だとすれば、ネーションについても同じことが言えないだろうか。国民（ネーション）はふだん、政治の合理的な思考に基づき行動している。少なくともそのつもりになっている。そして他国に見せるのは、カントが言うように国家という顔＝人格だけである。けれども、現実にはつねに、市民社会に渦巻く非合理な欲望に悩まされている（排外主義やヘイトスピーチを想像してみてほしい）。したがって、その欲望の管理は、健全な国際秩序を設立するうえで致命的に重要になる。このように解きほぐすとわかるように、『永遠平和のために』の第一確定条項（各国家における市民的体制は共和的でなければならない）は、人間の話に置き換えると、じつはきわめてわかりやすい、ほとんど低俗と形容していいようなことを言ってしまっている。カントはじつはそこで、各国家に、まずはおまえの下半身を制御できるようになってから国際社会に乗りだしてこいと、そう注文をつけていたのである。

国民国家（ネーション）は、国家と市民社会、政治と経済、上半身と下半身、意識と無意識のふた

★4　『ナショナリズムの由来』、561頁以下。

つの半身からなっている。カントとヘーゲルは、この前提のうえで、国家が市民社会のうえに立ち、政治の意識が経済の無意識を抑えこんで国際秩序を形成するのが、人倫のあるべきすがただと考えた。

さて、ここでしつこくイメージの話をしているのは、ナショナリズムの時代の世界秩序をそのように捉えると、それとの差異を定めることで、現在の世界秩序もまたより明確に理解できるからである。

ナショナリズムの時代においては、国家と市民社会、政治と経済、公と私のふたつの半身が合わさり、ひとつの実体＝ネーションが構成されていた。だからこそネーションがすべての秩序の基礎となりえた。

けれども、二一世紀の世界ではまさにその前提こそが壊れているのである。そしてここで重要なのは、けっしてネーションそのものが壊れたのではなく、ただネーションの統合性が壊れただけだと理解することである。

いまもネーションは生き残っている。政治はいまだにネーションを単位に動いている。政治家は国民から信任を集め、国民のために働いている。そこには厳然とネーションの感覚がある。けれども経済はネーションを単位としていない。商人は世界中の消費者に商品を売り、世界中の消費者から貨幣を集めている。大企業だけでなく、驚くほど小さな企業や個人でさえ、いまや国境を越えて商売をしている。そこにネーションの感覚はない。政治の議論はネーション単位で分かれているが、市民の欲望は国境を越えてつながりあっている。それが二一世紀の現実である。

言い換えれば、ぼくたちが生きるこの二一世紀の世界においては、国家と市民社会、政治と経済、思考と欲望は、ナショナリズムとグローバリズムという異質なふたつの原理に導かれ、統合されることなく、それぞれ異なった秩序をつくりあげてしまっているのだ。ぼくの考えでは、それが大澤を悩ませた問題の正体である。グローバリズムはナショナリズムを破壊したのではない。それを乗り越えたのでもない。ましてやその内部でナショナリズムを生みだしたのでもない。それは、単純に、既存のナショナリズムの体制を温存したまま、それに覆い被せるように、まったく異質な別の秩序を張りめぐらせてしまったのである。

以上の記述からわかるとおり、現代はけっしてナショナリズムの時代ではない。かといって単純にグローバリズムの時代でもない。現代では、ナショナリズムとグローバリズムというふたつの秩序原理は、むしろ、政治と経済のふたつの領域にそれぞれ割りあてられ重なり共存している。ぼくはそれを二層構造の時代と名づけたいと思う。

カントは国民国家を人間＝人格として捉えた。実際にナショナリズムの時代においては、国際関係はしばしば人間関係に擬して描かれた。読者のみなさんも、歴史の教科書で、日清戦争や日露戦争の当時、ヨーロッパのメディアが日本を含む関係諸国を擬人化して描いたポンチ絵を見たことがあるのではないかと思う。アメリカが星条旗の山高帽を被ったひげの男性として、中国（清）がアヘン中毒の患者として、ロシアが熊として描かれているようなコミカルなイラストだ。最近はそのようなポンチ絵はあまり見ない。この二層構造の時代においては、アメリカにしろ中国にしろロシアにしろ、ひとつの人格でひとつの国家を代表させることに無理があるからである。実際、トランプ大統領が誕生したからといって、アメリカ全体がすぐに保護主義的で排外主義的になり、閉じたネーションになるかといえば、必ずしもそうではない。トランプの政策にかかわらず、アメリカは中国との貿易を止めることができないし、これはほかの国に対しても同じである。

それでは、この世界に適合するイメージとはどのようなものだろうか。二層構造の時代においては、政治がいくらいがみあっていても経済はつながり続けるのだから、もし国際関係をポンチ絵にしたてあげるとすれば、それは、各国が独立の人間として表象されるのではなく、むしろ人間としての独立性を失い、ひとつにつながった「身体」(市民社会)のうえに、ばらばらに「顔」(国家)だけがくっついているような絵になると考えられる。じつは日本のマンガ史には、まさにこの特徴を満たした有名なイメージが存在する。諸星大二郎が一九七四年の「生物都市」で描いた怪物がそれである[図1]。宇宙船が異星からもち帰った「何か」のため、人々の身体が、接した生物や無機物とつぎつぎに融合してしまう。けれども意識の独立性は失われない。最終的に出現するのは、無数の独立した「顔」が付随した、生物とも機械とも言えない不定形の怪物である。このイメージこそ、まさに、二層構造の時代の世界秩序の表象にふさわしい。

経済はつながるのに、政治はつながらない時代。欲望はつながるのに、思考はつながらない世界。

図1
諸星大二郎「生物都市」、『諸星大二郎自選短編集 彼方より』、集英社文庫、2004年、30頁
転載許諾済

下半身はつながっているのに、上半身はつながりを拒む時代。それが二層構造の時代の世界秩序だが、最後に、さらに下品との非難を浴びるのを承知のうえで連想を進めるとすれば、この時代においては、国民国家（ネーション）間の関係は、しばしば、愛を確認しないまま、肉体関係だけをさきに結んでしまったようなものになりがちだと言うことができるのかもしれない。

いまの時代、経済＝身体は、欲望に忠実に、国境を越えすぐにつながってしまう。けれども政治＝頭はその現実に追いつかない。政府＝頭のほうは、両国のあいだにはさまざまな問題があり、いまだ信頼関係は育っていないので、経済＝身体だけの関係は慎むべきだと考える。とはいえ市民社会＝身体はすでに快楽を知っており、関係はなかなか切断できない。機会があればまた関係をもってしまう。比喩的に言えば、いま世界中でそのような事態が起きている。日本と隣国の関係もその一例である。そしてここで問題なのは、愛がないなら関係は切るべきだ、とはいえ現実には切れないという葛藤は、実際には社会のなかにストレスを高めるだけでろくな結果を引き起こさないということである。

たしかに、愛を確認しないまま関係をもってしまったのは、つまりは政治的な信頼関係をつくれないまま経済的な依存関係を深めてしまったのは、軽率ではあるだろう。不純でもあるかもしれない。二層構造の時代は、そういう意味では徹底して軽率で不純な時代である。けれども結局は、関係が切れないなら、覚悟を決めて愛を育てるしかない。それは人間関係でも国際関係でも同じではなかろうか？

2

いささか話が逸れた。いずれにせよ、ぼくたちは、以上のように、国家と市民社会、政治と経済、思考と欲望、ナショナリズムとグローバリズムのふたつの層からなる、二層構造の世界に生きている。それが本書の仮説である。ぼくたちがいま、カントとヘーゲルのパラダイム（ナショナリズムの時代のパラダイム）では「政治」の定義に原理的にあてはまらない、しかしそれでも政治的と言うほかない事例についてあらためて思考することを迫られているのは、政治そのものの場所を変質させる、このような大きな世界像の転換があったからである。

シュミットもコジェーヴもアーレントも、みな一致して、グローバリズムの到来を「人間ではないもの」の到来と位置づけていた。彼らは、経済の拡大は人間の消滅につながると考えていた。だからこのふたつの層は、人間の層と「人間ではないもの」の層、すなわち人間の層と動物の層と名づけることもできる。

二一世紀の世界は、人間が人間として生きるナショナリズムの層と、人間が動物としてしか生きることのできないグローバリズムの層、そのふたつの層がたがいに独立したまま重なりあった世界だと考えることができる。この世界像のうえであらためて定義すれば、本書が構想する観光客の哲学なるものは、グローバリズムの層とナショナリズムの層をつなぐヘーゲル的な成熟とは別の回路がないか、市民が市民社会にとどまったまま、個人が個人の欲望に忠実なまま、そのままで公共と普遍につながるもうひとつの回路はないか、その可能性を探る企てである。

もうひとつ思想史上の補助線を増やしておきたい。ぼくはここまで、政治的でない領域が生みだす政治について、いままでの人文思想はほとんどなにも考えてこなかったし、原理的に考えられなかったはずだと記してきた。しかしじつは、二〇世紀後半の英語圏の政治思想に目を向けると、その課題に取り組んだ（取り組もうとした）潮流がひとつだけ例外的に存在する。

それはリバタリアニズムである。リバタリアニズムはアメリカで二〇世紀の半ばに生まれた新しい思想で、森村進の簡潔な定義を借りれば、「諸個人の自由を最大限重視し政府による強制を最小限にとどめるべきだという、社会倫理や政治思想上の見解」を意味している[★5]。日本語では「自由至上主義」や「自由尊重主義」とも訳される。

リバタリアンが尊重する自由には、経済的自由も含まれている。経済的自由を最大限に尊重するということは、要は国家による富の再配分に慎重な立場を取るということで、それゆえ必然的に福祉国家（大きな政府）に対しては否定的になる。リバタリアニズムはこの点で、リベラリズムと鋭く対立する。リベラリズムは、現在のアメリカでは、人格的な自由こそ尊重するが、富の再配分を重視して経済的な自由はむしろ制限する、イデオロギー的にはまったく逆の福祉国家支持の立場を意味している。歴史的な経緯から、同じ語源の似た言葉で呼ばれるが、両者を混同してはならない。

リバタリアニズムは個人の自由を尊重するので、ときにアナーキズム（無政府主義）に近づくことになる。実際、リバタリアニズムの理論的な出発点と言われるロバート・ノージックの一九七四年の著作は、『アナーキー・国家・ユートピア』と題されている。彼はこの著作で、ジョン・ロックの自然状態の想定に戻り、個人の原始的な所有権の確認から始めて、国家が暴力を独占し個人の権利を制限することがどこまで正当化されるのか、石をひとつひとつ積み上げるようにして、きわめて緻密な議論を展開している。彼の結論は、国家は最小国家（市民を暴力や犯罪から保護し、契約の執行を支援するだけの国家）であるかぎりでのみ道徳的に正当化されるのであって、それ以上の大きさになるのは不当だというものである[★6]。それでもノージックは国家の存在を認めたが、そもそもその存在を認めない論者もいる。マリー・ロスバードやデイヴィッド・フリードマンといった人々は、いま国家が担っている公共的な（とぼくたちが考えている）事業は、教育や保険は言うにおよばず、警察や司法まで含め、すべて市場原理に委ねるべきだと主張している。それゆえリバタリアニズムは経済学的思考と親和性が高く、実際に「法と経済学」と呼ばれる経済学の一分野とはとくに深い関わりをもっている。「法と経済学」は、法の問題を経済学的に考察する、つまりは、ある法を作ることでどれほどの効果が得られるのか、法以外の手段と費用面での比較検討を行う学問である。

★5　森村進編著『リバタリアニズム読本』、勁草書房、2005年、iv頁。
★6　ロバート・ノージック『アナーキー・国家・ユートピア』嶋津格訳、木鐸社、1992年、178頁以下。なおリバタリアニズム一般については、★5に挙げた書物のほか、森村進『自由はどこまで可能か』、講談社現代新書、2001年が参考になる。

さて、本書の文脈で注目すべきは、このリバタリアニズムの国家論が、前章で見たヘーゲルらの国家論とまったく異なる性格をもっていることである。

ノージックが考える最小国家には、ヘーゲルやシュミットが前提としていた弁証法的(精神史的)な機能がいっさい存在しない。そこでは国家は、異なった利害をもつ複数の個人がともに生きることを可能にするための、ぎりぎり最低限の調整装置としてのみ考えられている。最小国家は個人の欲望をなにも変えない。個人を国民にしない。それどころか、それはむしろ、個人を国民にする機能(たとえば教育)を、外部にオプションとして追加するための価値中立的な基体として考えられている。ノージックは、彼の考える最小国家を「複数のユートピアのための枠組み」(メタユートピア)と形容している[★7]。つまりは、リバタリアンの「国家」は、政治=人間の層というよりも、むしろ徹底して脱政治的な、経済=動物の層に属するメカニズムとして考えられているのである。だからこそ彼らは、国家について民間企業と同じように論じることができる。

これは、リバタリアニズムの理論が、国家と政治と人間を等式で結ぶヘーゲルのパラダイムから自由に作られている可能性を示唆している。これは決定的に重要である。左翼のリベラリズムに対して右翼のリバタリアニズムといったイデオロギー対立に基づく解釈は、この重要性のまえではほとんど意味がない。ヘーゲルのパラダイムから自由なのだから、ここには新たな政治思想の萌芽が宿っている。

しかし（あるいはそれゆえと捉えるべきか）、人文系の学者はこの可能性に対して基本的に冷淡である。日本でリバタリアニズムの重要性が広く認知されるようになったのは、ようやく二〇〇〇年代に入ってからのことだ。リバタリアニズムのもつ人文的な意味といった重要な課題――それこそが観光客の哲学の萌芽になるかもしれないのだが――には、ほとんどだれも手をつけていない。

人文系の学者が同時期の英語圏で注目してきたのは、むしろ「リベラル・コミュニタリアン論争」と呼ばれる別のできごとのほうである。そちらには、リバタリアニズムではなく、「コミュニタリアニズム」と呼ばれる別の政治的な立場が登場する。それは、ひとことで言えば、普遍的な正義より共同体の善を重視する社会倫理上の立場のことで、日本語では「共同体主義」とも訳される。リバタリアニズムと同じく、コミュニタリアニズムもまた二〇世紀後半に生まれた新しい思想である。

コミュニタリアニズムの誕生は、じつはリバタリアニズムの誕生と密接な関わりがある。双方ともに同じリベラリズムに対する批判により生まれた思想だからである。本論の主旨から逸れるので

★7 『アナーキー・国家・ユートピア』、481頁以下。本論で展開する余裕はなかったが、ここでノージックは、まさに本書の議論が出発点とした最善説に触れている（ライプニッツの名は出てこない）。ノージックの考えでは、すべての可能世界のなかで最善なもの、すなわちユートピアを探求するために必要な権力論的な枠組み、それこそが最小国家なのである。最小国家のうえで、ぼくたちはみなそれぞれのユートピアを設立し、それぞれの最善世界を生きる。

ざっとした説明にとどめるが、二〇世紀のリベラリズムの理論は、ジョン・ロールズが一九七一年に刊行した『正義論』で整備されたと言われている。ノージックの『アナーキー・国家・ユートピア』はじつはこの『正義論』への批判として書かれた著作で、リバタリアニズムはそこから生まれた。同じようにコミュニタリアニズムも、『正義論』への批判として書かれた著作から生まれている。そこで重要とされる著作は、マイケル・サンデルが一九八二年に刊行した『リベラリズムと正義の限界』である。サンデルはそこで、ロールズの議論は普遍的な正義を追求する普遍的な主体（負荷なき主体）の存在を前提としているが、それはあまりにも強すぎる仮定であり、実際には政治理論は、特定の共同体の特定の価値観（正義ではなく善）を埋めこまれた主体しか前提とすることができないと主張した。この著作がきっかけになって、一九八〇年代から一九九〇年代にかけて、英語圏の政治学でリベラルとコミュニタリアンのあいだで継続的な論争が起きた[★8]。

リベラル・コミュニタリアン論争は、政治学の世界ではかなり重要なできごとだと見なされている。けれどもぼくの考えでは、さきほども示唆したように、リバタリアニズムの出現のほうがはるかに重要で、未来につながるできごとである。

リベラル・コミュニタリアン論争の核心は単純である。リベラルは普遍的な正義を信じる。コミュニタリアンはそんな正義は信じない。それだけである。そして前者の普遍的な正義を信じる思想は、個人から市民社会へ、国家へ、そして世界市民へといった単線的な物語を信じたカントやヘーゲルの後継者として現れている。

カントたちは、個人が国民になり、そこで終わりだとは考えなかった。特定の国家への所属は、それを超えた普遍的な主体への上昇の一段階にすぎないと考えられていた。一九世紀のナショナリズムは、現代の内閉的なナショナリズムと異なり、永遠平和（カント）や世界精神（ヘーゲル）に通じていた。リベラルはまだその発展図式（弁証法）を信じている。それに対してコミュニタリアンはもう信じない。本質はそこにある。つまりはそれは、ヘーゲルのパラダイムが壊れたことに対応する現象にすぎない。対してリバタリアニズムの出現は、前述のように、そのパラダイムを超える理論の可能性を宿している。

ぼくはさきほど、グローバリズムは、ナショナリズムを破壊するのではなく、それを温存したまま、そのうえに異質な別の秩序を覆い被せたのだと述べた。しかしそれにはちょっとした注釈が必要である。

グローバリズムはたしかにナショナリズムを温存した。けれどもなにも変質させなかったわけではない。かつてナショナリズムは世界精神への上昇の第一歩だった。しかしいまはその上昇は存在しない。世界精神は世界市場に取って代わられたからである。ナショナリズムはいまでは、永遠にナショナリズムのまま、つまり特定の共同体への愛のまま普遍化されることがない。コミュニタリ

★8　この論争については、スティーヴン・ムルホール、アダム・スウィフト『リベラル・コミュニタリアン論争』谷澤正嗣、飯島昇藏ほか訳、勁草書房、2007年が参考になる。

アンのリベラリズム批判は、現代のナショナリズムのそのような不能性に対応している。リバタリアニズムはグローバリズムの思想的な表現で、コミュニタリアニズムは現代のナショナリズムの思想的な表現である。そしてリベラリズムは、かつてのナショナリズムの思想的な表現だ。リベラリズムは普遍的な正義を信じた。他者への寛容を信じた。けれどもその立場は二〇世紀の後半に急速に影響力を失い、いまではリバタリアニズムとコミュニタリアニズムだけが残されている。リバタリアンには動物の快楽しかなく、コミュニタリアンには共同体の善しかない。このままではどこにも普遍も他者も現れない。それがぼくたちが直面している思想的な困難である。

3

それでは、いよいよ観光客の哲学に取り組むとしよう。観光客の哲学とは、政治の外部から立ちあがる政治についての哲学、動物と欲望から立ちあがる公共性についての哲学、グローバリズムが可能にする新たな他者についての哲学を意味している。ではそれは、ここまで述べてきた二層構造とどのような関係を結ぶのだろうか。

新たな哲学を語るときには、既存の哲学を参照しないと信用されないものである。そこでここでは、近年の現代思想でもっとも話題となった概念、アントニオ・ネグリとマイケル・ハートの「マルチチュード」を参照項として、観光客の哲学に向かう理路を提示してみたい。

ぼくは、観光客とはマルチチュードのことだと主張したいわけではない。そもそもそれでは本書の独自性がない。しかし、ぼくは、マルチチュードの概念にある適切な変更を加えれば、本書が必要とする観光客の概念に生まれ変わると考える。そしてそれこそが、二一世紀の時代の新たな政治思想、政治主体の出発点になると考えるのだ。

マルチチュードとはなにか。それを説明するためには、まず同じネグリとハートが提案した「帝国」について説明する必要がある。

いまから一五年ほどまえ、ネグリとハートは『帝国』と題された共著を出版した[★9]。同書はタイトルのとおり「帝国」を主題としている。ネグリとハートはそこで、グローバル化が進む冷戦後の世界を「帝国」と呼び、それは、複数の主権国家の合従連衡からなるそれまでの秩序とは異なる、まったく別の秩序を生みだしているのだと述べた。この指摘は思想界を越えて大きな話題を呼び、同書は世界中でベストセラーとなった。

この『帝国』の議論は、じつはここまで見てきた二層構造論ときわめて親和性が高い。ネグリた

★9　アントニオ・ネグリ、マイケル・ハート『〈帝国〉』水嶋一憲ほか訳、以文社、2003年。なおこの日本語訳では、タイトルを含め、キーワードとなる「帝国」にすべて山括弧がついている。これは現代思想界隈の翻訳独特の慣習で、原語の頭文字が大文字で書かれ、固有名詞化していることを示している。実際にネグリたちの原文では、現代の世界秩序を表す the Empire は、歴史的な概念である過去の帝国 empires とは語頭が大文字か否かで区別されており、たしかにその区別は重要である。しかし、その区別が大学や出版関係者以外の一般読者に山括弧の有無で伝わるとも思えない。それゆえ、本書では以下、引用部分を含め、単純に「帝国」とのみ表記する。

ちは「国民国家の体制」と「帝国の体制」を対置している。そして、「国民国家の主権の衰退と国民国家が経済的・文化的な交換をますます規制できなくなっているということが、帝国の到来を告げる主要な徴候のひとつである」と記している[★10]。つまりは、国民国家（ネーション）はもはや経済と文化を自分の管理下に置けない、そこから新しい秩序が生まれるというのがネグリたちの認識だが、それは本書の認識とまったく同じである。帝国とは、グローバルな経済的あるいは文化的な交換をスムーズに機能させるため、国民国家とはべつに、国家と企業と市民がともにつくりあげる新たな政治的秩序を意味している。本書の言葉で言えば、「国民国家の体制」はナショナリズムの層に、「帝国の体制」はグローバリズムの層に相当すると考えてよいだろう。

加えて重要なのは、ネグリたちがそこで「帝国」という言葉で、これもまた本書と同じく、動物＝グローバリズムの層こそがつくりだす政治、人文思想が伝統的に政治的思考から排除してきたものこそがつくりだす政治的秩序という、逆説的な問題構成を導入しようとしていたことである。

日本語版の翻訳者はつぎのようにネグリたちの思想を要約している。「グローバリゼーションは、おもに経済的な現象とみなされており、たとえそれが政治的な観点から捉えられる場合でも、国民国家に基づく政治や国民主権に対するたんなる脅威として考えられることが多い。このような通念に抗してネグリとハートは、グローバル化の渦中で私たちが目の当たりにしているのは、新しい政治秩序、新しい主権形態の構成であると指摘する」[★11]。この短い紹介だけでも、ネグリたちの狙いはよくわかる。グローバル化そのものが新しい政治をつくる。ただしその政治は国民国家と関わらない。つまりは、国民国家と関わらない新しい政治の領域がある。それが彼らの主張の要である。日本の紹介者はあまり注目しないが、それは、ここまでていねいに指摘してきたように、人文思想の伝統のなかでは矛盾を孕む主張である。ネグリたちの問題提起は、だからこそ重要だった。この逆説の重要性とその逆説に取り組む柔軟な思考の必要性を十分に理解しないと、逆に彼らの主張は理解できない。『帝国』は、冷戦後の超大国アメリカを「帝国」と名づけ、そのメカニズムを分析しただけのありふれた国際政治の本として読まれてしまうことになる。実際にそのような誤解は多く、二〇〇一年のアメリカ同時多発テロ以降（『帝国』はこの前年に出版されていた）、『帝国』の主張はもはや時代遅れであり、世界はいまや「帝国以後」の時代に入りつつあるといった主張があちらこちらでなされることになった[★12]。しかし、そのような批判はほんとうはネグリたちの主張に関係がない。彼らは、グローバル化そのものが生みだす秩序こそを「帝国」と呼んでいたからである。それは、いわゆる「覇権国家」がアメリカであろうとなかろうと、あるいはそのような国家が存在しようとしまいと、人類がいまのように経済活動をするかぎり拡大し続けるはずなのだ。

★10 『〈帝国〉』、4頁。引用一部改変。
★11 『〈帝国〉』、514頁。執筆者は水嶋一憲。
★12 たとえば、エマニュエル・トッド『帝国以後』石崎晴己訳、藤原書店、2003年。原書は2002年。ここでトッドはネグリたちの本を参照しているわけではないのだが、そのタイトル（フランス語では *Après l'empire*）が『帝国』を意識しているのはほぼまちがいないと思われる。

とはいえ、『帝国』と本書の認識のあいだには差異もある。ネグリたちは、国民国家の体制から帝国の体制への「移行」について考えた。つまり、国民国家の時代はじきに終わり、帝国の時代が始まると考えた（少なくともそう読めるような文章を書いた）。それに対して、本書は両体制の共存について考えている。

ただし、ぼくはじつは、ネグリたちの立論そのものも、本来は移行モデルよりも本書のような共存＝二層構造モデルのほうに適合的だったのではないかと考えている。その根拠は彼らの権力論にある。

『帝国』は、国民国家の体制と帝国の体制では、主要な権力の質が異なるという重要な指摘を行っている。前者では「規律訓練」が優位で、後者では「生権力」が優位だと言われる。

規律訓練と生権力は、フランス系現代思想で使われる権力の二類型である。おおざっぱに説明すれば、規律訓練のほうは、権力者があれしろこうしろと命令し、懲罰を与えることで対象者を動かす権力を指す言葉である。懲罰があるので規律訓練と呼ばれる。他方で生権力のほうは、あくまでも対象者の自由意志を尊重しながらも、規則を変えたり価格を変えたり環境を変えたりすることで、結果的に権力者の目的どおりに対象者を動かす権力を指す言葉である。対象者の社会的な生活に介入するという意味で生権力と呼ばれる。

この両概念の歴史は複雑で、一般にはともにフーコーが発明したと考えられているが、実際には彼は両者をこのように対立させてはいない。そもそも規律訓練は一九七五年の『監獄の誕生』で、生権力は一九七六年の『知への意志』（『性の歴史』第一巻）で現れる言葉で、このふたつの本は異なった現象を分析している。けれども、のちに（フーコーの死後）、フーコーの友人でもあった哲学者のジル・ドゥルーズが、一九九〇年に発表した短い評論で両者を対立させ[★13]、規律訓練が支配する「規律社会」は一九世紀までの社会のモデルであり、現代社会は生権力が支配する「管理社会」に移行しつつあるという簡単な図式を提示してみせた。規律から管理へというこの図式は、フーコーのもともとの主張に比べてたいへんわかりやすかったので、すぐに広く知られるようになった。ネグリたちもドゥルーズのこの要約を参照している。加えて紹介しておけば、日本では、ドゥルーズがカードキーやＧＰＳの例を出していたことから発展し、生権力＝管理（環境管理型権力）の問題が情報社会の権力論と結びつけられ、「アーキテクチャの権力」として語られることもある。興味のある読者は、ぼくがかつて記した「情報自由論」という長い論文および関連する研究会の記録を参照されたい[★14]。

いずれにせよ、ネグリたちは、このような権力論の系譜に基づき、規律社会から管理社会への移

★13　ジル・ドゥルーズ「追伸——管理社会について」、『記号と事件』宮林寛訳、河出文庫、２００７年。

★14　東浩紀「情報自由論」、『情報環境論集　東浩紀コレクションＳ』、講談社ＢＯＸ、２００７年。初出は２００２年から２００３年。東浩紀、濱野智史編『ｉｓｅｄ　情報社会の倫理と設計［倫理篇］』、河出書房新社、２０１０年。東浩紀、濱野智史編『ｉｓｅｄ　情報社会の倫理と設計［設計篇］』、河出書房新社、２０１０年。『ｉｓｅｄ』の二冊は、国際大学ＧＬＯＣＯＭにおいて、ぼくが中心となって２００４年から２００６年にかけて行われた大きな研究会の記録である。「倫理篇」と「設計篇」の分冊は、まさに本章の主題である二層構造に対応している。実際にぼくはこの研究会で、本書全体の出発点となる「ポストモダンの二層構造」と名づけられた図を提示している。１７５ページに引用する［図２］。

行は、政治的には国民国家から帝国への移行として実現されるという議論を展開している。権力論は『帝国』のひとつの要になっている。

しかし、その議論はどれほど適切だろうか。ぼくには、そこで立論の前提となった権力形態の移行という想定そのものが疑わしいように思われる。

なぜか。それは、規律と管理というふたつの権力形態は、ほんとうはたがいに排他的ではないはずだからである。規律と管理は同時に作動しうる。じつはさきほど触れたドゥルーズのテクストでは、ふたつの権力形態の説明が彼独特の哲学体系と不可分に絡みあって進められている。それゆえいっけん規律と管理は二項対立であるかのように読めるのだが、それはドゥルーズの解釈が作りだした観念である。現実には、権力者あるいは管理者は、ひとつの目的を実現するため複数の手段を用いることができる。たとえば、公園からホームレスを追い出したいのであれば、直接にホームレスに出て行けと命令することもできれば、ベンチや歩道の設計を変え、あるいは近くに宿舎を用意し、ホームレスが「自発的に」公園を離れるように仕向けることもできる。

英語圏の思想に目を転じてみれば、そのような複数の権力形態の相互調整は、まさにさきほど紹介した「法と経済学」あるいはそれと隣接する行動経済学といった学問が研究対象としている[★15]。規律と管理は、排他的どころか相補的であって、現代社会では両者がともに作動している例にこと欠かない。

ドゥルーズが管理社会の例として提示したのは、「決められた障壁を解除するエレクトロニクスのカードによって、各人が自分のマンションを離れ、自分の住んでいる通りや街区を離れることができるような」「しかし決まった日や決まった時間帯には、同じカードが拒絶されることもある」町である[★16]。しかし、そのようなカードを与えられたからといって、規律訓練的な命令や監視がなくなるわけではない。ぼくはたまたまいまこの原稿をホテルで書いているが、最近の少なからぬホテルは、まさにドゥルーズが想像したようなカードで入退室や階の移動を管理している。チェックアウトのあとは、同じカードを使っても同じ部屋には入れないし、エレベーターのボタンすら押せない。しかし、だからといってフロントからスタッフがいなくなるわけではないし、各種警告の掲示がなくなるわけでもない。カードの存在は、むしろ、そのような命令と監視が行き届かない場合（顧客と言葉が通じない場合など）の保険として機能している。だとすれば、ぼ

★15　リチャード・セイラー、キャス・サンスティーン『実践 行動経済学』遠藤真美訳、日経BP社、2009年参照。著者のひとりのサンスティーンは、日本では情報社会論でも知られる憲法学者。同書ではまさに、法とアーキテクチャと権力の関係が経済学の言葉で語られている。なお原題は*Nudge*。これは「ヒジで軽くひとをつつく」さまを意味する動詞で、彼らの関心が、対象者の自由意志のゆるやかな操作にあることを表している。その操作こそが生権力=管理の要である。

★16　『記号と事件』、364-365頁。

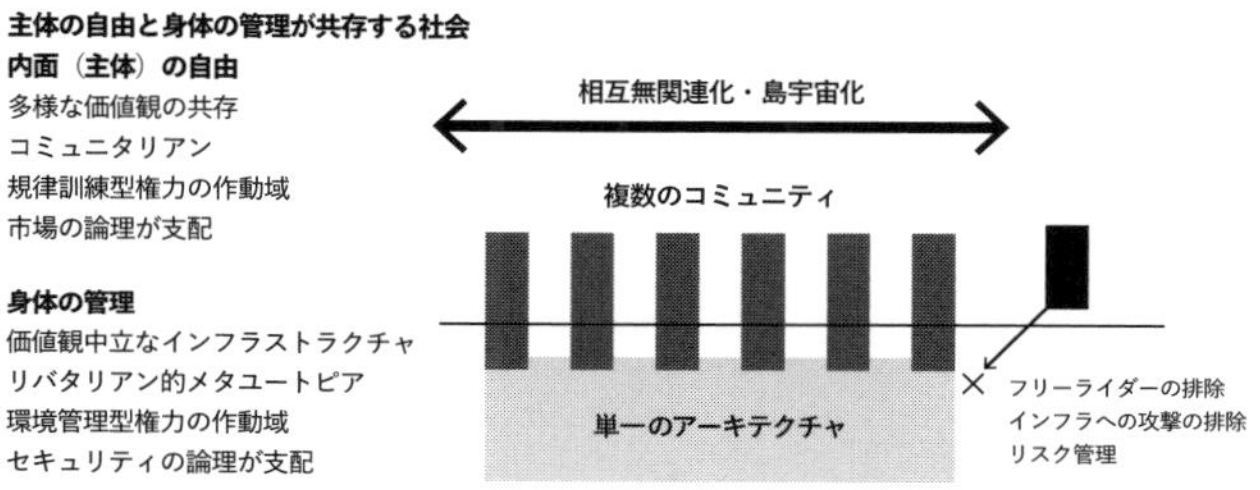

図2　ポストモダンの二層構造
『ised　情報社会の倫理と設計［倫理篇］』、111頁より再制作

くたちは、現代世界では規律社会と管理社会は重なっているのだと、したがって国民国家と帝国も重なっているのだと言うべきではなかろうか?

あるいはこのように表現してもよいかもしれない。ぼくはさきほど、ナショナリズムを人間に、グローバリズムを動物に割りあてた。国民国家(ネーション)は人間を人間として扱う体制である。むしろ、国民国家こそが人間を(規律訓練の徹底によって)人間にするのである。それがヘーゲルが述べたことである。

では帝国はどうだろうか。人間と動物の対比にしたがうならば、帝国はまさに人間を動物のように扱う体制だと言うことができる。帝国は個人になにも呼びかけない。ただ消費者であることしか求めない。そこでは個人は、地球規模の世界市場で集められた、ビッグデータのひとつのエントリでしかない。

ただし、これはけっして、人道主義的で左翼的な非難、すなわち「帝国は人間を人間扱いしていない!」といった類の告発につながらない。さきほども述べたように、生権力はそもそも『知への意志』で導入された概念である。この著作でフーコーが明らかにしたのは、一九世紀のドイツやフランスにおいて、公衆衛生の重要性が発見され、統計学が整い、労働者の住環境が改善され福利厚生が図られるその歩みが、そのまま国家権力(生権力)の拡大に結びつく光景だった[★17]。一九世紀の国民国家は、厳しい競争のなか、生産力を上げるために労働者の人口を計画的に増やす必要に迫られていた。公衆衛生の理念はその配慮から誕生している。むろん、公衆衛生の理念は労働者の生活の質をまちがいなく上げたにちがいない。しかしそれは、起源としては、農場の生産性を上げるため、牛馬の衛生管理を徹底するのと同じ発想による配慮だったのである。だから公衆衛生の対象となる労働者には顔がない。名前もない。それは何十万、何百万というデータのひとつのサンプルでしかなく、また実際にそのような規模で分析しなければ公衆衛生は実現できない。だからそれは統計学の進歩と密接に結びついている。生権力はこの点で、本質的に人間を動物のように管理する権力である。実際、カードキーやGPSのようなドゥルーズが例示に用いた管理社会の技術は、ほとんどが最初は家畜に用いられたのではなかろうか？

そして、人間が人間として扱われることと人間が動物として扱われること、この両者もまたけっして排他的ではない。同じ個人が、個別のコミュニケーションの場では人間として（意志をもった顔のある存在として）扱われるとともに、同時に統計の対象としては動物のように（匿名のひとつのサンプルとして）扱われるということは十分にありうる。というより、現代社会はむしろそのような例に満ちている。

たとえば少子化問題を考えてみよう。ぼくたちの社会は、女性ひとりひとりを顔のある固有の存在として扱うかぎり、つまり人間として扱うかぎり、けっして「子どもを産め」とは命じることが

★17　ミシェル・フーコー『性の歴史Ⅰ　知への意志』渡辺守章訳、新潮社、１９８６年、１７１頁以下。なお、統計学と福祉国家の発展の関係については、イアン・ハッキング『偶然を飼いならす』石原英樹、重田園江訳、木鐸社、１９９９年も参考になる。

できない。それは倫理に反している。しかし他方で、女性の全体を顔のない群れとして、すなわち動物として分析するかぎりにおいて、ある数の女性は子どもを産むべきであり、そのためには経済的あるいは技術的なこれこれの環境が必要だと言うことができる。こちらは倫理に反していない。そしてこのふたつの道徳判断は、現代社会では（奇妙なことに！）矛盾しないものと考えられている。その合意そのものが、ぼくたちの社会が、規律訓練の審級と生権力の審級をばらばらに動かしていることを証拠だてている。国民国家は出産を奨励できないが、帝国は奨励できる。それが現代の出産の倫理である。

ぼくたちは、人間であるとともに動物としても生きている。顔のある個人であるとともに匿名の群れのひとりとしても生きている。人間はそもそもだれもがそのような両義的な存在なのであり、本書がここまで見てきた世界の二層構造は、いわばその両義性から必然的に導かれている。だからこそぼくたちは観光客を必要とする。ぼくは次章で、個と統計のあいだのこの厄介な関係にもういちど戻ることになる。

4

あらためて、マルチチュードとはなにか。それは、もともとは「多数性」を意味する英語の抽象名詞である。転じて群衆や大衆も指すが、それほどよい言葉ではなく、むしろ衆愚のニュアンスの強い否定的な言葉だった[★18]。けれども、ネグリとハートはそれを、スピノザの哲学などを参照しつつ、帝国の内部から生まれる帝国の秩序そのものへの抵抗運動（対抗帝国）を広く指す言葉として捉えなおした。それはいまでは、反体制の市民運動を哲学的に評価するとき、ほとんど唯一生き残った利用可能な概念である。

『帝国』はマルチチュードについて、帝国の体制が生みだした「オルタナティヴ」であり、生産手段の「再領有」と「グローバルな市民権」を要求する「新しいプロレタリアート」の運動であり、また「生政治」の「自己組織化」であると定義している[★19]。

じつに抽象的な規定だが、よく読めばそれほどむずかしいことは言っていない。マルチチュードとは要は反体制運動や市民運動のことだが、ただ、かつての運動とは異なりグローバルに広がった資本主義を拒否しない。むしろその力を利用する。たとえば、インターネットによる情報収集や動員などを積極的に利用する。企業やメディアとも連携する。そして体制の内部からの変革を企てる。これが、マルチチュードが、帝国自身が生みだした抵抗運動＝オルタナティブと呼ばれるゆえんである。そんなマルチチュードの担い手は、共産主義のような硬直した党組織ではなく、多数の市民

★18　たとえば、エドマンド・バークの『フランス革命の省察』では、革命で生じた混乱を意味するため swinish multrude という言葉が使われている。邦訳では「豚の如き群衆」と訳されている。エドマンド・バーク『フランス革命の省察』新装版、半澤孝麿訳、みすず書房、1997年、100頁。

★19　『〈帝国〉』、489、497、499、504、509頁。強調を削除。

やNGOからなる、国境を越えたネットワーク状のゲリラ的な連帯（自己組織化）だと言われる。ネグリたちはマルチチュードの成功例として、一九九九年のシアトルで起きた反グローバリズムデモ（反WTO閣僚会議デモ）や二〇〇一年にブラジルのポルトアレグレで第一回が開かれた世界社会フォーラムの実現などを挙げている[★20]。

このマルチチュードの概念は、冷戦構造の崩壊後、イデオロギーを失い、運動の指針を見失っていた左翼系の運動家に熱狂的に受け入れられることになった。前述のとおり、『帝国』はベストセラーになった。現実に彼らの分析は予見的でもあった。『帝国』の出版から一〇年が経った二〇一〇年の末には、中東諸国での連鎖的なデモと体制崩壊、いわゆる「アラブの春」が起きた。翌年秋には、ニューヨークで数ヶ月にわたって「オキュパイ運動」（ウォール街占拠運動）も起きた。いずれも、従来のような政治組織に支えられたものではなく、ソーシャルネットワークで動員された民衆が大きな役割を果たしており、それはまさにマルチチュードの新たな成功例のように見えた。実際にネグリたちは、それらの動きに共鳴して小さな書物を緊急出版している[★21]。日本でも彼らの議論は、二〇一一年以降の反原発デモから二〇一五年の国会前抗議までの流れを語る場において、無視できないものとなっている。

そして、本書の文脈でこの概念が重要なのは、それがまさに、二層構造を横断する運動、政治の層と経済の層のあいだをつなぐ可能性として構想されているからである。

ぼくは第三章でアーレントに批判的に触れた。じつはネグリとハートも、マルチチュードの概念を説明するにあたり、同じようにアーレントに批判的に触れている。そこで彼らが批判するのは、「政治的なもの」と「社会的なもの」を徹底して分割し、政治的解放を経済的要求に基づく運動（階級闘争）から切り離そうとするアーレントの理論的な傾向である。参照する著作が異なるので微妙に言葉づかいが異なるが、そこでの批判の主旨は本書の批判と完全に重なっている。アーレントの政治理論は、政治と経済（社会）、公と私、ポリスとオイコスの分割を基本原理としていた。というよりも、ここまで強調してきたように、彼女は、その分割こそが政治の条件だと考えた。

けれども、ネグリたちは、マルチチュードとは、まさにその分割をしない運動のことだと主張している。マルチチュードは自分の生（オイコス）から運動を始める。労働や生活の現場から運動を始める。そして帝国の批判にいたる。「生政治」という「生」と「政治」が組み合わされた造語が頻繁に用いられるのは（これはもともとフーコーの言葉なのだが）、まさにそのようなダイナミズムを強調するためである。「こうした文脈［マルチチュードの文脈］において、政治的なものの自律性を社会的・経済的なものから切り離して提示しようとする理論［アーレントの理論］には、もはやなんの意味もない」と彼らは断言する[★22]。

★20　アントニオ・ネグリ、マイケル・ハート『マルチチュード』下巻、幾島幸子訳、NHKブックス、2005年、159頁以下、172頁。
★21　アントニオ・ネグリ、マイケル・ハート『叛逆』水嶋一憲、清水知子訳、NHKブックス、2013年。
★22　『マルチチュード』上巻、143頁。

オイコスから始まるポリス。私的な生を起点とする公共の政治。イメージがうまくつかめない読者は、LGBTの問題を考えればいいかもしれない。ジェンダーの選択は言うまでもなく私的な問題である。したがってそれは、アーレントの分割にしたがえば政治が語るべき問題ではなく、実際に長いあいだ語られてこなかった。LGBTの人々の苦しみは、政治に頼らず、プライベートに（私的に）解決すべき問題だと考えられてきた。いまでも保守的な人々はそう考えている［★23］。マルチチュードが壊すのは、まさにその分割である。

ぼくはさきほど、観光客の哲学は、動物の層から人間の層へつながる横断の回路、すなわち、市民が市民として市民社会の層にとどまったまま、そのままで公共と普遍につながる回路を探るものなのだと記した。以上から明らかなように、ネグリとハートのマルチチュードの構想は、じつはその企てにきわめて近いところに届いている。『帝国』は、一般にはたんなる国際政治の本と受けとめられているが、政治の定義そのものを変革しようとしているという点で、じつはきわめて哲学的な書物なのだ。マルチチュードのすがたは、本書が考える観光客にかぎりなく近い。

にもかかわらず、マルチチュードの概念には致命的な欠点がある。それゆえ、観光客の哲学を設立するためには、ネグリたちの哲学にある修正を加えなければならない。さきほど述べたように、それがぼくの考えである。

どういうことか。ネグリとハートは、マルチチュードの台頭についてじつに雄弁に語っている。

たしかに前述のように、二一世紀に入り、グローバル化のオルタナティブ（現状とはちがうもうひとつのグローバル化）を求める民衆の声は世界各地で高まっている。その点ではマルチチュードの存在感は確実に増している。ネットワーク状の自己組織化（指導者なき動員）［★24］も一般的となっている。

では、その力はどのようにして現実の政治と結びつくのだろうか？　デモはどのようにして政治を動かすのか？　じつはネグリたちには、その戦略論がまるまる欠けている。彼らはデモの存在がそのまま政治だと述べているように見える。

さきほど参照した大澤真幸は、その事情をつぎのように要約し批判している（彼のナショナリズム

★23　２０１６年7月、アメリカのＩＴ企業創業者で投資家のピーター・ティールは、共和党の全国大会でつぎのように発言したと報道されている。「わたしが子供のころ、大人たちの関心はソビエトをどう打ち負かすかでした。そして、我々は勝利しました。それがいまや、世間の関心は「だれがどちらのトイレを使うべきか」といったものです。そんなことはどうでもいいのです。もっと重要なことがあるはずです」（『Forbes JAPAN』２０１６年7月22日付の記事。表現一部改変。URL=http://forbesjapan.com/articles/detail/12973）。ティールはトランプの支持者だが、この発言は現在の政治的対立の本質を端的に伝えている。リベラルはこの数十年、政治の領域を拡大し、セクシュアリティを含め、多くの私的な問題を公的な議論の俎上に載せることを提案し続けてきた。そこでは公的な問題（ソビエトをどう打ち負かすか）と私的な問題（だれがどちらのトイレを使うべきか）は区別されない。そのような考えの起源は１９６０年代の「個人的なことは政治的なこと The personal is political」という有名な標語に遡り、ネグリたちのマルチチュードの思想もまたその延長線上にある。ティールはまさにその傾向に苛立っており、トランプは彼のような人々に支持されたのである。アメリカ・ファーストは政治ファーストでもあるのだ。

★24　ここでは触れることができなかったが、ネグリとハートはマルチチュードの自己組織化を「指揮者のいないオーケストラ」に喩えている。『マルチチュード』下巻、２３４頁。興味深いことに、社会学者のデイヴィッド・ライアンは、『帝国』とほぼ同時期に出版された『監視社会』で、逆に監視する側（帝国側）の体制を「監視社会のオーケストレーション」というきわめて近い比喩で捉えている。デイヴィッド・ライアン『監視社会』河村一郎訳、青土社、２００２年、65頁。二一世紀の現在は、権力側も自己組織化、抵抗側も自己組織化というわけだ。しかしこれはなにかを言ったことになるのだろうか？

論はじつはこの批判から始まっている）。「マルチチュードの活動を、直接に主権へと節合させるメカニズムが必要だ。その〔……〕メカニズムとは何か？　「エーテル！」と彼らは言うのだ。エーテルとは、グローバルな世界を満たす、コミュニケーションのシステムのことである。〔……〕エーテルのような神秘的な要因を前提にすることは、こうした機制の説明ではなく、説明の端的な放棄である」［★25］。つまり、ひらたく俗に解釈すれば、ネグリたちは、マルチチュードが集まり声を上げさえすれば、あとはネットの力によってなんとかなるなると、そう記しているように思われるのである。そこで問われるのは信じる力である。あるいは「愛」である。実際に『帝国』の長い議論は、つぎのようなほとんど信仰告白というべき文章で終わっている。「共産主義者の闘争の未来における生に光をあててくれるかもしれない古い伝説がある。アッシジの聖フランチェスコの伝説だ。〔……〕これは革命だ。いかなる権力であれ統制できない革命——なぜなら生の権力と共産主義、協働と革命が、愛、素朴さ、そしてまた無垢のうちに集っているからだ。これこそが共産主義者であることの抑えがたい快活さと歓びなのである」［★26］。たしかに美しい文章ではあるだろう。しかしいかなる戦略も与えてくれない。

新しい運動は、党も要らない、イデオロギーも要らない、指導者も要らない。反資本主義的である必要もない。ただネットワークの力を信じればいい。愛があればいい。『帝国』や『マルチチュード』には、残念ながらそのように読めるところがある。実際に後者の日本語解説には、監修者によって「マルチチュードのプロジェクトは愛のプロジェクトでもあり、マルチチュードの闘いは愛の実験でもある」といったかなり高揚した文章が記されている[★27]。少なくとも日本の読者はそれを読んでいる。

いささか意地悪く言えば、『帝国』が世界的なベストセラーとなり、いまも活動家により参照され続けているのは、その分析の力や思想の深度ゆえではなく、ほんとうはむしろこのようなマルチチュードの運動論的な欠陥ゆえなのではないだろうか？　ネットと愛さえ信じていればあとは生政治の自己組織化でなんとかなる——かくも都合のいい運動論はそうそう存在しない。かりにそれが誤解だったとしても、人々はまさにそのような誤解からこそ力を得てしまったのである。

ネグリたちのマルチチュードの規定は、あまりにもあいまいで、ときに神秘主義的である。それはロマン主義的な自己満足を呼び寄せる。観光客の哲学はこの弱点を回避しなければならない。そして、弱点を回避するためには、弱点の正体を知らなければならない。マルチチュードの概念はなぜこのような弱点を抱えてしまったのだろうか。ぼくの考えでは、おそらくふたつの原因がある。

ひとつの原因は、ネグリとハートの議論が「一元論」であることにある。『帝国』の世界には帝

★25　『ナショナリズムの由来』、22頁。
★26　『〈帝国〉』、512頁。
★27　『マルチチュード』下巻、275頁。水嶋一憲の文章。強調を削除。

国しか存在しない。しかもひとつの帝国しか存在しない。その「単一性」が彼らの議論の肝である。煩雑になるのでここでは紹介していないが、それはスピノザの哲学と不可分に関係している。いずれにせよ、彼らの議論では、世界には帝国しか存在しないので、マルチチュードは帝国に依存して生まれることになるし、帝国への抵抗もまた必然的に帝国に依存して行われることになる。帝国が帝国の敵をみずから生みだし、帝国内で闘いあうというこの自己循環的構図が、マルチチュードの運動論を決定的にあいまいなものにしている。

じつはこの欠点は前掲の大澤も同じように指摘している。帝国論の欠点はそれが一元論を目指したことにある。その欠点を改善するためには、帝国の外部＝国民国家について考えるほかない。大澤はここから、ナショナリズムについての考察を始めている。ぼくは、次章で論じるように、その「外部」を大澤とはまた異なったかたちで考える。

もうひとつの原因は、こちらは説明がいささか複雑になるのだが、彼らのマルチチュードの概念が、そもそも先行するポストマルクス主義の運動論に少なからぬ影響を受けていることにある。

いまでは『帝国』の議論が突出して知られているが、同書出版以前にも、新たな運動論を模索する議論はいろいろと行われていた。そこでとりわけ大きな影響力をもっていたのが、エルネスト・ラクラウとシャンタル・ムフが一九八〇年代に提示した「根源的民主主義」（ラディカル・デモクラシー）論である[★28]。彼らの関心は、共産主義革命への信頼が失われた世界において、つまり、ひらたく言えば左翼の「大きな物語」が壊れた世界において、いかにしてさまざまな抵抗運動のあいだに連帯をつくりだすかという問いにあった。根源的民主主義は、そこで提案された新たな連帯の構想の名称である。

では、それはいかなるものだったのか。説明を簡潔にするため、ここではラクラウたちのテクストではなく、スラヴォイ・ジジェクが一九八九年の『イデオロギーの崇高な対象』で行った要約を引用することにしよう（同書の謝辞にはラクラウたちの名前も入っている）。同書によれば、「そこには〔根源的民主主義には〕、個々の闘争（平和運動、エコロジー、フェミニズム、人権運動など）の結合がみられるが、そのどれか一つが、「真理」、最後の「シニフィエ」、他のすべての運動の「真の意味」だというわけではない。しかし、「根源的民主主義」というタイトルそのものが示しているように、これらの闘争を結合しうるということ自体が、ある一つの闘争が「結節的な」決定的役割を果たすことを示唆している」〔★29〕。

ここでジジェクが指摘しているのは、ラクラウたちの新たな連帯の構想においては、じつは重要なのは個々の抵抗運動の中身ではなく、連帯の事実そのものになっているということである。かつては共産主義が「大きな物語」として機能し、それら多様な抵抗運動にひとつひとつ意味を与えていた。そして連帯に根拠を与えていた。しかしもはや共産主義は機能しない。となってくると、と

★28 エルネスト・ラクラウ、シャンタル・ムフ『民主主義の革命』西永亮、千葉眞訳、ちくま学芸文庫、２０１２年。原著は１９８５年刊行。

★29 スラヴォイ・ジジェク『イデオロギーの崇高な対象』鈴木晶訳、河出文庫、２０１５年、１７０頁。訳語一部改変。強調は引用者。

にかく中身は関係なく連帯をしていくしかない。現代のヘゲモニー闘争では、むしろその連帯の事実こそが効果を発揮する。それがラクラウたちの主張である。そしてじつは、ネグリたちのマルチチュードもこの点ではほぼ同じ性格を備えている。マルチチュードは、それぞれが直面する問題の特異性とはいっさい関係がなく、ネットワーク状に連帯し、闘争の局面を広げていく運動体だと考えられている。ネグリたちはつぎのように述べている。「この場合［マルチチュードの闘争の場合］の主要なポイントは、それらの闘争の実践や戦略、目標が互いに異なるものであるとはいえ、それらが互いに結合および合体して、多元的に共有されたプロジェクトを形成することができる、ということなのである。おのおのの闘争の特異性は、〈共《コモン》〉的な土壌の創出を妨げるものではなく、むしろ促すものなのだ」［★30］。

個々の闘争の特異性はとりあえず棚上げにし、ただ連帯だけを重視する。敵はいずれにせよ権力なのだから、平和運動でもエコロジーでもフェミニズムでも関係なく連帯する。イデオロギーの支柱を失った冷戦後の運動はそのようなアクロバティックな戦術になだれこんでいったが、そこに問題があることはだれにでもわかる。そのような無内容な（しかも積極的に無内容を選んだ）連帯は、短期的には動員の強化とヘゲモニーの奪取に成功するかもしれないが、長期的には必ず各闘争の弱体化と空無化を招く。実際にそれは各国で起き、二〇一〇年代の日本でも起きた。

マルチチュードの連帯は、ポストマルクス主義の倒錯した戦術の延長線上にあり、闘争の特異性の無化のうえに成立している。だからその運動論は必然的にあいまいなものにならざるをえない。

じつはぼくは二〇年ほどまえに、『存在論的、郵便的』という著作で、まさに右記の根源的民主主義を（同じジジェクの引用によって）取りあげ、その戦術を「否定神学的」という言葉で形容している[★31]。

否定神学とは、もともとはキリスト教神学のひとつの潮流を指す言葉で、その名のとおり神の存在を否定表現（〜ではない）の積み上げで証明しようとする企てを意味する。ぼくは『存在論的、郵便的』で、その言葉を借りて、ある時期のフランスの思想が全体として否定神学的な性格を強く帯びていること、そしてそのなかでひとりの哲学者（ジャック・デリダ）がその傾向に抵抗を試みていたことを論証しようとした。

ここではこれ以上詳しく紹介しないが、同書の文脈では、「否定神学的」とは、否定を媒介とした存在証明の論理、たとえば、「他者は存在しないことによって存在する」や「外部は存在しないことによって存在する」といった論理を幅広く形容する言葉として使われている。根源的民主主義の論理は、この点でまさに否定神学的だと言える。なぜならばそこでは、共通のイデオロギー（共産主義）がなく、したがって本来は存在するはずのない連帯が、まさにその連帯の不可能性を媒介

★30　『叛逆』、120-121頁。ただしネグリたちは、マルチチュードの概念を提出するにあたり明示的には根源的民主主義論を参照していない。また、ラクラウたちは『帝国』の出版後にネグリたちの構想を批判してもいる。しかしここで記した点について、ラクラウたちとネグリたちの構想の共通点は明らかである。
★31　東浩紀『存在論的、郵便的』、新潮社、1998年、138頁以下。

としてつくりだされることになっているからである。連帯は存在しないことによって存在する。ジジェクがラクラウたちに関心をもったのは、まさにこの否定神学的な論理がラカン派精神分析の論理に近かったからだ。ネグリたちの構想もまたこの特徴を引き継いでいる。

つまりは、ネグリたちのマルチチュードは否定神学的な存在なのだ。だから『帝国』の最後は信仰告白で終わらざるをえないのである。

第5章 郵便的マルチチュードへ

1

ぼくたちがいま「リベラリズム」と呼んでいるもの、それは要は普遍主義のプログラムである。あらゆる人間にあらゆる権利が等しく認められるべきであり、あらゆる人間のあらゆる尊厳が尊重されるべきだという寛容のプログラムである。ぼくたちは、自分を尊重するのと同じように、あらゆる人間を尊重しなければならない。その倫理の起源はカントに遡る。彼は『実践理性批判』で、「君の意志の格律が、いつでも同時に普遍的立法の原理として妥当するように行為せよ」という有名な命法を書き記した[★1]。

ぼくたちはいま、まさにその普遍主義のプログラムが崩れ落ちる時代に生きている。思想的にはその予兆はあった。ポストモダニズムと呼ばれる理性批判の隆盛がそのひとつだし、英語圏でリベラリズムがコミュニタリアニズムとリバタリアニズムに分解したのもまた予兆だったと言うことができる。いずれにせよ、ぼくたちはいま、個人から国民へ、そして世界市民へという普遍主義のプログラムを奪われたまま、自由だが孤独な誇りなき個人（動物）として生きるか、仲間はいて誇りもあるが結局は国家に仕える国民（人間）として生きるか、そのどちらかしか選択肢がない時代に足を踏み入れつつある。帝国の体制と国民国家の体制、グローバリズムの層とナショナリズムの層が共存する世界とは、つまりは普遍的な世界市民への道が閉ざされた世界ということだ。

ぼくはそのような世界に生きたくない。だからこの本を記している。言い換えれば、ぼくはこの本で、もういちど世界市民への道を開きたいと考えている。ただし、ヘーゲル以来の、個人から国民へ、そして世界市民へという弁証法的上昇とは別のしかたで。それが観光客の道である。

観光客とはなにか。ここまで述べてきたとおり、それはまずは、帝国の体制と国民国家の体制のあいだを往復し、私的な生の実感を私的なまま公的な政治につなげる存在の名称である。それはネグリとハートが提案したマルチチュードの概念に近い。

マルチチュードは、共産主義の凋落のあと、反体制の運動の可能性に対して肯定的に言及するときに使うことができる、哲学に残されたほとんど唯一の概念である。それゆえ、もしこれからもなんらかの運動が必要だと考えるのであれば、そしてその必要性を――参加者の自己満足に閉じこもらず――広く公衆に訴えたいと願うのであれば、ぼくたちはその概念をなんらかのかたちで継承す

★1　カント『実践理性批判』波多野精一ほか訳、岩波文庫、1979年、72頁（第一部第一篇第一章第七節）。

るべきだと思われる。本書の観光客論は、そのような視座のもと構想されている。

ただし、そこで忘れてはならないのが、マルチチュードにはふたつの致命的な弱点があったことである。マルチチュードは、第一に、帝国の内部で、帝国自身の原理から生みだされる反作用だと考えられていた。そして第二に、多様な生を多様なまま共通点なくして連結する、「否定神学的」な連帯の原理に依存するものだと考えられていた。ひとことで言えば、マルチチュードがなぜ生まれるのか、そのメカニズムがうまく説明されていなかったし、また生まれたあとの拡大の論理にも無理があった。それゆえ、ネグリたちの運動論はじつに文学的でロマン主義的な、ほとんど信仰と言ってもよいものに堕する危険を抱えていたのである。

観光客の概念は、そのふたつの弱点を克服したうえで作られねばならない。具体的には、それは、まず第一に、帝国内で自然に生みだされる反作用として想像されるのではなく、なんらかの生成のメカニズムとともに示される概念でなくてはならない。そして、第二に、それは、ロマン主義的な否定神学的原理に頼らず、別のかたちで連帯をつくりだすものでなくてはならない。では、そのような概念は、いったいどのような道具だてで、どのように考えればよいのか?

ぼくはここでもういちど、二〇年近くまえの著作『存在論的、郵便的』を参照したいと思う。じつはぼくはそこでは、「否定神学」の概念だけでなく、それと対になる「郵便」という概念も提示している。

郵便とはなにか。「否定神学」は、前章で述べたとおり、存在しえないものは存在しないことによって存在するという、逆説的な修辞を指す言葉である。だからマルチチュードの連帯は「否定神学的」と呼ばれる。そこでは、連帯は、存在しないがゆえに存在するもの、連帯できないという事実そのものが反転して生みだすものとしてメタレベルで捉え返されていたからだ。

それに対して「郵便」は、存在しえないものは端的に存在しないが、現実世界のさまざまな失敗の効果で存在しているように見えるし、またそのかぎりで存在するかのような効果を及ぼすという、現実的な観察を指す言葉である。本書ではその失敗を、『存在論的、郵便的』を引き継ぎ「誤配」と呼ぶ。否定神学では、神は存在しないがゆえに存在すると考える。けれども郵便的思考では、神はとりあえず存在しないが、現実にはさまざまな失敗があるがゆえに存在しているように見えるし、またそのかぎりで現実に存在するかのような効果を及ぼすと考えるのだ（ヴォルテールとドストエフスキーが示そうとしたのはまさにこの力学だと言える）。ここではこれ以上詳しく説明する余裕はないので、郵便と誤配の概念についてきちんと知りたい読者は『存在論的、郵便的』をお読みいただきたい。いずれにせよ、ぼくは同書でその対置を軸にして、現代思想は、否定神学を脱して郵便的思考に生まれ変わるべきだと主張した。

同書の執筆時、ぼくはまだ大学院生で、いま振り返ればあまりに大きな風呂敷を広げてしまっていた。現代思想の全体を生まれ変わらせることなど、二〇代のぼくにできたはずもない。けれども、こと「否定神学」と「郵便」の対置に関しては、その後のさまざまな仕事でも有効に活用している。それは、人間が「超越論的なもの」について語るときに頻繁に登場する、ふたつの思考様式を表す簡潔な言葉である。

そこで本書でも、その対置を用いて、否定神学的マルチチュードならぬ郵便的マルチチュードの概念を考えてみる。郵便的マルチチュードとはなにか？

観光客こそが、その郵便的マルチチュードである。ぼくはここでそのような定義を提案したいと思う。

この定義は、本書でここまで進めてきた観光客論の射程を、哲学的に一気に広げる可能性を秘めている。ぼくは第三章で、現在の社会思想において、観光客について考えることがいかにむずかしいかを説明した。観光客を郵便的マルチチュードと名づけることで、今後はその説明を本書以外の哲学書の言葉を借りて省略することが可能になる。なぜならば、そもそも「郵便」あるいは「エクリチュール」は（この点も本書ではまた触れるにとどめるが）、デリダの哲学において、ヘーゲル的弁証法を逃れるもの一般を指す術語だったからである。観光客を郵便的な存在と見なすということは、それについてヘーゲル的弁証法を逃れる存在として捉えるということを意味する。観光客はヘーゲル的思考の外部にある。だから、ヘーゲル的思考では捉えられない秩序（二層構造）をもつ現代社会では、その存在が逆に重要になる。これが本書の基底にある構図である。

観光客を「郵便的」な「マルチチュード」と名指すことは、日常的な語感でもけっしておかしくはない。まず第一に、観光客が「マルチチュード」であること、それはある意味で自明である。毎年一〇億人以上が世界中に送り出され、イデオロギーなく消費に興じる観光客ほど、群衆あるいは衆愚という意味をもつマルチチュードにふさわしい存在はない。

郵便的はどうか。郵便的とはここでは、あるものをある場所にきちんと届けるシステムを指すのではなく、むしろ、誤配すなわち配達の失敗や予期しないコミュニケーションの可能性を多く含む状態という意味で使われている（現実の郵便事業の関係者は嫌がる用法かもしれないが）。観光はまさにこの意味で「郵便的」である。ぼくたちは観光でさまざまな事物に出会う。なかには本国ではけっして出会わないはずの事物もある。たとえば美術にまったく興味がないひとも、フランスやイタリアに行けば美術館めぐりをしてみたりする。

そしてそのような「誤配」は、興味深いことに、観光ではけっして否定的な経験ではない。第一章で触れたマキャーネルは、一九〇〇年のパリ万博に合わせ発行されたイギリス人向けの観光ガイドに、訪問先として下水道や死体置き場、屠殺場などが紹介されていることに注意を促している。彼らは本国ではけっしてそのような場所には行かない。けれどもパリでは行く。それはあくまでも好奇心によるものだが、同時に、分断された近代社会のイメージを再縫合する機能ももっていたとマキャーネルは言う。「労働の展示は、近代的な労働力の広範な分化を示す一方で、株の仲買人から排水溝掃除人に至る、あらゆる種類の労働者を、表象の体系として再統合する」［★2］。のちのダ

★2 ディーン・マキャーネル『ザ・ツーリスト』安村克己ほか訳、学文社、2012年、73頁。読点を変更。

ークツーリズムにも通じる問題だが、これはまさに、観光の本質が情報の誤配にあること、そしてその誤配がある種の啓蒙に通じていることを示している。画集などいちども見たことのない門外漢がルーヴルでモナリザに出会い、自分で料理も作ったことのない貴族がパリで屠殺場を見学する。それはむろん誤解に満ちている。観光客が観光対象について正しく理解するなど、まず期待できない。しかしそれでも、その「誤配」こそがまた新たな理解やコミュニケーションにつながったりする。それが観光の魅力なのである。

ネグリたちのマルチチュードは、あくまでも否定神学的なマルチチュードだった。だから彼らは、連帯しないことによる連帯を夢見るしかなかった。けれどもぼくは、観光客という概念のもと、その郵便化を考えたいと思う。そうすることで、たえず連帯しそこなうことで事後的に生成し、結果的にそこに連帯が存在するかのように見えてしまう、そのような錯覚の集積がつくる連帯を考えたいと思う。ひとがだれかと連帯しようとする。それはうまくいかない。あちこちでうまくいかない。けれどもあとから振り返ると、なにか連帯らしきものがあったかのような気もしてくる。そしてその錯覚がつぎの連帯の（失敗の）試みを後押しする。それが、ぼくが考える観光客＝郵便的マルチチュードの連帯のすがたである。

マルチチュードが郵便化すると観光客になる。観光客が否定神学化するとマルチチュードになる。これはあまりにも奇妙な規定に響くだろうか？　だとすれば、みなさんはまだ「マルチチュード」と「観光客」の語感の遠さにごまかされているのだ。連帯の理想を掲げ、デモの場所を求め、ネットで情報を集めて世界中を旅し、本国の政治とまったく無関係な場所にも出没する二一世紀の「プロ」の市民運動家たちの行動様式がいかに観光客のそれに近いか、気がついていないのだ。ぼくはここで運動家を貶めたいのではない。彼ら運動家をマルチチュードとして称揚するのであれば、観光客についても同じくらいまじめに考えるべきだ、と言いたいのである。

否定神学的マルチチュードの連帯は、連帯が存在しないことで存在するとされていた。郵便的マルチチュードの連帯は、たえず連帯が失敗することで事後的に生成し、結果的にそこに連帯が存在するかのように見えてしまう、そのような錯覚の集積として構想される。

ネグリたちはマルチチュードの連帯を夢見た。ぼくはかわりに観光客の誤配を夢見る。マルチチュードがデモに行くとすれば、観光客は物見遊山に出かける。前者がコミュニケーションなしに連帯するのだとすれば、後者は連帯なしにコミュニケーションする。前者が帝国から生まれた反作用であり、私的な生を国民国家の政治で取りあげろと叫ぶのだとすれば、後者は帝国と国民国家の隙間から生まれたノイズであり、私的な欲望で公的な空間をひそかに変容させるだろう。

そしてなによりも、観光客＝郵便的マルチチュードのコミュニケーションは、否定神学的マルチチュードのそれと異なり偶然に開かれている。観光客は、連帯はしないが、そのかわりたまたま出会ったひとと言葉を交わす。デモには敵がいるが、観光には敵がいない。デモ（根源的民主主義）は友敵理論の内側にあるが、観光はその外部にあるのだ。

否定神学的マルチチュード（デモ）は、無から生まれ、無によってつながっていた。郵便的マルチチュード（観光）は、誤配から生まれ、誤配によってつながる。

マルチチュードの概念をふたたび神秘主義的でロマン主義的なものに戻してしまわないために、ぼくはここで最後に、誤配の発生機序と力学を記述する（かもしれない）ある数学的なモデルを提示して、第一部を締めくくることにしよう。

2

数学的なモデルとはなにか。ここで参照したいのが、この四半世紀ほどで急速に整備されたネットワークの科学である。

ネットワークの科学といっても、インターネットを研究する科学というわけではない。インターネットもネットワークの一部だが、ネットワークの概念はそれよりもはるかに広い。国家間の関係も生態系の食物連鎖も細胞内のタンパク質の関係も脳細胞の連結も、世界の多くの事象は、多数の「実体」があり、そのうえでそれら実体を結びつける「関係」があるという、広義のネットワークの構造を備えている。ネットワーク理論は、その関係の数学的な性質を、構成する実体の性質にかかわらず分析する理論である。グラフ理論とも呼ばれる。

ネットワーク理論は、ネットワークのかたちを抽象化して分析する。そのために、実体を点で、実体と実体の関係を線分で表す。たとえば、友人関係をネットワークとして捉えるときには、ひとを点で、友人関係を線分で表すことになる。ネットワーク理論では、点＝実体を「頂点」と、線分＝関係を「枝」あるいは「辺」と呼ぶので、ここでもその命名にしたがうことにしよう。研究者によっては、頂点に重みをつけたり辺に方向をつけたりすることもあるらしいが、ネットワーク理論は基本的には、頂点と辺が作りだす「かたち」を扱う理論である。

ネットワーク理論の起源は、一八世紀の数学者、レオンハルト・オイラーに遡る。彼が取り組んだ「ケーニヒスベルクの橋の問題」と呼ばれる有名な一筆書きのパズル［図1］が、

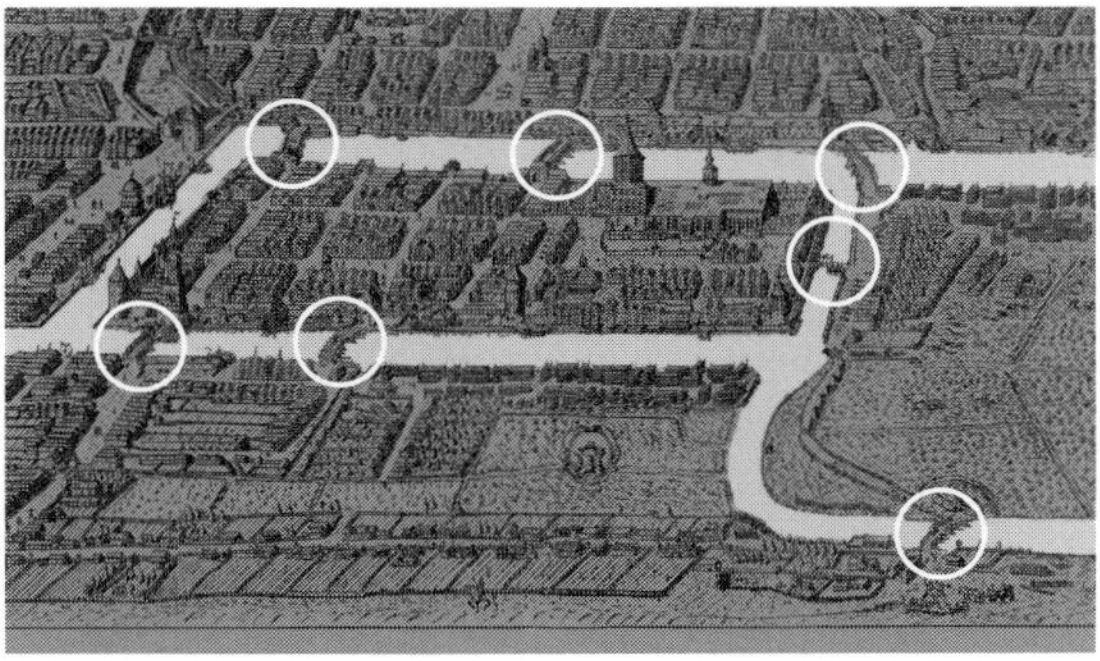

図1
当時のケーニヒスベルクには7本の橋があった。オイラーは、その7つの橋を1回ずつ通り、町の最初の地点に戻ることができるか、そしてその問いを一般にどのように解くことができるかを考えた
Joachim Bering, 1613　をもとに制作
URL=https://commons.wikimedia.org/wiki/File:Koenigsberg,_Map_by_Bering_1613.jpg
Public Domain

この理論の出発点だと言われる。一筆書きとは、すべての頂点と枝を一回しか通らずに、ネットワークの全体を巡回する行為のことである。したがって、任意の図形について一筆書きが可能かどうかを判定するためには、頂点と枝の関係について抽象的な理論が必要となる。オイラーはその一歩を踏み出した。その後、二〇世紀に入ると、ネットワーク理論の道具だてが徐々に整い始める。とはいえ、長いあいだ現実の事物の関係をモデル化するにはいたっていなかったのだが、一九九〇年代に、ダンカン・ワッツとスティーヴン・ストロガッツが「スモールワールド」を発見し、アルバート＝ラズロ・バラバシとレカ・アルバートが「スケールフリー」を発見したことで、理論は飛躍的に発展することになる。現在のネットワーク理論は、人間関係や食物連鎖のような実在の複雑なネットワークを、数学的にたやすく再現し、分析できるようになっている。

さて、その新しい理論によれば、ぼくたちが生きる人間社会——正確には人間社会が含まれる「複雑ネットワーク」一般——は、「大きなクラスター係数」「小さな平均距離」「スケールフリー」という三つの特徴を備えているとされる。

ここではその三つの特徴を簡単に見ていきたい。なお、ぼくは数学の専門的な教育を受けていないので、以下の説明は、一〇年ほどまえに出版された入門書の要約にすぎないことをあらかじめ断っておく[★3]。本書の目的にはそれで十分だが、最新の動向が気になる読者は専門書をあたっていただきたい。

ひとつめの「大きなクラスター係数」から説明しよう。これはもっともわかりやすい特徴である。クラスターとは「群れ」「房」を意味する言葉で、最近ではネットで小さな集団を表すジャーゴンとしてもよく使われている。クラスター係数とは、あるネットワークのなかにどれほど多くの仲間がつくられているか、それを表す数学的指標である。

そもそも仲間とはなんだろうか。「仲間である」ことを、ある集団の構成員が、すべてたがいに友人であるような状況だと定義してみよう。AがBとCのふたりと友人であり、BとCもまたたがいに友人である、そのようなときはじめて、AとBとCの三人は仲間だと言うことができると考えるのだ。そのような関係は、ネットワーク理論では、三つの頂点がすべてたがいに枝でつながれている状態、すなわち、枝が三角形を形成している状態として表されることになる。クラスター（仲間）とは、ネットワーク理論ではこの三角形を意味する。

例として図2を見てみよう。このグラフ（ネットワーク）では、点Aと点Bと点C、点Dと点Eと点Fはそれぞれクラスター＝三角形を構成している。つまりこのグラフにクラスターはふたつある。

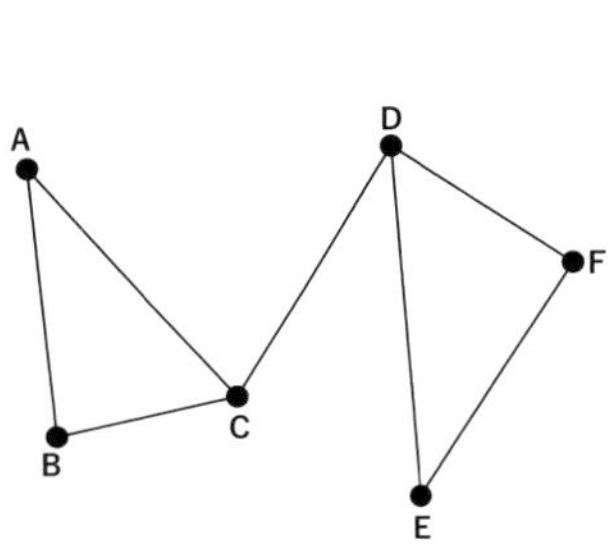

図2

つぎに、同じグラフ内で、クラスターをどれほど多く作ることが

★3 増田直紀、今野紀雄『「複雑ネットワーク」とは何か』、講談社ブルーバックス、2006年、および増田直紀『私たちはどうつながっているのか』、中公新書、2007年をおもに参考にした。ただし説明に誤りがあるとすれば、それはむろんすべてぼくの責である。

できるかを考える。ここでは点Cと点Eを結べば、新たなクラスターが生まれる。つまり図2のクラスターの数は最大値ではない。クラスター係数はここから生まれる。それは、あるネットワークにおいて、理論的に成立可能なクラスターのうち、実際にどれほどのクラスターが成立しているかを表す指標である。数学的には、その任意の頂点について、それと接続するふたつの頂点がたがいに接続している確率（Aの友人BとAの友人Cがたがいに友人である確率）の平均として定義される。クラスター係数が1であれば、あらゆる頂点について、それと接続するふたつの頂点が必ず枝で結ばれていることになる。

さて、数学者たちの研究は、学校内の人間関係や企業間の取引関係など、人間社会のさまざまな関係をグラフとして抽象化すると、このクラスター係数がかなり大きくなることを明らかにしている。人間の社会は、友人と友人がたがいに友人であるような、そういう三角形が高い密度で重なることで構成されているのである。数学の詳細がわからない読者でも、この観察は直感的に頷けるのではないか。社会はけっして個人の集まりではない。個人がいて、いきなり世界があるわけではない。家族や地域、職場など、人間関係の三角形がいくえにも重なった中間集団（共同体）がいくつも存在し、社会はそれらがさらに重なることで成立しているのである。二一世紀の科学は、その状況を「クラスター係数が大きい」と表現する。

ふたつめの特徴は「小さな平均距離」である。これは、ひらたく言えば、友だちの友だちの友だちの……とたどっていくと、意外と早くネットワークの構成員全体を覆えてしまうという特徴を意味している。

ネットワーク理論では、頂点と頂点を結ぶ最小の枝の数を、その二点間の「距離」と定義する。ふたたび図2を例にとると、点Aから点Eまでは、少なくとも三本の枝を通らなければたどりつけない。それゆえAとEの「距離」は3と定義される。「平均距離が小さい」とは、文字どおり、このように定義された「距離」をすべての頂点の組み合わせに関して算出し、平均した値が小さいということを意味している。そのようなネットワークにおいては、ある頂点から別の頂点まで（平均すれば）少数の枝を通るだけでたどりつける。

人間社会は、じつはまさにこの特徴を備えている。このことはネットワーク理論が発展するまえから知られていた。社会学に「六次の隔たり」という有名な仮説がある。世界の人口はいま七〇億人ほどだが、そのなかの任意のひとから任意のひとへ（たとえばアフリカの小国に住む無名の農民から日本に住むあなたへ）、わずか六つの友人関係を経由することでたどりつけるという仮説である。別のかたちで表現すれば、七〇億の人類社会の全体が、あなたの「友だちの友だちの友だちの友だちの友だちの友だち」のなかにすっぽり収まってしまうという仮説だ。意外なほど小さい数字だが、この六という数は、一九六七年にスタンレー・ミルグラムが物理的な手紙を使って行った社会実験で得られ（当時の世界人口は七〇億よりは小さかったが）、のちインターネットを利用しての追試でも確認されている。よく「世間は狭い」と言うが、人間社会はほんとうに狭いのだ。

それでは、なぜ人間社会は狭いのか。じつはこの特徴は、数学では長いあいだモデル化することができなかった。それは大きなクラスター係数と矛盾すると思われたからである。人間社会にはクラスターが多い。ひとはみな、遠くに友人をつくるよりも、友人同士もまた友人であるような近い関係を好む。だとすれば、社会はもっとばらばらになり、したがって世間はもっと広くなるはずではないか？

そこでブレイクスルーをもたらしたのが、さきほど名前を挙げたワッツとストロガッツというふたりの研究者である。彼らは、ネットワークに少数の「近道」があると、クラスター係数が大きいままでも、平均距離が劇的に小さくなることを数学的に証明した。

どういうことか。**図3**の三つのグラフを見ていただこう。この三つのグラフは、すべて同じ頂点数（二二個）と同じ枝数（四四本）でできている。

図3aは、すべての頂点が同じ数の枝を隣の隣の点まで伸ばしているグラフである。これは一次元格子グラフと呼ばれる。このグラ

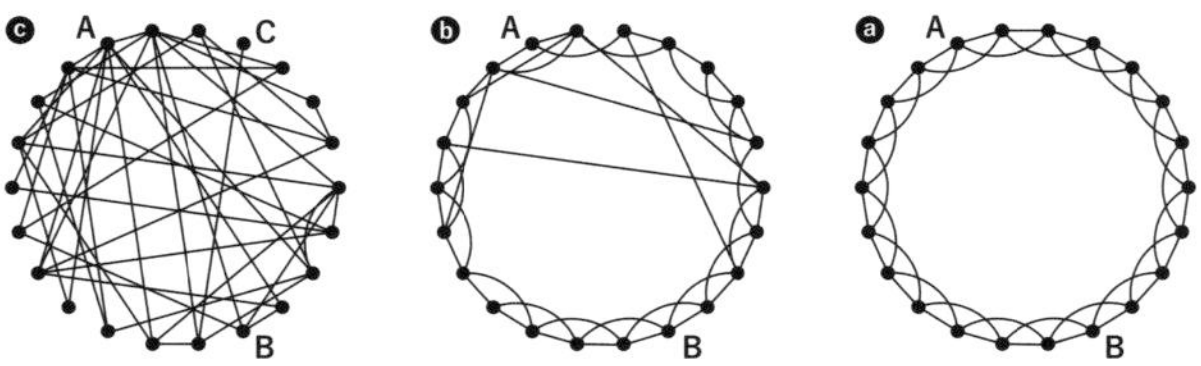

図3
増田直紀、今野紀雄『「複雑ネットワーク」とは何か』、78頁をもとに制作
引用元ではｃの枝数がａ・ｂと一致していなかったが、引用元の説明に合わせ揃えた

フには多数の三角形（クラスター）が含まれている。ここに示した図ではすべての頂点を円のうえに配置しているので、いっけん三角形がないように見えるかもしれない。けれどもよく見れば、三つの頂点が三つの枝で結ばれている組み合わせが多数あることがわかるだろう。そして、どの頂点も隣の隣よりも遠い頂点には枝を伸ばしていない。これは、いわば、すべてのひとの友人の数が同じで、すべてのひとが隣人の隣人までとしか関係をもたないような、平等で閉鎖的な社会を表現するグラフである。

このグラフは、大きなクラスター係数をもつ（仲間が多い）という点で、人間社会のひとつの特徴をよく表している。しかしこの条件では、ランダムに選ばれた頂点のあいだの距離はきわめて大きくなってしまう。二二個しか頂点がないにもかかわらず、グラフの対極に位置する点Aから点Bまでは六本の枝を経ないとたどりつけない（これをグラフの「直径」が6だと表現する）。しかもその数は、頂点の数に比例して大きくなる。ここでは頂点数が22なので平均距離は3弱だが、頂点が一〇〇個であれば最大距離が25で平均距離は約12・5、頂点が一〇〇〇個であれば最大距離が２５０で平均距離は約１２５となることが計算できる。頂点数70億の人間社会をモデル化するのには、とても適さない。

★4　正確にはここに引用された図は、本文でこの直後に説明される「つなぎかえ」の手法を用いて、図３ａの各頂点から張られた枝を1に近い確率でほかの頂点に付け替えて得られたものである。

それでは図３ｃはどうだろうか。こちらは「ランダムグラフ」と呼ばれるものに近く、どの頂点とどの頂点のあいだに枝が張られるかが、ほぼ無作為に決定されている[★4]。こちらはこんどは、だれとだれが友人になるのかがくじびきで決まるような、絶対的に開放的な社会を表現するグラフである。

このグラフにおいては、頂点の連結はランダムに決まるので、隣りあう頂点のあいだだけではなく、円（ネットワーク）全体を横断するようにも多数の枝が張られることになる。そのため、平均距離は図３ａと比較するとかなり小さくなる。たとえば、さきほどは距離が6だった点Aから点Bまでは、こんどは二本の枝を経由するだけでたどりつける。したがって、このグラフは人間社会の狭さをうまく表現してはいる。けれどもそのかわりに、こんどはクラスター係数が小さくなる。実際に図でも三角形の数は少なくなっているが、その理由もまた、数学の詳細がわからなくても直感的に理解できるのではないかと思われる。このグラフが表す世界においては、すべての友人関係がくじびきで決まっている。したがって、任意のふたりの距離は相対的に近くなるが、かわりに友人と友人がたがいに友人である確率（仲間である確率）は小さくなる。このグラフもまた人間社会のモデル化には適さない。

大きなクラスター係数と小さな平均距離は、このように矛盾するように見える。ちなみに付け加えれば、ここでは紹介して

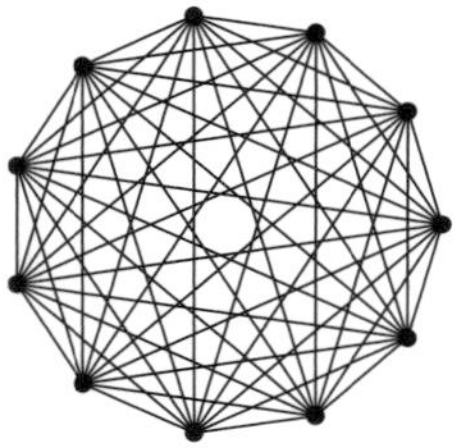

図4
完全グラフの例
頂点の数は11個

いないが、ふたつの特徴はじつは枝数を増やせばたやすく両立させることができる。

というのも、極端な話、すべての頂点からすべての頂点に枝が張ってあれば、クラスター係数は1（最大値）になるし、平均距離も1（最小値）になるからである。そのようなかたちは「完全グラフ」と呼ばれる［図4］。けれども、それもまた人間社会のモデル化に適していないことは明らかである。完全グラフは、いわば、あらゆるひとがあらゆるひとと直接に友人関係にあるような、そういう世界を表現している。現実には人間がつくることのできる友人の数は、個人差があるとはいえかなり限られている。人間社会をネットワーク理論でモデル化するためには、枝数を限定したうえで（友人関係の数を限定したうえで）、大きなクラスター性（仲間が多いこと）と小さな平均距離（世界が狭いこと）を両立させることが必須の条件となる。

ワッツとストロガッツは、まさにその条件を満たすモデルを考案した。その例が図3bである。このグラフは、クラスター係数が大きい図3aを初期条件として、すべての頂点から出る枝を、特定の確率で別の無作為に選んだ接続先に「つなぎかえる」という、興味深い操作の結果得られたものである。その操作はあくまでも「つなぎかえ」なので、枝の総数には影響を与えない。枝をつなぎかえれば三角形は壊れるが（三角形の一辺がなくなるので）、つなぎかえる枝が少数であれば（つなぎかえの確率が低ければ）、三角形の総数にもそれほど影響は与えない。けれども、たとえつなぎかえる枝が少数でも、結果としてネットワークにはいくつもの「近道」が生まれる。そしてワッツたちは、その「近道」の存在が、クラスター係数にほとんど影響を与えないまま、最大距離や平均距離の劇的な短縮を引き起こすことを数学的に証明したのである。図3bはじつは、図3aの枝のわずか一五パーセントをつなぎかえたグラフである。それでも点Aから点Bへの距離は、6から3へ縮まっている。彼らはこのようなグラフを「スモールワールドグラフ」と名づけ、これこそが人間が現実につくっているネットワークの表現に適していると主張した。

ネットワーク理論では、大きなクラスター係数と小さな平均距離をあわせ「スモールワールド性」と呼ぶ（小さな平均距離だけをそう呼ぶこともある）。人間社会は、数学的に表現すれば、格子グラフでもランダムグラフでも完全グラフでもなく、スモールワールドグラフになるのだ。

3

ワッツたちのこの発見は、人文系の思想にも大きな示唆を与えるもののように思われる。図3aの格子グラフは、友人関係のネットワークとして解釈すれば、みなが仲間のなかに閉じこもっている閉鎖的な人間関係を表現している。他方で図3cのランダムグラフは、みなが偶然の出会いに開かれた、絶対的に開放的な人間関係を表現している。

それらとの比較で言えば、図3bのスモールワールドグラフが表しているのは、いわば、みな基本的には仲間のなかに閉じこもっているのだけど、ときおり（確率的に）閉じた関係のなかに見知らぬ他人が侵入することがあり（つなぎかえ）、その新たな出会い（近道）こそが世界を一気に狭くする、そのような人間関係である。

ここで「確率」「つなぎかえ」「近道」といった言葉には、じつはそれぞれ数学的に厳密な定義がある[★5]。しかしそれらの定義に踏みこまなくとも、このモデルの重要性をつかむのはそれほどむずかしくはない。ぼくは本書の冒頭で、観光客論は他者論でもあると述べた。そしてさきほど、いま危機に瀕しているのは普遍主義だとも述べた。二〇世紀の社会思想＝普遍主義は、他者への開放性ばかりを説き続け、そして説得力を失った。しかし、ワッツたちのこの発見が教えてくれるのは、人間社会にダイナミズムを与えているのは、他者の絶対的排除でもなければ、他者への完全な開放性でもなく、そのあいだの状態だということだ。

ぼくたちは、他者を完全に排除しているわけではないが、かといって他者に完全に開かれているわけでもない。問題は他者に開かれる「確率」なのである。確率は必ず0と1のあいだの値をとる。図3aの格子グラフは、もしつなぎかえの確率が0であれば、なにも変わることがない。逆につな

★5　「つなぎかえ」の定義については、ダンカン・ワッツ『スモールワールド』栗原聡ほか訳、東京電機大学出版局、２００６年、76頁以下参照。「近道」の定義については、同書、80頁以下参照。数式を使わずごく簡単に説明すれば、「つなぎかえ」とは、ある頂点を基点として、乱数を生成してそれがある特定の数よりも大きかったならばその頂点から伸びた枝のひとつをほかの接続先につなぎかえ、乱数が特定の数よりも小さかったならばなにも行わず、その作業をすべての頂点のすべての枝について繰り返す手順として定義されている。他方で「近道」は、その枝が存在しないときの頂点のあいだの距離（「レンジ」と呼ぶ）が2よりも大きくなる、そのようなふたつの頂点を結ぶ枝として定義されている。レンジが2の場合、枝は三角形の一辺をなしている（三角形の一辺を消すと二点間の距離は1から2になる）。

ぎかえの確率が1であれば、すべての枝がつなぎかえられるので、図3cに近いランダムグラフになってしまう。つまりスモールワールド・ネットワークは、他者へのつなぎかえの確率が0でもなければ1でもない、中間の値のときにこそ生まれるものなのだ。『存在論的、郵便的』の読者であれば、ぼくがその著作で、誤配について考えることは確率について考えることだと記していたことを覚えているかもしれない[★6]。人間社会をモデル化するために「確率的」な「つなぎかえ」を導入すること、その操作はまさに、哲学的には、人間社会の基礎を理解するために、コミュニケーションの誤配を導入したことに相当するものだと解釈することができる。

もう少し数学の話を続けよう。ネットワーク理論が発見したみっつめの特徴は「スケールフリー」である。これは人間社会の不平等性を表現している。

もういちど図3の三つのグラフを見てほしい。図3bのグラフは、まえにも述べたように、図3aの枝を特定の確率でつなぎかえて得られたものである。図3aではすべての頂点が同数の枝に接続していたので、つなぎかえは枝数に偏りを生じさせる。実際、図3bの点Aは三本の枝に接続しているが、点Bは四本の枝と接続している。この不平等はランダムグラフだとさらに拡大する。図3cの点Aは八本もの枝を伸ばしているのに対して、点Cは一本としか接続していない。これは言ってみれば、あるひとには八人の友人がいるが、別のひとにはひとりしか友人がいないような状況を表している。

ネットワーク理論では、頂点に接続する枝の数を、その頂点の「次数」と表現する。枝数が偏っていることは、「次数が一様に分布していない」と表現される。スモールワールドグラフやランダムグラフでは次数分布は必ず偏る。

スケールフリーは、その次数分布に関する特徴を指す言葉である。それは、ここまで見てきたふたつの特徴（スモールワールド性）とは異なり、ネットワークの「かたち」そのものから導かれるものではない。スケールフリーは、頂点と枝の関係に統計的処理を施してはじめて見えてくる特徴なのである。

スケールフリー性を発見したのは、さきほども名前を挙げたバラバシとアルバートというふたりの研究者である。それは、理論よりもさきに現実の観察で発見されている。

スケールフリーは、スケール＝規模からフリー＝自由、すなわち規模にかかわらず分布が同じかたちをとるという特徴を指す言葉である。スケールフリーなネットワークにおいては、たとえば、枝が一〇本の頂点の総数から一〇〇本の頂点の総数への減りかたが、枝が一〇〇本の頂点の総数から一〇〇〇本の頂点の総数への減りかたに等しくなる。それゆえ、どれだけ枝数が多い頂点を起点としても、さらに枝数が多い頂点が見つかる可能性がけっしてゼロにならない。ひらたく言えば、

★6 『存在論的、郵便的』、118頁以下。

膨大な数の枝が集中する頂点が少数だが必ず存在し続けるわけである。これがスケールフリーなネットワークの特徴である。したがって、それは「不平等」なネットワークとも言われる。

バラバシたちは、一九九〇年代の末、インターネット（正確には、HTMLで書かれたページの集合体であるワールドワイドウェブ）の大規模な構造分析を行い、当時のウェブにまさにそのような特徴があることを発見した。ウェブページを頂点、ハイパーリンクを枝と考えると、ページに集まるリンクの数は次数となるが、その次数がまさにスケールフリーに分布していた。つまり、ごく少数の強いページ（ハブと呼ばれる）に膨大な数のリンクが集中している一方、大多数のページにはほとんどリンクが貼られていなかったのである。これは、別の観点から言えば、大多数のページに、実質的には読まれる機会がほとんど与えられていなかったことを意味している。ネットの誕生はあらゆる人々に情報発信の機会を与えるものだと考えられていたので（いまでもそのような理想を信じているひとはいる）、この発見は衝撃を与えた。そしてそれは同時に、理論的にも大きな問題を投げかけた。というのも、そのような偏りが生まれる理由は、既存の理論ではうまく説明できなかったからである。

バラバシたちはその謎に挑戦した。ここからさきは複雑系科学の理論が関係しており簡単には要約できないのだが、そこで彼らが行ったのは、ひとことで言えば、ワッツたちのモデルに「成長」と「優先的選択」というふたつの概念を導入することである。

ここで成長とは、ネットワークに新しい頂点が加わることを意味し、優先的選択とは、その新しい頂点が既存の頂点に枝を張るときに、接続先として高い次数をもつ頂点を優先して選ぶ（高い次数をもつ頂点を選ぶ確率が高い）という条件づけを意味している。それらふたつの概念の導入は、あえて哲学的に解釈すれば、バラバシたちが、ネットワーク理論に時間や主体（方向性）の概念を導入したことを含意している。ワッツたちのモデルは静的で機械的なものだった。頂点の増加は考慮されていなかったし、枝のつなぎかえもスモールワールドグラフを生みだすための仮設的操作にすぎなかった。けれどもバラバシたちは、そこに時間を導入し、枝のつなぎかえが頂点の参入にともない日常的に起きているようなモデルを組み立てた。結果として、ワッツたちのモデルでは枝に方向性がなかったが、バラバシたちのモデルでは枝に方向性が生まれることになった。後者のモデルでは、新しい頂点こそが古い頂点のなかから接続先を「選択」するのであって、その逆は成立しないからである。

スモールワールドグラフは、メンバーのみなが仲間に恵まれ、たがいに極端に遠い距離にもならない、そんな幸せな関係を表現しているように見える。ワッツたちによればそれが人間社会の数学的表現である。しかし、もしそこに定期的に新規参加者が加わり、しかも彼らがみな基本的に、すでに友人を多くもつ参加者をこそ優先し友人として選んでいくのだとすれば？　バラバシたちは、あえて社会学的に表現すればそのように問いを立てた。実際、人間はしばしばそのように友人を選択するし、新設のウェブページもまたなるべく強いページをリンク先に選ぶだろうから、この仮定は現実的である。そしてバラバシたちは、成長と優先的選択の仮定を入れてシミュレーションを動かすと、じつに多くのモデルでスケールフリー性が現れることを証明してしまったのだ。

ところで、このスケールフリーは、統計学では「べき乗分布」と呼ばれる確率分布で現れる特徴である。べき乗分布は「べき乗則」あるいは「べき則」と呼ばれる数式にしたがう。べき乗則とは$1/k^r$のような式を指している。ここでrは分布固有の定数で、kのほうが変数である。ネットワークの次数分布がスケールフリーであるとは、次数kの頂点が現れる確率$p(k)$が$1/k^r$の式で与えられるような、そういう数学的性格をもつことを意味する。

べき乗則の特徴は、$p(k)$の値が、最初は急速に減衰するが、kが大きくなってもなかなかゼロに近づかないことにある。図5を見てほしい。$p(k)$はk^rに反比例する。定数rが3のべき乗分布を考えると、$p(k)$はkが2のときは2^3分の1すなわち8分の1、kが3のときは3^3分の1すなわち27分の1になる。あっというまにゼロになりそうに見えるが、しかし、kが100になっても、$p(k)$

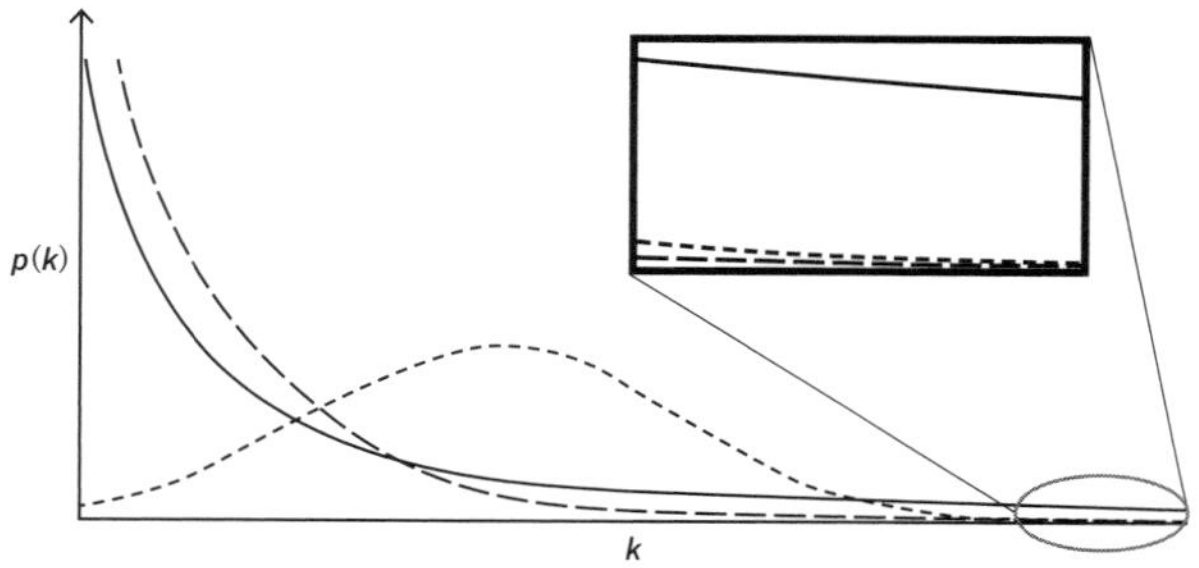

図5
増田直紀、今野紀雄『「複雑ネットワーク」とは何か』、99頁をもとに制作。
べき乗則（———）と指数則（– – –）と正規分布（---------）の比較。
図の曲線は分布の特徴を表すイメージであり数学的に正確ではない。

は1000の3乗分の1すなわち1000万分の1にすぎない。一〇〇万回にいちどは起こる、すなわち一〇〇万人いたらひとりはいるという数字なので、けっしてゼロとは言えない。

この特徴は、べき乗則が、平均から極端に離れた値をもつ標本も少数だが存在する、そのような事象の分布を説明するときに力を発揮することを意味している。前述のようにそれはウェブページの被リンク数の分布をうまく説明するが、身近な例ではほかにも、年収や資産の分布がこの法則にしたがうことが知られている。しばしば指摘されるように、「平均年収」は必ずしも多数派の年収を意味しない。平均よりもはるかに高額の年収を稼ぐ人々が存在し、その数値が平均を引きあげているからである。いま日本人の平均年収は四二〇万円ほどと言われているが（二〇一五年の民間給与実態統計調査）、その一〇〇倍（四億円）を稼ぐ人々はめずらしくない。一〇〇〇倍（四〇億円）を稼ぐ人々も少なからずいる。一万倍（四〇〇億円）すらいるかもしれない。べき乗則は、きわめて極端な数値をとる例も少数だが存在し続ける、このような分布をうまく説明する。その特徴は図5に描かれたようなグラフの形状から（右側に長い尾が伸びているように見える）「ロングテール」と呼ばれたりする。スケールフリーとロングテールは、同じ確率分布の特徴を指している。

確率分布にはほかの数学モデルも存在する。ただ、このロングテールは説明できない。たとえば、身長や体重など、人間の身体的特徴についての分布はほぼ「正規分布」にしたがうことが知られている。正規分布では、平均値の標本の数がもっとも多く、そこから離れるにしたがって急速に減っていく。数式は煩雑になるので紹介しないが、正規分布では平均から極端に離れた標本は存在できない。実際、ぼくたちは平均身長の一〇〇倍や一〇〇〇倍の人間に出会うことはない。
他方で、べき乗則と似た数式としては指数則$1/r^k$が存在する。この式にしたがう分布（指数分布）は、いっけんべき乗分布と似たかたちを示すが、やはり最終的には異なった性格を示す。いまかりに、定数3の$p(k)$がべき乗則ではなく指数則に、つまり$1/k^3$ではなく$1/3^k$にしたがうのだとすると、kが１００のときには、確率の分母は１００の３乗（一〇〇万）ではなく３の１００乗となる。これは、五〇〇〇億の一兆倍の一兆倍の一兆倍分の一という数字（五のあとにゼロが四七個続く巨大な数字の逆数）であり、ほぼゼロと言ってよい。つまり、べき乗分布ではk＝１００の事象の出現が説明できるが、指数分布ではk＝１００の事象の出現は説明できないのである。

ぼくはさきほど、バラバシたちが、ネットワークのシミュレーションに成長と優先的選択の仮定を入れることで、このべき乗分布（スケールフリー）を再現することに成功したと紹介した。それは裏返せば、彼らが、べき乗分布が生まれるメカニズムを、たったふたつの仮定を用いて説明してしまったことを意味している。じつはバラバシたちの仕事のほんとうの衝撃はこちらにある。

というのも、このべき乗分布はじつは、ウェブページの被リンク数や年収の分布にかぎらず、さまざまな統計に共通して現れることが知られているからである。しかもそれは、社会現象だけでなく自然現象にも現れる。たとえば、都市の規模と数の関係、論文の引用頻度と点数の関係、戦争の規模と発生数の関係、書籍の部数と出版点数の関係、金融危機の規模と発生数の関係、地震の大きさと頻度の関係、大量絶滅における絶滅種数と頻度の関係などが、みな共通してスケールフリーの特徴を示すことが知られている。

つまりは、人間の年収分布と地震の頻度分布はほぼ同じかたちをしており、しかもそのかたちはいまや、ネットワーク理論のモデルを使えばシミュレーションで簡単に再現できるというのである。だとすれば、バラバシたちの理論は、自然科学と社会科学の境界を越え、さまざまな現象を説明する統一言語になりうるのではないか？　彼らの研究からしばらくのあいだ、そのような興奮が世界を駆けめぐった。その熱狂は、科学ライターのマーク・ブキャナンが二〇〇〇年に出版した『歴史は「べき乗則」で動く』(原題は *Ubiquity*)や、バラバシ自身が二〇〇二年に出版した啓蒙書『新ネットワーク思考』(原題は *Linked*)などによく伝えられている。たとえばブキャナンはつぎのように記している。「研究者たちはここ数年で、この現象の数学的特徴を、私がここまで取り上げてきたすべての激変の仕組みのなかに、そして、伝染病の流行、交通渋滞の発生、職場での管理職から部下への指示の伝わり方などといった、いろいろな場所に見出してきた。そしてもっとも重要な事実として、原子、分子、生物種、人間、さらには思考といった、あらゆる物事のネットワークは、どれも同様の方法で自らを組織化していくという目立った傾向をもっていることが発見された」。「数学は人間社会に対しても通用しうる[……]。もちろん個々の人間がどう行動するかは分からないが、何万もの人間からどんな傾向が現われるかということなら分かるかもしれない」[★7]。

ブキャナンの本の最終章は「歴史物理学の可能性」と題されている。歴史的事件のメカニズムをネットワーク理論で分析する物理学という意味だが、そのような新しい唯物論がどこまで実現可能なものなのか、本論では踏みこむことはしない。ただ、いずれにせよ、人間社会がネットワーク理論でモデル化でき、そしてそこにスケールフリーの特徴が現れるというバラバシたちの発見が、一九世紀の史的唯物論（共産主義）や二〇世紀の構造主義に続き、人間社会の構造をあたかも自然現象であるかのように説明する言説の可能性をひさしぶりに開いたことはたしかである。

ぼくはさきほど、スケールフリー・ネットワークは不平等なネットワークだと記した。しかしここで「不平等」を人間中心主義的な意味に理解してはならない。古い頂点のなかから有力な頂点が優先的に選択されるとは、たしかに、富めるものはますます富み、友人の多いものはますます多くの友人を集め、評価の高いものはますます評価を集め、それゆえに貧しいものはますます貧しくなるということである。実際、ぼくたちが生きる二一世紀の資本主義評価経済社会はそのようにつくられている。

しかし、それはけっして富めるものが貧しいものを「搾取」しているからではない。そもそも数学的観点からすれば、富めるものと貧しいものの区別はほとんどない。ネットワーク理論は、全体の次数分布にのみ関わり、頂点の固有性には関知しない。地震（岩盤の歪みの集中）が一定の確率で起こるように、富の集中も一定の確率で起こる。理論は世界の富の偏りは予測できるが、だれが富むのか、だれが貧しくなるのかは予測できない。富の偏りは、一部の富めるものがつくるのではなく、ネットワークの参加者ひとりひとりの選択が自然に、しかも偶然に基づいてつくりだしていくのだ。それが、バラバシたちの発見の教えである。

4

それでは哲学に戻ることにしよう。以上の知見は、本書の観光客論になにを付け加えてくれるのだろうか。

ネットワーク理論は、哲学ではなく数学である。数学は概念だけでなく数式を使う。ここまで紹介した「つなぎかえ」「近道」「成長」「優先的選択」といった日常的な意味で理解できるように見える言葉にも、ほんとうはそれぞれ厳密な定義があり、数値的操作が可能になっている。それが数学の特性であり、その思考法は哲学とは——少なくとも本書のようなスタイルの哲学とは——まったく異なっている。

したがって、ぼくのような書き手が、概念の魅力に惹かれて数学の成果を引用するのは危険なことである。ただでさえ、現代思想は数学の援用について信用を失っている。読者のなかには、二〇年ほどまえ、フランス系の現代思想が、数学を自己流に解釈して妄言を弄する疑似科学として厳しく批判されたことを覚えているかたもいるだろう[★8]。そのような読者には、本章の記述もすべて

★7 マーク・ブキャナン『歴史は「べき乗則」で動く』水谷淳訳、ハヤカワ文庫NF、2009年、31、263頁。
★8 アラン・ソーカル、ジャン・ブリクモン『「知」の欺瞞』田崎晴明ほか訳、岩波現代文庫、2012年参照。

妄言に見えるかもしれない。

にもかかわらず、そのリスクを承知のうえで記せば、ぼくはここで、以上のネットワーク理論の知見を、前章までの二層構造論の一種の基礎づけとして利用することを提案したいと思う。基礎づけという表現が強すぎるのであれば、逆に二層構造論のほうを、以上のような数学的知見の人文的解釈として再定義したいのだと言ってもよい。その作業があって、はじめて本書の観光客論は実質を獲得する。

ぼくは前章で、帝国と国民国家の二層構造は「イメージ」だと記した。ナショナリズムの時代においては、国民国家（ネーション）のひとつひとつが独立の人間で、それらが集まって国際社会をつくると「イメージ」されていた。現代では、国民国家は独立性を失っており、国境を越えてつながる巨大な身体＝経済のうえに、国境を再構築しようとする無数の顔＝政治が乗っかっていると「イメージ」される。イメージだからといって、それらの議論が無意味なわけではない。人間は結局のところイメージで動くのであり、イメージの差異は現実の差異につながる。とはいえ、帝国と国民国家の二層化そのものがイメージにすぎないのだとすれば、両者を往復する観光客＝郵便的マルチチュードという本書の提案もまたイメージの刷新にすぎないことになり、マルチチュードをめぐる議論はまた神秘主義的でロマン主義的な自己満足（「観光客として生きよう！」）に戻ってしまうだろう。

ぼくはその隘路を避けたい。だから、あえてリスクを冒して数学を引用するのである。帝国が実体であり、国民国家も実体であり、郵便的マルチチュードも実体であり、それらについて生産的に議論することが可能であることを示すために、社会思想とネットワーク理論が交差する可能性に触れておきたい。

社会思想がネットワークのかたちに注目する事例は、けっして本書がはじめてではない。むしろこの点ではぼくは先行世代を継承している。

いまから三〇年ほどまえ、現代思想で「ツリー」と「リゾーム」という対置が流行したことがあった。それは、ドゥルーズがフェリックス・ガタリとともに一九八〇年に出版した『千のプラトー』で提案された対置である（元論文は一九七六年）。そこで示唆されていたのはまさに、二〇一〇年代の言葉で言えば、ふたつの異なったネットワークのかたちをもとに、ふたつの異なった社会思想を構想する可能性だ。

ツリーは木を、リゾームは根茎を意味する。木と根茎のイメージそのものについて言えば、両者を対置するのは数学的に正確とは言えない。二一世紀のネットワーク理論では、むしろ木と格子が対置されている。木と格子の決定的なちがいは、木では一周して出発点の頂点に戻ってくることができないが、格子では戻ってくることができるところにある。木では枝先と枝先は接続しない。格子では接続する。この点では根茎は木に属する。ドゥルーズとガタリは「リゾームのどんな一点も他のどんな一点とでも接合されうるし、接合されるべきものである」と記しているが[★9]、そうであれば彼らはそれを、根茎ではなく格子と呼ぶべきだっただろう。

しかし、ここで重要なのは、そのような正確さ以前に、とりあえずは思想家たちが、すでに三〇年もまえに、木よりも複雑なかたちをした、なにかしら新しいネットワークのモデルを基礎に新しい社会分析の言語を作ろうとしていたという事実のほうである。木、すなわち幹があり枝があり、分岐が一方向的で、単数の起点があり複数の終点があるネットワークのモデルは、軍や党や巨大企業のような、ひとりのトップを抱え、その命令が位階をたどり順々に現場へと「降りていく」ような近代的な社会組織と親和性が高い。それゆえ、逆にポストモダニストたちは、そのような樹木状のものではない、別のかたちのネットワークについて考えようとした。そこで現れたのがリゾームという言葉である。ツリーとリゾームの対置は、前章で見たネグリたちの議論にも入りこんでいる。『帝国』には、リゾームの概念とインターネットのネットワーク構造（「非‐階層的で非‐中心的なネットワーク構造」）を等置し、マルチチュードの活動の場はリゾームだと述べた箇所がある［★10］。彼らの理論では、国民国家の体制はツリーをモデルとして、帝国の体制はリゾームをモデルとして考えられている。

ポストモダニストたちは、近代社会とポストモダン社会では、権力が伝播する人間関係のかたちそのものがちがうし、対抗運動のありかたもちがうと考えた。その直観はおそらく誤ってはいない。一九世紀と二一世紀では人間関係のありかたはずいぶんと異なるし、それは政治的な差異も生みだしている。たとえば、一九世紀にはＳＮＳはなかったし、ＳＮＳによる動員もなかった。けれどもドゥルーズたちは、リゾームについてじつにあいまいな観念しかもっていなかった。ツリーとリゾームの差異についても、計量可能な指標で分析する手段をもっていなかったし、またもてるとも思っていなかった。すべてはイメージの話でしかなかった。それゆえ彼らの規定は、「リゾームには始まりも終点もない、いつも中間、もののあいだ、存在のあいだ、間奏曲なのだ」といった、あまりにも文学的な表現に終始することになった[★11]。この前提のうえでは、国民国家がツリーで、帝国あるいはマルチチュードがリゾームだと主張したとしても、結局は印象論すなわちイメージの域を出ない。ネグリとハートのあいまいさは、遡ればドゥルーズとガタリのこのあいまいさに帰着する。さらに付け加えれば、前章でも指摘したように、いま重要なのは国民国家から帝国への移行でなく両者の重ね合わせ(二層化)だが、ツリーとリゾームの概念はそもそも重ね合わせることができるように作られていない。それもまた概念のあいまいさに起因する。

しかし、二〇一七年のぼくたちは、ネットワークについて、かつてのドゥルーズたちには想像もできなかったような強力な数学的理論をもっている。だとすれば、ぼくたちはいまこそ、ネットワーク理論の知見を導入することによって、上記のあいまいさを払拭し、ドゥルーズやネグリの議論を科学的でかつ政治的にも有効なものとして再生すべきなのではないか。

★9 ジル・ドゥルーズ、フェリックス・ガタリ『千のプラトー』上巻、宇野邦一ほか訳、河出文庫、2010年、23頁。日本での「リゾーム」の理解と受容については、浅田彰『構造と力』、勁草書房、1983年参照。
★10 『〈帝国〉』、385頁。
★11 『千のプラトー』上巻、60頁。訳文一部改変。

ではそれは具体的にどのように導入すべきなのか。ぼくたちには、ツリーとリゾームではなく、スモールワールドとスケールフリーという新しい概念が与えられている。ツリーとリゾームは、異なったネットワークの異なったかたちを名指す言葉だった。だから重ね合わせることができなかった。スモールワールドとスケールフリーは、同じネットワークの異なった水準の特徴を名指す言葉である。だから重ね合わせることができる。

だとすれば、国民国家と帝国の体制の差異についてのネグリたちの議論を、ツリーとリゾームをモデルとするのではなく、スモールワールド性とスケールフリー性を軸にすることで更新できないだろうか。

ぼくはここではまだ、ポストモダンの社会思想の数学的再生の道すじについて、荒っぽいアイデアしか語ることができない。しかし、その前提のうえで語れば、ぼくはいまつぎのようなことを考えている。

人間の社会にはスモールワールド性とスケールフリー性がある。一方には多数のクラスターがつくる狭い世界があり、他方には次数のべき乗分布がつくりだす不平等な世界がある。ここまでは数学的真理である。

しかし、だとすれば、それは、ぼくたち人間が、同じ社会をまえにしてそこにスモールワールド性を感じるときとスケールフリー性を感じるときがあることを意味しているのだと、そのように解釈することができないだろうか。

ぼくたちひとりひとりは、数学的にはネットワークの頂点である。そして頂点と頂点の関係は、スモールワールド＝スケールフリー・ネットワークにおいては、一本の枝で結ばれたふたつの対等な頂点としても、接続する枝の本数に大きな差を抱えた不平等な頂点としても解釈することができる。前者はネットワークのかたちに注目したときの解釈であり、後者は次数分布に注目したときの解釈である。実際に、それに対応するかのように、ぼくたち人間は、もうひとりの人間（他者）をまえにしたときに、一対一で向かいあう対等な人間だと感じるときと、富や権力のあまりの格差に圧倒されるだけのときとがある。アーレントは、否、彼女だけでなく二〇世紀の人文系の思想家たちの多くは、その前者の関係こそが人間本来のありかたであり、後者では「人間の条件」が剝奪されていると考えた。けれども、ほんとうはその両者はひとつの関係のふたつの表現であり、つねに同時に感覚されていると考えるべきなのだ。その同時性あるいは二面性は、二〇一七年現在のSNSであれば、たとえば、フォロワー数一〇〇ていどの無名のツイッターユーザーがフォロワー数一〇〇万の著名人にリプライを送り、たまたま返信が返ってきたような局面を考えれば、たやすく理解することができる。そのリプライは、一対一のコミュニケーションではあるが、同時にまた無数のリプライのひとつでしかない。そしてそのふたつの解釈はともに正しい。その矛盾は複雑ネットワークの構造から数学的に導かれている。

ぼくたちはつねに、同じ社会＝ネットワークをまえにして、スモールワールドなかたちとスケールフリーな次数分布を同時に経験している。しかし、だとすれば、こんどは、そのふたつの経験から、ふたつの秩序、ふたつの権力の体制が生まれるとは考えられないだろうか。「人間の条件」とその外部、政治とその外部、国民国家と帝国、規律訓練と生権力、正規分布とべき乗分布、人間がひとりひとり人間として遇されるコミュニタリアンなコミュニケーションの圏域と人間が動物の群れとしてしか計数されないリバタリアンな統計処理の圏域とが、同じひとつの社会的実体のふたつの権力論的解釈として同時に生成するのだと、そのように考えることはできないだろうか。

　頂点ひとつひとつを見れば、スモールワールドの秩序が見える。頂点全体の次数分布を見れば、スケールフリーの秩序が見える。ネグリたちが提示した国民国家と帝国なるものは、おそらくは、そのそれぞれの数学的秩序に適応し進化した権力形態が集りつくりだした、ふたつの固有の体制の名称なのだ。国民国家の規律訓練は、クラスターの三角形を伝って頂点ひとつひとつに、つまり人間ひとりひとりに働きかける。それに対して、帝国の生権力は、頂点全体の次数分布を直接に、つまり構成員の全体を群れとして統計的に管理しようとする。

　もしそうだとすれば、国民国家と帝国の二層化は、数学的な必然で支えられた構造であることになる。人類社会がひとつのネットワークであるかぎり、そこには必ず、スモールワールドの秩序を基礎とした体制とスケールフリーの秩序を基礎とした体制が並びたつ。ぼくたちはもはやナショナリズムの時代に戻ることはないが、かといってグローバリズムの時代に完全に移行することもない。スモールワールドの秩序の担い手がいまのような国民国家でなくなる可能性はあるかもしれないが、人間が人間であるかぎり、世界がスケールフリーの秩序に覆い尽くされることはありえないだろう。人類全体がひとつのネットワークに包まれ、スモールワールドの秩序とはべつにスケールフリーの秩序が、すなわち、つながりのかたちとはべつに次数分布の統計的真理が見えるようになるためには、交通や情報の技術がある段階に到達する必要がある。動物たちの真理を二世紀にわたって政治と哲学的思考の外部に放逐し続けたヘーゲルのパラダイムは、技術がその段階に達せず、まだ多くの人々にスモールワールドの秩序しか見えていなかった時代の社会思想にすぎなかったのではないか。

以上は仮説である。それもかなり大胆な仮説である。本書で見てきた人文的な議論とネットワークについての数学をこのように接続するためには、ほんとうはまったくあらたに本を書き下ろすぐらいの長い準備が必要なはずである。ぼくもさすがに、右記のような粗っぽい記述だけで読者のみなさんを説得できるとは考えていない。この提案は、また別の機会に補われる必要がある。

にもかかわらず、ここでそのアイデアをあえて粗いままでも提示しているのは、ツリーとリゾームのモデルをスモールワールドとスケールフリーの概念で置き換える以上のような読み替えこそが、観光客＝郵便的マルチチュードの発生機序と戦略について、神秘主義に陥らない洞察を与えてくれるように思われるからである。

ネグリたちは、帝国の体制をリゾームのかたちをした秩序として捉えた。しかしリゾームについいてはっきりとした観念をもってはいなかった。したがって、マルチチュードの発生については、それは帝国＝リゾームの内部から反作用として現れるはずだと記すだけで、それ以上の記述はできなかった。

しかし、帝国の体制をスケールフリーが生みだす秩序として捉え返し、スモールワールドの秩序との共存を説く本書の提案は、マルチチュードの発生についてまったく異なった説明を可能にする。そしてまた、その新たなマルチチュードが取る戦略についても、信仰告白に陥らない具体的な指針を与えてくれる。その指針こそが、本書がここまで長いあいだ目指してきた、観光客の哲学を支える核心的な洞察であり、本書の結論である。

新たなマルチチュードは、リゾーム＝帝国そのものが生みだしたにもかかわらずその秩序を内部から切り崩すといった、正体不明の自己言及的な否定作用を名指す魔法の言葉なのではない。人文思想の世界はそのような魔法の言葉ばかりで、ぼくはその状況にうんざりして本書を書き始めた。ぼくが本書で提案する観光客、あるいは郵便的マルチチュードは、スモールワールドをスモールワールドたらしめた「つなぎかえ」あるいは誤配の操作を、スケールフリーの秩序に回収される手前で保持し続ける、抵抗の記憶の実践者になる。

どういうことか。最後に、その洞察にいたる論理とその彼方に現れる新しい思想的課題に触れて、第一部を閉じることにしよう。

5

ワッツとストロガッツは、スモールワールド性を考えるなかで「つなぎかえ」と「近道」を発見し、バラバシとアルバートは、スケールフリー性を考えるなかで「成長」と「優先的選択」を発見した。ネットワーク理論のその歩みは、まるで、ホッブズやロックやルソーら、数世紀前のヨーロッパの哲学者たちを魅了した、社会の起源をめぐる「神話」の新種であるかのようにも見える。

これは彼らの発見に対する批判ではない。むしろそれが哲学的な深みに届いているという評価である。ここで「神話」とは、ある洞察の論理的な展開を、あたかも歴史的な展開であるかのように見なして再構成する、物語風の記述形式を意味している。哲学者はしばしばそのような記述を好む。たとえばニーチェの有名な『悲劇の誕生』は、まさにギリシア悲劇についての「神話」を記した著作である。ネットワーク理論の歩みは、そのような意味での神話の要件を満たしている。最初に硬直した格子グラフがあり、つぎにスモールワールドグラフが生まれ、最後にスケールフリー性が創発する。その展開は、まるでそのまま社会の起源であるかのように読むことができる。

人間は仲間＝三角形をつくる。仲間をいくつも重ねることで共同体をつくる。けれどもそれだけでは社会は生まれない。

社会が生まれるためには、多数の三角形が短い距離で結ばれなければならない。そうでなければ、人間の世界はひとつの社会にまとまることなく、無数のばらばらの仲間＝三角形へと分解してしまう。

ではなにが仲間＝三角形を結ぶのか。それが「つなぎかえ」である。つなぎかえが生みだす「近道」が、人々を近くの三角形から遠くの三角形へと連れだし、他者との出会いに誘う。

それは社会思想の言葉では家族から市民社会への変化の過程に相当する。三角形が家族あるいはその拡張としての部族共同体や村落共同体を示すとすれば、つなぎかえで結ばれる三角形の集積は、匿名の市民が集まる市民社会だと考えられるだろう。ワッツたちは、共同体から市民社会へのこの変化こそを数学の言葉で記述した。つなぎかえが生みだすのは、社会学の言葉で言えば流動性であり、デリダの言葉で言えば「誤配」である。格子グラフは、つなぎかえの導入でスモールワールドグラフに変わる。それはつまり、共同体が誤配の導入で市民社会に変わるということである。

けれども、この過程には罠が隠れている。つなぎかえは本来は確率的なものである。つまり新たな接続先の選択を偶然に委ねるものである。だからこそ、それは遠く離れた三角形を短絡し、人々を他者に出会わせ、共同体を社会へと変える機能をもっていたのである。

ところが、社会の複雑さがある臨界を超え、新たな頂点が頻繁にネットワークに参入するようになると、つなぎかえそのものが変質し、その多くはもはや偶然に委ねられるものではなくなってしまう。バラバシたちは、そこで生まれた新たなつなぎかえを「優先的選択」と名づけた。

この優先的選択の出現は、ネットワークの性質を大きく変えてしまう。スモールワールドの時代においては、接続に方向はなかった。ふたつの頂点はただ一本の枝で結ばれているだけであり、どちらかがどちらかにつながりたいという方向性はなかった。

けれども優先的選択の時代においては、枝に方向が宿る。あるいは頂点に意志が宿る。新しい頂点こそが、古い頂点のなかから有力な頂点を選ぶ。その逆の過程は存在しない。スモールワールドの時代、枝はいわば友人間の対等な交換関係（互酬性）を表していた。優先的選択の時代においては、枝はもはや、匿名の消費者が著名な生産者に集中させる一方的な財の移転、あるいは無名の新人が古参の有名人に向ける一方的選好の表現に変わっている。この現象は、社会思想の語彙で表現すると、資本主義の誕生に相当している。あるいは、より身近な例で言えば、ＳＮＳの出現が引き起こした友人関係の変質に相当している。かつて友人関係は一対一の人間関係を表していた。フェイスブックやツイッターやインスタグラムはそれを優先的選択のメディアに変えてしまった。その結果生まれるのが、スケールフリー性であり次数のべき乗分布である。人間の社会は、かくして圧倒的な不平等に覆われていくことになる。

原始的な格子グラフは、枝の確率的なつなぎかえによってスモールワールドグラフへと変わる。共同体は市民社会へと変わる。けれども、社会を社会たらしめた誤配あるいは確率は、すぐに優先的選択（資本）へと変質し世界に圧倒的な不平等をもたらすのだ。

繰り返すが、これは「神話」である。ネットワーク理論の論理的展開を、なかば強引に歴史的展開に置き換えて作った物語である。『悲劇の誕生』に実証が欠けていたように、ぼくもまた以上の展開が事実として起きたとは考えていない。

けれども、共時的な論理を通時的な歴史として再構成すると、目のまえの世界の構造になにが欠けているのか、きわめて語りやすくなることもたしかだ。論理は、物語のかたちで語られるとはるかに理解と操作がたやすくなるのだ。哲学者がしばしば、証明不可能だと知りつつも「神話」を語るのは、彼らが人間の（数学者と論理学者以外の？）そのような特性を熟知しているからである。ホッブズにしてもロックにしてもルソーにしても、彼ら自身の「自然状態」の神話を、素直に事実として信じていたわけではなかった。

それでは、この「神話」はぼくたちになにを教えてくれるのだろうか。いくども繰り返しているように、ぼくたちは二層構造の時代に生きている。政治と経済、人間と動物、市民と消費者、規律訓練と生権力、国民国家と帝国、ナショナリズムとグローバリズム、コミュニタリアニズムとリバタリアニズムとが、それぞれ異なった原理を主張しながら、異なった秩序をかたちづくる時代に生きている。言い換えれば、ぼくたちは、いまふたつの秩序のなかに同時に生きている。だからぼくたちは、人間でありながら動物のように消費することを求められ、同時に動物でありながら人間のように政治について語ることを強いられている。ぼくたちはナショナリズムの時代に生きているのでもなければ、グローバリズムの時代に生きているのでもない。ふたつの時代に同時に生きているのだ。

その二層構造の時代に、批判や抵抗の場所はどこにあるのだろうか。いま目のまえの「この世界」への違和感を、かつてヴォルテールが『カンディード』で行ったように表明できる場所は、どこにあるのだろうか。本書が観光あるいは観光客という名のもとで追い求めてきたのは、結局はその場所である。

シュミットやコジェーヴやアーレントは、そこで国民国家＝人間の世界こそが、帝国＝動物の世界の台頭に対する抵抗の基礎になると考えた。ひらたく言えば、グローバリズムにはナショナリズムで抵抗するほかないと考えた。他方でネグリたちは、これからはむしろ帝国＝動物の世界のなかからこそ抵抗が現れると考えた。つまり、グローバリズムの内部からマルチチュードが現れるのだと考えた。このふたつの主張は、シュミットやネグリといった個別の思想家の名前を超えて、二〇一〇年代のいま、「批判的知識人」が取りうる選択肢の雛形になっている。グローバリズムの暴力に抵抗するためには、外部にあるナショナリズムに根拠を求めるか（ナショナリストになるか）、あるいは内部から生まれるはずのマルチチュードに夢を託すか（信仰にかぎりなく近い運動に身を投じるか）、そのふたつしか選択肢がない。

けれども、さきの「神話」は、まさにそこで第三の選択肢の手がかりを与えてくれるように思われるのだ。シニカルな国家主義者になるのでも盲目的なマルチチュードになるのでもない、もうひとつの抵抗の可能性の手がかりを。

もういちどさきほどの「神話」を読みかえしてみよう。ぼくたちはシュミットやネグリと異なり、国民国家の体制がいままでと同じように単独で続くとも、逆に終わってほかの体制にとってかわられるとも考えていない。それは帝国の体制と重なり、世界秩序の一部として存在し続ける。

本書の仮説によれば、国民国家はスモールワールドの秩序が生みだす体制で、帝国はスケールフリーの秩序が生みだす体制である。だから両者は、ツリーとリゾームとは異なり、矛盾なく共存することができる。そのうえでさきほどの「神話」が教えてくれるのは、帝国のその体制はけっして国民国家の体制と対立するものではなく、むしろ国民国家を生みだした契機そのもの、すなわち、スモールワールドの秩序を可能にしたつなぎかえ＝誤配そのものが変質し、偶然性を失い、組織化されることによって生みだされるということである。国民国家と帝国はともに同じ誤配から生まれている。誤配がなければ他者との出会いもないが、逆に格差もない。

だとすれば、ここでぼくたちは、グローバリズムへの抵抗の新たな場所を、帝国の外部に求めるのでもなければ、帝国の内部に求めるのでもなく、むしろ帝国とその外部とのあいだに、すなわち、スモールワールドとスケールフリーを同時に生成する誤配の空間そのもののなかに位置づけることができるのではないだろうか。誤配をスケールフリーの秩序から奪い返すこと、それこそが抵抗の基礎だと考えられないだろうか。これこそがぼくの最後の提案である。そして、ツリーとリゾームをスモールワールドとスケールフリーで置き換える本書の仮説が可能にする、ドゥルーズやネグリたちにはけっして到達できなかった構想である。

二一世紀の新たな抵抗は、帝国と国民国家の隙間から生まれる。それは、帝国を外部から批判するのでもなく、また内部から脱構築するのでもなく、いわば誤配を演じなおすことを企てる。出会うはずのないひとに出会い、行くはずのないところに行き、考えるはずのないことを考え、帝国の体制にふたたび偶然を導き入れ、集中した枝をもういちどつなぎかえ、優先的選択を誤配へと差し戻すことを企てる。そして、そのような実践の集積によって、特定の頂点への富と権力の集中には、いかなる数学的な根拠もなく、それはいつでも解体し転覆し再起動可能なものであること、すなわちこの現実は最善の世界ではないことを人々につねに思い起こさせることを企てる。ぼくには、そのような再誤配の戦略こそが、この国民国家＝帝国の二層化の時代において、現実的で持続可能なあらゆる抵抗の基礎に置かれるべき、必要不可欠な条件のように思われる。二一世紀の秩序においては、誤配なきリゾーム状の動員は、結局は帝国の生権力の似姿にしかならない。

ぼくたちは、あらゆる抵抗を、誤配の再上演から始めなければならない。ぼくはここでそれを観光客の原理と名づけよう。二一世紀の新たな連帯はそこから始まる。

この第五章は、というよりも本書のここまでの記述の大部分は、抽象的な議論に終始している。本書は哲学書なのでそれは当然と言えば当然なのだが、それでも、このような記述だけでは、新たな連帯と言われてもなにを意味するのかよくわからないという読者もいるかもしれない。

ぼくは本章のはじめに、否定神学的マルチチュードがデモに行くとすれば、観光客は物見遊山に出かけ、否定神学的マルチチュードがコミュニケーションなしに連帯するのだとすれば、観光客は連帯なしにコミュニケーションするのだと記した。しかしそれでは、ぼくたちは、デモにも行かず、ただ観光旅行に出かけ、手当たり次第に人々に声をかければ、それだけで帝国への抵抗を実践していることになるのだろうか？　むろんそんなわけはない。本書がいう観光客は、もう少し複雑な存在だ。

観光客の原理は、ぼくたちにいかなる行動の指針を与えてくれるのだろうか。その問いに対して、正面から答える余裕は残念ながら本書にはない。それにそもそも、それは答えるべき問いなのだろうかとも思う。ぼく自身としては、本書がその創刊準備号として位置づけられている年三回刊行の批評誌『ゲンロン』の出版や、あるいは第二章で触れたチェルノブイリへの年一回のツアーの実施などで、その問いに対して実践のかたちで答えているつもりである。ぼくはデモには行かない。かわりに観光を——知的な観光としての出版を含め——組織する。それが前述のような再誤配の戦略として成功しているかどうか、それは理論的にどうこうというよりも、個別の場で効果が測られるべきものだ。選挙に行けば政治、記者会見をすれば政治、デモに行けば政治というように単純には、これをすれば誤配であり観光であると例を提示することはできない。

とはいえ、最後に（これでほんとうに最後だ）、もしかしたら一部の読者には指針を与えてくれるかもしれないと期待して、アメリカの哲学者、リチャード・ローティの思想をごく簡単に紹介しておくことにしよう。この哲学者は、本書にきわめて近い世界観のもとで、連帯の可能性について考えている。

ローティは、一九八〇年代から二〇〇〇年代にかけてのアメリカを代表する、重要な哲学者である。彼の立場は「プラグマティズム」と呼ばれる。それは、ひとことで言えば、「真理」とか「正義」とかいった哲学的な言葉はじつは深淵な存在を名指しているわけではなく、ただ日常生活で便利に利用可能な実用的（プラグマティック）な符丁にすぎない、と考える立場である。

そのローティは、一九八九年の著作『偶然性・アイロニー・連帯』で「リベラル・アイロニスト」なる政治的な立場を打ちだしている。その立場の基底にあるのは、公的なふるまいと私的な信念の分裂である。

ローティによれば、現代は「公的なものと私的なものとを統一する理論への要求を捨てさる」ことが求められる時代である[★12]。なぜならば、現代の西側先進国社会では（同書は一九八〇年代に著されている）、たとえば、特定の哲学や宗教を私的に信じるのは自由だが、しかしそれを公的なものとして他人に強制し改宗を迫ることはけっして許されないからである。哲学や宗教は本来は普遍的な価値を目指す営みなので、ほんとうはこれは矛盾である。私的にだけ、すなわち個人の趣味として

★12 『偶然性・アイロニー・連帯』、5頁。本章での同書からの引用は、原著と照合し訳出しなおしている。Richard Rorty, *Contingency, Irony, and Solidarity*, Cambridge University Press, 1989, p.xv.

だけ信じることのできる宗教なるものは、もはや宗教でもなんでもない。けれども現代社会ではそれしか許されないし、そしてローティはそれでよいと考えている。それゆえ彼は、その矛盾を積極的に受け入れる立場を構想する。それがリベラル・アイロニストである。それが「アイロニスト」と呼ばれるのは、矛盾とともに生きる態度を意味するからだ。

その立場はまた、書名に登場するもうひとつの言葉、「偶然性」とも深く関係している。公的なものと私的なものの分裂を受け入れるというのは、言い換えれば、自分の私的な価値観がたんなる偶然の条件の産物であることを認めるということだからである。ぼくは、たまたま日本人だから、たまたま男性だから、たまたま二〇世紀に生まれたからこのような信念を抱いているのであり、別の条件のもとではまた別のことを信じただろう、と想像をめぐらせることだからである。ローティはつぎのように記している。「自分のもっとも高位の希望を語るときの語彙が、すなわち、自分の良心そのものが偶然の産物であることを認めながらも、しかしなおその同じ良心に対して忠実であり続けるような人々を、二〇世紀のリベラルな社会はどんどん生み出しているのである」[★13]。

このローティの思想は本書の二層構造論ときれいな符合を見せている。ローティは、現代人は公的なふるまいと私的な信念の分裂を受け入れるべきだと説く。他方でぼくは、現代人は国民国家の体制と帝国の体制のあいだに引き裂かれているという認識を記してきた。第四章で記したように、リベラリズムは一九七〇年代にいちどコミュニタリアニズムとリバタリアニズムに分解したのであり、それは世界の二層化に対応している。コミュニタリアニズムは、あらゆる信念は結局は主体が所属する共同体（国民国家）の偶然性に規定されると主張する政治思想であり、他方でリバタリアニズムは、社会の基盤（メタユートピア）はあらゆる信念に関係なく設計されるべきだと訴える政治思想である。ここでの言葉を使えば、前者が私的な信念の基礎づけに、後者が公的なふるまいの基礎づけに対応する。ぼくたちはそのようなふたつの思想が並び立つ時代に生きている。ローティの提案は、いわば、その分裂を「アイロニー」によって再縫合し、リベラリズムを逆説的に復興しようとする試みだったと捉えることができるだろう。

さて、そのうえで重要なのは、ローティがそこで、書名でも告知されているように、「偶然性」「アイロニー」に続き「連帯」について考えていたことである。ローティは私的な信念の公共化を認めない。言い換えれば、普遍的な価値の存在を認めない。それではぼくたちは、普遍的な価値の支えなしに、いったいどのようにして他者と関係を結べばよいのだろうか？　ローティはそう問いかけた。それはまた、ぼくたちがここまでさまざまなかたちで問い続けてきた問題でもある。

ローティの答えはどのようなものだろうか。じつは彼はそこで「感覚」や「想像力」といった言葉をもちだしている。ローティはつぎのように記している。「本書でこれまで主張してきたのは、わたしたちは歴史や制度を超えたものを求めないようにしようということだった。［……］わたしがリベラル・アイロニストと呼ぶのは、この感覚［連帯の感覚］が、まえもって他者と共有されたなに

★13　『偶然性・アイロニー・連帯』、101頁。*Contingency, Irony, and Solidarity*, p.46.

ものかについての認識としてあるのではなく、むしろ他者の生の細部への想像的な同一化の問題としてあるような、そのような人々のことである」[★14]。つまりは、連帯は共感の力で広がるのだと、ローティはそう記している。

ローティは普遍的な理念を信じない。だから連帯の基礎として言語や論理は使えない。プラグマティストの彼が頼ることができるのは、具体的な経験だけである。だとすれば、このような結論にたどりつくのは不可避だと考えられる。

この結論は少なからぬ読者の失望を招くことになった。共感可能性に基づく連帯などというものは、結局のところ異質な他者の排除を意味するだけではないか、それではほんとうの連帯とは言えないのではないかと厳しい批判を受けた。実際、ローティはのち一九九八年に出版した『アメリカ 未完のプロジェクト』では、国家や伝統に対する「誇り」の機能についておおむね肯定的に語っている。その知識をもって遡行して読むと、『偶然性・アイロニー・連帯』での連帯についての記述もまた、ナショナリズムへの回帰の萌芽のように見えなくもない。

しかしぼくは、ローティがそこで示そうとしていたものは、じつは本書が「誤配」という言葉で名指したものの可能性に近かったのではないかと――少なくとも『偶然性・アイロニー・連帯』の記述をそのように読みなおすことは可能なのではないかと――考えている。というのも、さきほどの引用にも示されているように、彼がそこで連帯の基礎にしようとしたものは、民族や宗教や文化のような大きな帰属集団が生みだす大きな共感ではなく、あくまでも個人単位での、きわめて具体的な、そして偶然的な「細部」への感情移入にすぎなかったからである。「われわれ」の感覚は、むしろその細部への共感のあと、事後的かつ遡行的に生みだされる。ローティは『偶然性・アイロニー・連帯』の最後のページで、彼の考える連帯をつくりだすのは、「あなたは、わたしが信じ欲することと同じことを信じ欲しますか」という問いではなく、すなわち共通の信念や欲望の確認ではなく、単純に「苦しいですか?」という呼びかけなのだと述べている[★15]。

たまたま目のまえに苦しんでいる人間がいる。ぼくたちはどうしようもなくそのひとに声をかける。同情する。それこそが連帯の基礎であり、「われわれ」の基礎であり、社会の基礎なのだとローティは言おうとしている。これはまさに、つなぎかえがスモールワールドグラフを作った、あの誤配の作用そのものなのではなかろうか。

ローティはルソーにほとんど触れていない。けれども、『一般意志2・0』でも記したように[★16]、ぼくはここでつねにルソーを思い出す。第三章の冒頭で記したように、ルソーは人間が好きではなかった。人間は人間が好きであるはずがないと考えていた。人間は社会をつくりたくないはずだと考えていた。

★14 『偶然性・アイロニー・連帯』、396-397頁。*Contingency, Irony, and Solidarity*, pp.189-190. 強調を削除。

★15 『偶然性・アイロニー・連帯』、411頁。*Contingency, Irony, and Solidarity*, p.198. 邦訳では引用箇所は最終ページではない。

★16 『一般意志2・0』、213頁以下。

にもかかわらず、人間は現実には社会をつくる。なぜか。ルソーが『人間不平等起源論』で提示した答えは「憐れみ」だった。憐れみとは、「われわれが苦しんでいる人々を見て、よく考えもしないでわれわれを助けに向かわせる」ものであり、「各個人において自己愛の活動を和らげ、種全体の相互保存に協力している」働きである[★17]。もし憐れみがなければ、人類はとうのむかしに滅びていただろうとルソーは記す。憐れみこそが社会をつくり、そして社会は不平等をつくる。それはとても誤配に、そして「つなぎかえ」に似ている。

ルソーもローティもおそらくは誤配の哲学者だったのだ。誤配こそがヘーゲルが見なかったものであり、そしてぼくたちがいま回復しなければならないものなのだ。観光客の哲学とは誤配の哲学なのだ。そして連帯と憐れみの哲学なのだ。ぼくたちは、誤配がなければ、そもそも社会すらつくることができない。

★17 原好男訳、『ルソー全集』第4巻、白水社、1978年、224頁。

第2部

家族の哲学（導入）

第6章　家族

1

ここからは第二部である。第一部では、二一世紀の世界が、政治の層と経済の層、ナショナリズムの層とグローバリズムの層、国民国家の層と帝国の層の二層構造で捉えられること、そして、そんな時代の新しい政治の起点として、二層をつなぎ誤配の可能性を増す「観光客」あるいは「郵便的マルチチュード」の存在が重要になることを明らかにした。観光客のありかたから新たな哲学を構想するという本書の目的は、第一部であるていど達成されたことと思う。

そこでこの第二部では、第一部の延長線上で、「不気味なもの」と「子ども」の概念を考えるふたつの考察を掲載する。それが続く第七章と第八章である。

ただし両者は草稿で、第一部の各章のようにはまとまった議論になっていない。議論の飛躍や省略が随所にある。なによりも、それらは、哲学の論文というより、むしろ文芸批評やエッセイに近い文体で記されている。ここまでの議論をきちんと追ってきた読者は、その変化に困惑するかもしれない。にもかかわらず両者を掲載するのは、たとえ未完成でも、それらの考察を収めないと本書の構想は完結しないと思われたからである。

ふたつの草稿は、いっけんかなり離れた主題を扱っている。第七章は、「サイバースペース」という一九八〇年代に現れた言葉を手がかりに、情報社会の新たな主体について論じている。他方で第八章は、一九世紀半ばのドストエフスキーの小説を読み解き、テロリストを超える主体の可能性を探ろうとするものである。扱っている対象も時代も大きく異なる。けれどもふたつの考察はともに、第一部の議論から導かれる同じ問いに関係している。それはアイデンティティに関する問いである。

この二層構造の時代においては、人々のアイデンティティもまた大きくふたつに分かれている。グローバリズムのなかに生き、国境を越えて商売を展開しているリバタリアンなビジネスマンたちは、個人だけを拠りどころにして生きている。彼らは、どこの国にもどこの歴史にも属さず、貨幣を頼りに（コジェーヴ的な意味で）動物的な快楽を追求している。対照的に、ナショナリズムのなかに生き、国境の内側でいわゆる「政治」に一喜一憂しているコミュニタリアンな市民たちは、いまだ国民国家を拠りどころにして生きている。彼らは、特定の国の特定の歴史に属し、先行世代の負荷のなかで（アーレント的な意味で）人間的な生を追求している。個人か国家か。このふたつのみが、二一世紀のいま世俗化した（脱宗教化した）社会で機能するアイデンティティであり、それはまた世界の二層構造とも対応している。だとすれば、その二層を横断するという「観光客」はいったいなにを拠りどころにして生きるのか？　それが第二部の問いである。

　アイデンティティをどこに求めるかは、政治思想の性格を大きく決定する。個人を出発点にすれば資本主義（グローバリズム）を肯定することになるし、共同体を出発点にすれば国家主義（ナショナリズム）を支援することになる。

　かつて共産主義は、個人でも国家でもない第三のアイデンティティとして、「階級」なる概念を提示したことがある。共産主義の革命性は、じつはこのアイデンティティの発明にこそあったと言える。共産主義はその第三のアイデンティティに依拠していたからこそ、ブルジョワ国民国家を否定しつつ、同時に個人の自由（資本主義）をも批判することができたのである。けれども、その共産主義は冷戦構造の崩壊とともに影響力を失った。したがって、いまは個人と国家を同時に批判するための足場がない。現代人が、個人か国家か、グローバリズムかナショナリズムか、帝国か国民国家かの二者択一をつねに迫られているのは、要はこの欠落のためである。

　したがって、この状況を脱するためには、個人でも国家でも階級でもない、第四のアイデンティティの発明あるいは発見が必要である。観光客の哲学の構想は、最終的にはこの課題にたどりつく。

　じつはこれはぼくだけの考えではない。似た主張をしている書き手はほかにもいる。たとえば、ロシアの保守思想家、アレクサンドル・ドゥーギンは「第四の政治理論」の必要性を訴えている[★1]。彼によれば、政治理論にはそれぞれ要になる理念がある。自由主義にとってそれは個人の理念で、全体主義にとっては国家の理念で、共産主義にとっては革命の理念である。それぞれ一長一短があるが、いずれも現代世界では有益ではない。それゆえ「第四の政治理論」が必要なのだという。

ドゥーギンはプーチン政権に近い極右のイデオローグとして知られており、この主張もロシアの地政学的拡張主義（ユーラシアニズム）と深く結びついている。そもそも、そこでドゥーギンが新しい理念の候補として呼び出すハイデガーの「現存在」は、いちど全体主義に用いられた経験があり、その点でも危険な概念と言わざるをえない。したがって、ぼくは彼の議論自体に同意するわけではない。しかし、いまの時代、自由主義でも全体主義（国家主義）でも共産主義でもない第四の理論とそれを支える新しい理念が必要だという認識には、同意せざるをえない。その理論と理念がないと、ナショナリズムとグローバリズムをともに批判することはできない。ドゥーギンは右翼だが、そもそも左翼もまた、冷戦後は同じように新しい政治理論を求めて苦闘してきたと言える。第一部で見たマルチチュードの理論は、まさにそこで発見されたものである。ただしマルチチュードはあまりに「否定神学的」な理念だった。言い換えれば、アイデンティティとして使える実質がなかった。

だからそれは、「お祭り」化した短期的な動員しか生みだすことができなかった。二〇一一年以降、日本にもにわかにデモ＝動員の季節が訪れ、多くの左翼が熱狂した。しかし、二〇一七年のい

★1　アレクサンドル・ドゥーギン「第四の政治理論の構築にむけて」乗松亨平訳、『ゲンロン6』、2017年。

ま、それはほとんどなにも残していない。政治を動かすのは、お祭りではなく日常である。言い換えれば、動員ではなくアイデンティティである。連帯の理想はアイデンティティの欠如に敗れた。

したがって、たとえ未完成であったとしても、ぼくはこの本に、観光客の哲学が求める新しいアイデンティティについての議論を追加しなければならないと考えた。その試みがなければ、本書の議論は、マルチチュードなる新奇な概念に「郵便的」をつけただけの言葉遊びとして受け取られてしまうだろう。

それでは、観光客が拠りどころにすべき新しいアイデンティティとは、結局のところなんなのだろうか。

じつは、ぼくがいまその候補として考えているのは家族である。ぼくは、家族の概念を再構築あるいは脱構築して、観光客の新たな連帯を表現する概念に鍛えあげられないかと考えている。そのようにしてはじめて、ぼくたちは、個人を起点にする秩序原理（グローバリズム）と国家を起点にする秩序原理（ナショナリズム）をともに批判するときに起点となる、第四の理念を手に入れることができるだろう。郵便的連帯とは家族的連帯である。観光客の哲学には家族の哲学が続く。

え、家族？　と、失望した読者が多いかもしれない。実際、この言葉は日本の知識人層には評判が悪い。

それにはいくつかの理由がある。まず、いまの日本では、「家族」という言葉は、それだけで保守の（それもかなり愛国主義や排外主義に傾いた保守の）価値観に結びつく特殊な政治用語になってしまっている。最近の日本では、自民党が二〇一二年に発表した憲法改正草案に代表されるように、保守勢力がさかんに「伝統的家族」の復興を謳いあげている。そのためにこうした事態が生まれている。

家族の概念は、本来は政治的に中立である。保守もリベラルもたいていは家族をもっている。にもかかわらず、「家族」と口に出しただけで特殊なイデオロギーに属しているかのように見えること、それそのものがほんとうは深刻な問題である。そのゆがみはリベラルの苦境を象徴している。日本のリベラルはこの言葉を奪い返すべきだが、いまのところその兆しは見られない。いずれにせよ、家族が大事とか言いだすやつにろくなやつはいないというのが、いまの左翼の常識であり、また知識人の常識である。本書の読者にも、似た感覚を抱くひとが少なくないだろう。

つぎに、理論的あるいは倫理的に、「家族」が孕むさまざまな暴力が指摘されてきたという歴史がある。その代表的なものとして、上野千鶴子をはじめとするマルクス主義フェミニストたちの研究がある。彼女たちは、家父長制（家族）は、資本主義と結びつき、女性の家庭内労働および再生産の可能性を搾取してきた暴力装置にほかならないと主張する。上野の定義では、家族とは「性と生殖を統制する社会領域」のことである[★2]。家族愛そのほかの言説は、その「統制」の本質を覆い隠す虚飾にすぎない。関連して日本では、戦前の一君万民論に代表されるように、「家族」「イエ」の隠喩が全体主義国家の正当化に利用されてきたという経緯もある。国民を家族の一員だと見なすことは、個人にとってはときに耐えがたい暴力となる。

さらに付け加えれば、二〇一七年のいま、この言葉は「政治的正しさ」の点でも素朴に肯定して使うのがむずかしいと言えるだろう。家族に対する感情はひとそれぞれである。いい家族もあれば悪い家族もある。児童虐待もある。家族構成もさまざまだ。すべての人間には父と母がいるとぐらいは言いたいところだが、たとえ生物学的にはそうでも、同性婚がつくる家族では事態はより複雑である。それら個々の事例を考慮することなしに「家族」なる大文字の概念について語ることは、不用意にひとを傷つけかねない危険な行為ということになろう。

ぼくはそれらの懸念や違和感に完全に同意する。家族の概念を政治的連帯の基礎に据えるためには、それらの暴力性を中和するための、さまざまな理論的な操作が不可欠である。そしてそれはかなりむずかしい。

にもかかわらず、ここで家族を有望な候補として挙げているのは、それ以外に、個人でも国家（ネーション）でもない、アイデンティティの核として利用可能な概念が見あたらないからである。

まず階級は使えない。それは共産主義の理論とあまりに深く結びついており、そしてその理論は歴史的使命を終えているからである。土地も使えない。だれもがネットワークを介して全世界とつながることができるいま、主体の拠りどころを特定の地理的な領域に求めることには無理がある。

血や遺伝子も使えない。それは人種主義への道だ。ジェンダーは粗すぎる。それは人間を数種類にしか区別しない。思想信条に基づく結社や趣味の共同体は、そもそもアイデンティティの核にならない。それらへの所属は自由意志で変更可能だからだ。自由意志に基づいた連帯は自由意志に基づきたやすく解消される。それがマルチチュードの弱点である。このように考えていくと、個人でも国家でもなく、自由意志で変更が可能ではなく、そして政治的連帯に使えそうな拡張性を備えた概念としては、もはや家族（あるいはその変種である部族やイエなど）ぐらいしか残らないのだ。

ここでエマニュエル・トッドの仕事を思い起こすのは有益だろう。人文系の学者は、いままで法やイデオロギーの中身についてばかり議論してきた。けれどもトッドは、一九八〇年代の著作で、世界各国の社会構造が、法やイデオロギーといったいわゆる上部構造によってではなく、むしろ単純に家族形態によって決定されていることを明らかにし、広く学界に衝撃を与えた。

たとえば、共産主義は、一般には、そのイデオロギーの魅力（革命など）で世界に広まったと考えられている。けれども、家族形態を調査すると、旧共産圏、すなわち共産主義を受容した地域は、トッドが「外婚制共同体家族」と呼ぶ家族形態（子どもが成人し結婚したあとも両親と同居し続け、遺産も兄弟間で平等に分配する家族形態）の分布地域にほぼ一致していることがわかる。なぜそんなことが起こるのか？　トッドは、その理由はおそらく、共産主義が含意する倫理（彼はそれを権威主義的かつ平

★2　上野千鶴子『家父長制と資本制』、岩波現代文庫、2009年、296頁。

等志向と形容する）と、外婚制共同体家族の含意する倫理がぴたりと一致したことにあるのではないかと指摘している。つまりは共産主義は、その内容によってではなく、それが含意するコミュニケーションの様式とそれぞれの地域の家族形態との親和性によって、受容の可否が決まっていたのである[★3]。トッドは似た事例をほかにも挙げている。

ちなみに、このトッドの分析は、個人主義の国にもあてはまるとされている。個人主義（自由主義）は、表面的には家族の重要性を否定しているように見える。個人のその絶対視から帝国の秩序が生まれる。しかしトッドは、そのような絶対的な個人の観念こそが、ヨーロッパの一部に生まれ、のちアメリカに拡大した「絶対核家族」なる家族形態（子どもは成人すると独立の世帯を構え、遺産相続についてとくに規定はない家族形態）が作りあげたものにほかならないと指摘している。実際、アメリカ社会は、ハリウッド映画の内容に兆候的に見られるように、たしかに個人の自由を尊重しはするが、他方で核家族の紐帯もまたたいへん重視する社会である。リバタリアニズムを代表する経済学者ミルトン・フリードマンは、「自由主義者が究極の目的とするのは、個人の自由であり、これはおそらくは家族の自由である」とさらりと記している[★4]。だとすれば、家族形態は、国民国家の秩序を規定するだけでなく、帝国の秩序もまたあるていど規定するものなのかもしれない。トッドの研究を本書の二層構造論に接続すると、新しい視点が出てくるように思われる。

いずれにせよ、このトッドの分析は、階級が消え、もはや個人と国家しか残っていないように見える現代世界にも、アイデンティティの核として家族（家族形態）がしぶとく生き残っていることを示している。ぼくがいま家族の概念の再構築あるいは脱構築が必要だと判断する背景には、このような研究の動向がある。

ただしぼくは、トッドとは異なり歴史学者でも人類学者でもないので、世界の多様性を家族の多様性に還元し、それを結論にしてよいとは思わない。ぼくはむしろ、世界の多様性が家族の多様性に規定されているのだとすれば、逆に、その動因である家族にどのように働きかけるべきかを考える。言い換えれば、ぼくたちのなかにいまだある「家族的なもの」への執着を利用して、どのように新しい連帯をつくれるかを考える。それが、ぼくが家族の脱構築により企てたいことである。

もうひとつ注釈を加えておこう。ぼくは第一部でヘーゲルの哲学に触れた。そこでは人間は、家族から市民社会へ、そして国家へと進むことで、精神的な成長を遂げるものだと捉えられていた。つまり、ひとは、家族から離れ、まずは個人になり、つぎに国家（ネーション）に同一化することで成熟するのだと考えられていた。その図式を前提にするならば、ぼくがここで、個人と国家のあとでもういちど家族の概念の重要性を訴えるのは、精神的に後退しているかのように見えるかもしれない。

しかしそうではないのだ。一部の読者は、ここで柄谷行人の仕事を思い起こすかもしれない。柄

★3　エマニュエル・トッド『世界の多様性』荻野文隆訳、藤原書店、2008年、75-76頁。
★4　ミルトン・フリードマン『資本主義と自由』村井章子訳、日経BP社、2008年、44頁。

谷は、二〇〇一年の『トランスクリティーク』以降、現代社会を分析するため、三つの交換様式と、そのそれぞれに支えられる三つの社会構成体を区別する理論を提案し続けている。三つの交換様式とは「贈与」「収奪と再分配」「商品交換」であり、三つの社会構成体とは「ネーション」「国家」「資本」である。後者の三つは、本書の用語になおせば「家族」「国家」「市民社会」に相当している。ネーションが家族に相当するというのは奇妙に響くと思うが、柄谷においてはネーションは「商品交換の経済によって解体されていった共同体の「想像的」な回復」と位置づけられているので、このような解釈が可能になる[★5]。家族は贈与で成立する。国家は収奪と再分配で成立する。市民社会は交換で成立する。そして現代社会はその三つの絡みあいで成立している。柄谷はその複合体を「資本制＝ネーション＝ステート」と呼んだ。

柄谷は以上の整理のうえで、現代社会の批判のためには、新しい社会構成体の発明が不可欠で、その発明のためには第四の交換様式の再発見が不可欠だと議論を展開している。柄谷はその社会構成体を「アソシエーション」と名づけているが、それはほぼネグリとハートのマルチチュードに相当している。そしてここで興味深いのは、柄谷が、そのアソシエーション＝マルチチュードを支える第四の交換様式は、贈与の「高次元での回復」になると述べていたことである[★6]。贈与の世界は、市場と国家の出現でいったん消滅してしまったかのように見える。しかし、実際にはけっして消えることはなく、別のかたちで回復される。柄谷はそう主張し、そこにこそ希望があると訴えたのだ。

柄谷の議論は、肝心の第四の交換様式についてじつにあいまいな規定しか提示しておらず、理論的にも実践的にも成功しているとは言いがたい。本来の贈与と「高次元」で回復した贈与がどのように異なるのか、柄谷の文章からはほとんどわからない。彼が『トランスクリティーク』と同時期にみずから立ち上げたアソシエーションの実践（NAM）も、あっというまに瓦解してしまった。しかし、それでも、国民国家と資本主義の連結（資本制＝ネーション＝ステート）こそが現代の権力の源なのであり、したがって、それを解体するためには、そのまえの構造に、すなわち国家と市場以前の概念に戻らなければいけないという彼の直観そのものは正しいように思われる。

家族についてふたたび考えようというぼくの提案は、じつは以上の柄谷の試みを更新するものとしても提示されている（第一章の冒頭で、観光客論は柄谷の他者論の更新なのだと記していたことを思い起こしてほしい）。柄谷が国家（ステート）と資本のあとに贈与に戻ったように、ぼくは国家（ネーション）と個人のあとに家族に戻る。柄谷が贈与が支える新しいアソシエーションについて考えたように、ぼくは家族的連帯が支える新しいマルチチュードについて考える。つまりは、ぼくがここで考えたいのは、家族そのものではなく、柄谷の言葉を借りれば、その「高次元での回復」なのである。

★5　柄谷行人『世界史の構造』、岩波書店、２０１０年、３２２頁。対応関係についてさらに正確に述べれば、柄谷は「国家」をあくまでも国家機構（ステート）を意味する言葉として用いているので、本書での「国家」（そこにはネーションも含めている）とは意味がずれている。本書の（というよりもヘーゲルの）「国家」は、家族と市民社会の対立を揚棄する高位の存在であり、柄谷でそれに対応するのは、正確には「資本制＝ネーション＝ステート」である。ただここではあえて対応を単純化した。

★6　『世界史の構造』、14頁。

家族について考えることは、けっして思考の後退ではない。家族の哲学という言葉から、お父さんとお母さんを尊敬しようとか、子どもを産もうとか、兄弟は仲よくしようとか、その類の道徳的で退屈な議論を想像してしまった読者がもしいるとすれば、それは単純に誤解である。

2

観光客の哲学は家族の哲学によって補完されねばならない。国民国家と帝国を往復し、誤配と憐れみを広げる郵便的マルチチュードの戦略は、新しい家族的連帯に支えられなければならない。それゆえぼくはこの第二部を書いた。

けれども、他方で、さきほども述べたとおり、ぼくはまだ家族の哲学について十分に考えていない。ここまでの説明は粗いスケッチであり、続く第七章と第八章に掲載するのも、関連する草稿にすぎない。この第二部は、いつか書かれるであろう、家族の哲学を主題にした本の序論だと捉えてほしい。観光客の哲学そのものは第一部までで議論が終わっている。ここからさきはいわば長い付録だ。

その前提のうえで、この章では、以下、家族の概念の脱構築あるいは「高次元での回復」にあたり、新たな論点となりそうな問題を三つほど紹介しておきたい。それらは、続くふたつの草稿の理解の参考になるかもしれないし、ならないかもしれない。いずれにせよ、家族の概念には、哲学的思考を刺激する興味深い論点がいくつもある。家族とはなにかについて、現代思想はもっと創造的な思考をめぐらせるべきである。

家族の概念についてまず注目したいのは、その強制性である。家族は、自由意志ではそう簡単には入退出ができない集団であり、同時に強い「感情」に支えられる集団でもある。家族なるものには、合理的な判断を超えた強制力がある。

ぼくはここまでいくどか、政治運動と自由意志の関係に触れている。冷戦後の左翼は、ばらばらな個人が自由意志でつくる新しい連帯（根源的民主主義）に期待を寄せてきた。けれども、なんども繰り返しているように、そのような連帯は同じ理由ですぐに崩壊する。自由意志で入った集団からは、自由意志ですぐに出ることができる。それでは週末の趣味のサークルとかわらず、まともな政治の基盤にならない。

家族の結びつきはそのような単純なものではない。少なくとも婚姻以外の家族関係は異なる。たいていのひとは、生まれた瞬間に特定の家族に加入させられる。そこに自由意志はない。そしてそこからの脱出はかなりむずかしい。この強制性は一般には否定的に理解されるが（実際にそれは児童虐待などの局面では否定すべきものである）、裏返せば、むしろそれがあるからこそ家族は政治的アイデンティティの候補になりえるのだとも言える。国家も階級も、同じように強制性があった（と見なされた）からこそ、政治思想を支えるアイデンティティになったのである。

それはつぎのように言い換えることもできる。ひとは個人=私のためには死ぬ。国家のためにも階級のためにも死ぬ。同じように家族のためにも死ぬ。だから家族は新しい政治の基礎になりうる。他方でひとは趣味のサークルのためには死なない。だからそれは新しい政治の基礎になりえない。ルソーは『社会契約論』で、ひとは一般意志のためには死なねばならないと記した[★7]。全体主義を肯定するものとして悪名高い一節だが、しかし政治の本質を鋭くついてはいる。ルソーが一般意志の概念を政治の基礎に据えることができたのは、彼がそれを「ひとがそのために死ぬもの」だと捉えていたからである。死の可能性のないところに政治はない。いまの左翼はそのことを忘れている。

ふたつめに注目したいのは、家族の偶然性である。ドストエフスキーは、家庭の崩壊を描写するために「偶然の家族」という言葉を使ったことがある[★8]。家族が家族として集まっている必然性のない家族という意味だが、しかしほんとうは、すべての家族が偶然の家族である。

どういうことか。まず、ひとはだれでも家族をもつ。少なくとも生物学的な親はもつ。誕生後に親が死ぬこと、親が見つからないこと、親と社会的な縁が切れることなどさまざまな事例があるかもしれないが、その誕生(受精)の時点では、人間には必ず、遺伝子を提供したふたりの親と母胎を提供したひとりの親がいるはずである(いささか厄介な言いかただが、現代では代理母などもあるのでこのように表現するほかない)。さらに細かく言えば、人工授精などの事例において、受精の時点ですでに親が死んでいることは考えられなくはない。しかしその場合でも、精子あるいは卵子の提供の時点では両親は存在する。また最近では、不妊治療の結果卵子の核と卵細胞がそれぞれ異なったふたりの母親から来ている場合など、複雑な事例も現れてきているようではある。しかしそれでも、とにかく、クローンでないかぎり、ひとには必ずふたり以上の親がいる。これは絶対的な必然だと言ってかまわない。ひとは、子をつくらないことはできるが、親をもたないことはできない。

しかしこの必然性には厄介な性格が宿っている。ひとは親をもたないことはできない。ぼくがぼくであるのは、ぼくの父親と母親からぼくが生まれたからである。これは絶対的な必然である。にもかかわらず、ぼくをつくった両親からすれば、ぼくが生まれたことにはなんの必然もない。もし彼らが異なった日に性行為をしていたら、あるいは同じ日に行為をしていたとしても異なった精子と卵子が結合していたとしたら、そこで生まれたのはぼくではない。ぼくの両親からすれば、生まれた子どもがぼくだったのは偶然である。世間では「子どもは親を選べない」と言ったりするが、

★7　「市民は法によって危険に身をさらすことを求められたとき、もはやその危険について得失を判断する立場にはいない。そこで、統治者が市民に向かって、「おまえの死ぬことが国家に役立つのだ」と言うとき、市民は死ななければならない」。作田啓一訳、『ルソー全集』第5巻、白水社、1979年、141頁。ルビを削除。

★8　この言葉は『未成年』の最後の場面（手紙）に登場する。『ドストエフスキー全集』第14巻、工藤精一郎訳、新潮社、1979年、359頁。また同時期の『作家の日記』にも言及がある。「私が［『未成年』で］取り上げたのは無垢な魂であるが、この魂は、恐ろしい堕落の可能性と、自分の無能力と「偶然性」に対する早熟な憎悪と、物にこだわらない態度によって汚染されている。［……］これらすべては、社会の流産した胎児であり、「偶然の」家庭の「偶然の」一員なのである」。『ドストエフスキー全集』第17巻、川端香男里訳、新潮社、1979年、196-197頁。ルビを削除。

それは哲学的には不正確である。子はたしかに親を選べないが、そもそもほかの親を選んだら自分が自分でなくなるのだから、その想定には意味がない。ほんとうの意味で「選べない」、すなわち偶然性に曝されているのは、むしろ親のほうである。ぼくたちはみな、出生のときに巨大な存在論的抽選器を通過している。ぼくたちのだれひとりとして、生まれるべくして生まれた必然的な存在はいない。ある親からある子どもが生まれることには、じつはなんの必然性もない。みな親から見れば偶然なのだ。この点において、すべての家族は本質的に偶然の家族である。言い換えれば、家族とは、子の偶然性に支えられたじつに危うい集団なのである。

ここには哲学的にきわめて重要な問題が宿っている。ぼくはさきほど、死の可能性のないところに政治はないと記した。そしてドゥーギンの「第四の政治理論」がハイデガーを参照しているとも記した。

よく知られるとおり、ハイデガーの哲学では「死」が大きな役割を果たしている。ひとはだれでも死ぬ。しかもひとりきりで固有の死を死ぬ。言い換えれば、死は絶対的な必然である。ハイデガーはこの事実を出発点に定め、そこから哲学を構築した。そしてその過程で死の絶対性と運命の必然性をあまりに強調し、ナチズムに近づくことにもなった。

しかし、いま見たように、人間を死ではなく出生から捉えると、その条件はまったく別のすがたを見せてくる。そこには偶然があり家族がいる。だとすれば、ぼくたちはここで、ハイデガーの試みを裏返して、「ひとはだれでもひとりきりで死ぬ」ではなく、「ひとはだれもがひとりきりでは生まれることができない」を出発点とした、もうひとつの実存哲学を構想することができるのではないだろうか。『存在論的、郵便的』ではほとんど触れることができなかったのだが、ぼくはじつは、それこそがデリダが言う「散種」の哲学の可能性なのではないかと考えている[★9]。散種とは精子の放出の意味である。精子の数があまりにも多いことが、ぼくたちの偶然性を生みだしている。死の絶対性と運命の必然性が生みだすハイデガーの哲学に対置される、出生の相対性と家族の偶然性が生みだす新たな哲学……。

家族の概念には、このような豊かな再読の可能性が宿されている。さきほど一君万民論の例を挙げたように、家族の概念に基づく政治思想などと言うと、いかにも国家主義や全体主義に近い印象を与えるかもしれない。けれども、そこで想定されているのは、いわば「必然の家族」である。ぼくは逆に偶然の家族を考える。人間を死の必然性からではなく出生の偶然性から見る本論の構想は、まったく異なった政治的含意をもつことだろう。

そして、みっつめに注目したいのは家族の拡張性である。

★9 『存在論的、郵便的』、167頁注26参照。ぼくはそこでつぎのように記している。「意図しない妊娠、およびその結果生まれた子は、正確に、誤配された、つまり誤って「発送＝射精 émission」された手紙とその再来のアレゴリーになっている。父にとって子（幽霊）の起源はもはや定かではないが、それは容赦なく「責任」を要求する。そもそも七〇年代のデリダの理論的中心をなす「散種」自体が、彼自身述べるようにきわめて生殖的含意の強い隠喩だった［……］。したがって彼の考える「性」は一貫して、フーコー的な性的欲望《セクシュアリテ》（主体の構成）の問題系よりも、むしろ生殖や妊娠（コミュニケーション）の問題系へと連なっているように思われる」。

いまの日本では、家族の代表的なイメージは核家族になっている。しかし、それはあくまでも戦後の現象で、日本はもともと核家族の国ではない。トッドの分類では、ドイツや朝鮮半島と同じく、「直系家族」（子どものうちひとりだけが成人し結婚したあとも両親と同居し、遺産もそのひとりが相続する家族形態）が優勢の地域だとされている。

日本の「イエ」は、歴史的にはむしろ核家族からはかけ離れたイメージで捉えられてきた。そもそもイエは、血縁よりも経済的な共同性を中心とし、養子縁組によってかなり柔軟に拡張が可能な組織だったと言われている。だからこそ日本社会は、イエを企業と読み替え、近代化にすみやかに適合することができた。この点については、柳田國男の一九四六年の『先祖の話』および村上泰亮らの一九七九年の『文明としてのイエ社会』が参考になる。とくに後者の研究は、梅棹忠夫の『文明の生態史観』を下敷きに行われたもので、いま振り返ればドゥーギンの地政学的発想やトッドの人類学的研究と通じるものがある[★10]。

同じことは日本以外でも言える。さきほど上野千鶴子の文章を引用したが、実際には家族は性と生殖だけで定義可能な存在ではない。それはどの地域でも集住や経済的な共同性と深く結びついている。だからこそトッドは、家族形態の分類にあたり、居住や遺産相続の形式を重視したのである。裏返せば、一緒に住み、「同じ釜の飯」を食えば、性と生殖がなくとも家族と見なされる、そのようなダイナミズムは世界中にあったし、いまでもある。

加えて重要なのは、家族の概念が親密性の感覚とけっして切り離せないことである（上野は家族愛など幻想だと言うかもしれないが、そのような幻想をぼくたちが抱き続けていること、その事実そのものが両概念の切り離しがたさを証拠だてている)。だれが家族でだれが家族でないかは、ときに私的な情愛により決められる。この点で、家族のメンバーシップは国家のそれとは大きく性質が異なる。むろん、私的

★10　村上泰亮、公文俊平、佐藤誠三郎『文明としてのイエ社会』、中央公論社、1979年。同書によれば、日本の「イエ」は、血縁集団でも地縁集団でもなく、鎌倉時代の東国(武士集団が入植する人口の少ないフロンティア)で発明された日本独特の集団構成原理である。イエ以前の日本社会は、ウジ(氏)の原理、すなわち原始的氏族=血縁の原理で運営されていた。イエは、血縁でも地縁でもない柔軟な拡張原理をもち(超血縁性)、時間的に長い持続を前提とし(系譜性)、構成員のあいだに明確な位階秩序をもち(機能的階統性)、外部に対して経済的かつ政治的に高度な自律性をもつ(自立性)という四つの特徴を備えている(第七章)。そのようなイエの原理は、室町時代にはウジの原理(朝廷権力)を駆逐し、江戸時代には徳川体制の統治を支配し、明治以降の近代化で勢いを多少失うものの、戦後にいたってもいまだ「日本型経営」の雛形として大きな力を発揮している。それが一九七九年に出版された同書の歴史認識である。ところで本書の観点から注目しておきたいのは、村上たちのそのような理論が、けっして日本史固有の現象の説明原理としてではなく、書名にも示されているように、より大きな世界規模の文明論のなかで構想されていることである。彼らのイエの概念には普遍的な拡張可能性がある。村上たちの考えでは(24頁以下)、人間にはそもそも「個別性指向」(個人でありたい指向)と「集合性指向」(みんなといっしょでありたい指向)とがあり、そのふたつの指向の場を社会のなかで分裂させるか統合させるかで、人間社会を「分立型社会」と「浸透型社会」に分類することができる。たとえばポリスとオイコスが峻別された古代ギリシアは分立型社会であり、他方で中世ヨーロッパでその萌芽が生まれた国民国家は浸透型社会である。同じように宗族と文人官僚制が峻別された中華帝国は分立型社会であり、その辺境である中世日本で生まれたイエ社会は浸透型社会だ。この視座からすれば、本書がここまで展開してきた二層構造論は、いわば、二一世紀の人類社会が、もはや浸透型社会ではなく、集合性指向(生権力)を担当する帝国の場と個別性指向(規律訓練)を担当する国民国家の場を分けた地球規模の分立型社会に戻りつつあることを指摘した議論として解釈できるだろう。ナショナリズムの時代とは、浸透型社会のひとつのタイプ(国民国家)が覇権を握り、たまたま人類史の表舞台に躍り出た短い時代の名称にすぎなかったのかもしれない。だからこそ、浸透型社会のもうひとつのタイプ(イエ社会)をもつ日本も覇権の一角を占めることができた。しかしその条件はいまや急速に変わりつつある。では、その新たな分立型社会の時代において、家族あるいはイエについて考えることはどのような意味をもつのだろうか？　観光客=郵便的マルチチュードの連帯は、浸透型社会の原理(イエ)の再導入による分立型秩序への抵抗を意味するのだろうか？　というよりも、ぼくたちは、日本が発明したイエを、そのような普遍的な組織概念へと鍛えなおすことができるだろうか？　いずれにせよ、来たるべき「家族の哲学」は、このような文明論的視座のもとでも考えられねばならないように思う。

な情愛だけでいつも家族が拡張可能なわけではないが、情愛はときに原則や手続きを超える。養子縁組にしても、必ずしもイエの存続のためだけに行われるものではなかった。現代でこそ厳しい法的制限が課せられているが、それは本来はかなりいいかげんなものだった。さまざまな物語に描かれているように――二〇一七年のいまならば片渕須直監督のアニメ映画『この世界の片隅に』のラストシーンを参照するのがよいだろうか――、たまたま孤児に出会いかわいそうに思ったから養子にする、という例は終戦直後の日本ではけっしてめずらしくなかった。

その柔軟性は、家族がまさに、第五章の末尾で見たようなルソーあるいはローティ的な「憐れみ」に開かれていることを意味している。家族とはそもそもが偶然の存在である。だからそれは偶然により拡張できるのだ。

家族の輪郭は、性と生殖だけでなく、集住と財産だけでもなく、私的な情愛によっても決まる。この特性が家族の拡張性を生みだしているのだが、しかしそれは同時に、家族の境界をじつにあいまいなものにもしている。とくに、伝統的な家族形態が劣勢になったいまの日本ではそうである。血縁は広がっている。金銭の関係もそれに準じて広がっている。けれども、そのどこからどこまでを家族と呼ぶべきなのか、現代では判断がむずかしい。かりに、ぼくが叔父を家族とみなし、叔父が彼の叔父（大叔父）を家族とみなすとしても、それは必ずしもぼくが大叔父を家族とみなすことを意味しない。私的な情愛はそのように線形には拡張しない。現代人は、会ったことのない大叔父よりも、飼っている犬のほうを家族だとみなすかもしれない。

家族の境界の画定がむずかしいというのは、言い換えれば、家族の共通性を取り出すのがむずかしいということである。ぼくと叔父は似ている。叔父と大叔父も似ている。だからといって、ぼくと大叔父が似ているとはかぎらない。

　これもまた、哲学的にきわめて重要な問題と関係している。ウィトゲンシュタインは、有名な『哲学探究』で、まさにこのような関係を例に挙げ「家族的類似性」という概念を提案している。「わたくしは、このような類似性を「家族的類似性」ということばによる以外に、うまく特徴づけることができない。なぜなら、一つの家族の構成員のあいだに成り立っているさまざまな類似性、たとえば体つき、顔の特徴、眼の色、歩きかた、気質、等々も、同じように重なり合い、交差し合っているからである。――だから、わたくしは、〈ゲーム〉が一つの家族を形成している、と言おう」[★11]。あるグループがある。メンバー全員の共通点はとくにない。ただ、ひとりひとりを見るとたがいにそれぞれ異なった共通点をもっている。だからグループとしてはなんとなくのまとまりを構成している。家族とは、あるいはゲーム（彼はコミュニケーションすべてを「言語ゲーム」として捉えていた）とはまさにそのようなものだ、というのがウィトゲンシュタインの主張である。

　そしてここで重要なのは、ウィトゲンシュタインがこの著作で必ずしも家族について思考を深めていたのではないことである。彼はむしろ、人間のコミュニケーション一般について考えたのであ

★11　『ウィトゲンシュタイン全集』第8巻、藤本隆志訳、大修館書店、1976年、70頁（第六七節）。

り、結果として、その本質は「家族的類似性」という言葉で説明できるという結論にたどりついたのである。この事実は、前掲のトッドとはまた別の意味で、現代思想で家族の再検討が必要不可欠であることを証拠だてている。

ぼくはいま犬の話をした。そこで、この章を閉じるまえに、ちょっとだけ寄り道をしてみたい。家族という言葉は、いまの日本ではじつは、ここまで見てきた意味よりもさらに柔軟に使われている。というのは、最近では、犬や猫のようなペットも「家族」と見なされることが多いからである。むろんそれは法的には家族ではない。社会学的にも人類学的にも家族ではないだろう。けれども、ぼくたちの社会でペットを「家族」と呼ぶ人々が増えているのは厳然たる事実である。最近はペット対象の健康保険まである。

ここにはまさに、家族の概念の拡張性が極端なかたちで現れている。家族のメンバーシップは私的な情愛だけで支えることが可能なので、ときに種の壁すら越えてしまう。それは憐れみが引き起こした誤配である。しかもそこで興味深いのは、「家族的なるもの」の感覚を基盤にすると、ときに「類似性」の感覚ですら種の壁を越えてしまうということだ。ぼくたちはときおり、飼い主と犬の顔が「似ている」と感じないだろうか？　しかしそこではなにが似ているのだろう？　そもそも動物にとって顔とはなんだろう？　動物は顔をもつのだろうか？　哲学的興味はつきない。

さて、ここで重要なのは、家族の概念がもつこのような拡張性は、合理的思考に基づいた拡張性とはまったく異質だということである。だから国家のメンバーシップと家族のそれはまったく異質なものとなる。国民の拡張には原理（規則）が必要だが、家族の拡張には原理がない。それがウィトゲンシュタインの指摘したことだった。

そして、この拡張性もまた、出生の哲学と深く関係している。引き続き動物の例を挙げてみよう。オーストラリアの倫理学者、ピーター・シンガーは徹底した功利主義者で、動物の権利の主張で知られている。

シンガーは一九七九年に出版した『実践の倫理』で、類人猿に部分的な人権を与えるべきだと主張し、話題を呼んだ。彼がそう主張したのは、べつに動物が好きだからではない（好きかもしれないが）。功利主義の原理（最大多数の最大幸福）を貫くと、人間のあいだの差別が許されないならば種のあいだの差別も許されないという結論が、論理的に導かれると考えたからである[★12]。

ただしその結論は、すべての動物や生命が無条件に平等であることを意味しない。シンガーの議論は功利主義に基づいている。つまりある原理（平等の原理）に基づいている。彼が人権を一部の動物に拡張すべきだと提案するのは、その動物が、平等の原理の対象となる条件を満たしていると考えられるからである。裏返せば、彼の動物権利論は、論理的に、対象となる動物がその原理の適用にふさわしい感受性をもっているかどうか（人間にどこまで近いか）を判定する作業を要求すること

★12　ピーター・シンガー『実践の倫理』新版、山内友三郎、塚崎智監訳、昭和堂、1999年、67頁以下。

になる[★13]。ひらたく言えば、シンガーは動物の生命に序列をもちこむことになる。そして、その作業は翻って、人間の生命にも序列をもちこむことになる。シンガーの議論は徹底して論理的であり、あいまいな常識で止まることはしない。結果としてシンガーは、オランウータンやチンパンジーの成体のほうが、自己意識をもたない人間の胎児や嬰児よりもはるかに「人格性」が高く、法的に守られるべきだという結論に達し、多くの非難を浴びることになった。

シンガーのこの問題提起は、いまでは応用倫理学の基礎知識のひとつになっている。彼の論理がほかの問題でどのような倫理的な結論を生みだすのか、またそれが現代社会のどのような批判につながるのかという点については、ここでは議論しない[★14]。

ただひとつ指摘しておきたいのは、このシンガーの序列化の論理においては、犬や猫ならまだしも、ハムスターやカメレオンといったペットに人格性が認められることはまずないだろうということである。ハムスターやカメレオンは、功利主義の原理を拡張するにはあまりにも遠い。しかし現実には、それらを「家族」として受け入れている飼い主は無数にいる。それが人間というものである。シンガーの議論は、原理にあまりにも忠実なゆえに、たまたま出会った動物を、その知性や能力に関係なく受け入れてしまう憐れみ＝誤配の拡張性をほとんど捕まえることができていない。ハムスターをかわいいと感じる感情は、シンガーの動物論にとってほとんど意味がない。しかし、その感情に触れることなくしては、動物論を構想する意味もまたほとんどないのではなかろうか。

そして、このように考えると、シンガーが胎児や嬰児の人格を類人猿よりも下位に置かざるをえなかったことの意味が、あらためて重要に思われてくる。それは合理主義的な思考の限界を端的に示している。ぼくたちは生まれたばかりの子どもを大切に扱う。それが人類社会の基礎である。けれどもその配慮は、功利主義的には、もしかしたらたいして正当化できないのかもしれない。なぜならば、新生児はまだ人格をもたないからだ。死んでもまたつくればいいだけの存在だからだ。五〇〇円で買えるハムスターと変わらないからだ。だとすれば、それは逆に、ぼくたちが、新生児を、じつはハムスターを愛するように愛していることを意味しているのではないだろうか。新生児に人格はない。でもぼくたちはそれを愛する。だから子どもにも人格が生まれる。最初に人間＝人格への愛があり、それがときに例外的に種の壁を越えるわけではない。最初から憐れみ＝誤配が種の壁を越えてしまっているからこそ、ぼくたちは家族をつくることができるのである。

★13　この論理はじつは、カントが『永遠平和のために』で各国が共和制であることを求めた論理とまったく同じ構造をしている。リベラリズムの論理は、つねに幸福への参加資格を求めるのである。

★14　シンガーは、功利主義的な観点から人間と動物のあいだの差異すら連続的に捉える。そのような彼が、国民（友）とそれ以外の人々（敵）を分割するナショナリズムを肯定するはずがない。実際に彼は2002年の『グローバリゼーションの倫理学』では（本書はネグリとハートが評価したシアトルでの反グローバリズム運動を受けて書かれた書物でもある）、世界単位の統治機構の必要性を訴えている。また彼は国民国家単位の再配分（福祉国家）も認めていない。シンガーはロールズの『正義論』『万民の法』を批判し、「公平な視点から評価するテストをおこなったとき、同国人の利益を優先すべき強い根拠はほとんどない」と断言している。ピーター・シンガー『グローバリゼーションの倫理学』山内友三郎、樫則章監訳、昭和堂、2005年、228頁。加えて注目すべきは、彼がそこで、世界単位の統治や再配分の必要性を抽象的に訴えるだけでなく、きわめて具体的な指針を出していることである。彼は2009年に『あなたが救える命』という書物を出版し、先進国の住民には貧困国の飢餓救済のために所得の一部を寄付する倫理的「義務」があると訴え、具体的には、たとえば、アメリカの納税者の年間所得上位一〇パーセントには入るが上位五パーセントに入らない人々（年間所得一〇万五〇〇一ドルから一四万八〇〇〇ドルの人々）

は年間所得の五パーセントを寄付に回すべきであると主張している。より豊かな人々には、むろんより高率の寄付義務が課される。シンガーはこの数字の根拠と有効性についてじつに詳細な検討を行っており、また、寄付を支援するための書名と同名のウェブサイトまで立ち上げている（URL=https://www.thelifeyoucansave.org）。ぼくはこのシンガーの哲学の力強さに強い感銘を受けているが、しかし他方、本論の議論と重ねると、やはりそこには本文で記したものと同じ弱点を指摘せざるをえない。シンガーの議論には憐れみ＝誤配がない。功利しかない。それゆえ貧困国への寄付についても、「最大多数の最大幸福」を目的とした数値的指針を中心にしてしか議論できない。シンガーの哲学的視座においては、だれか特定のひとを愛することと、あらゆるひとを公正に扱うことはつねに対立している。彼は家族についてつぎのように記している。「理想的な親であることと、すべての人命の価値は等しいという考えに基づいて行為することの間［の］［……］葛藤が現実のものであり、解決不可能なものであるのは、こうした理由からである。両者は常に緊張関係にある。親は他人の子どもよりも自分の子どもを愛するものであり、またそうすべきなのだ。そしてこの理由から、親は他人のニーズを満たすよりも先に自分の子どもの基本的なニーズを満たすものなのだ。［……］しかしだからといって、親が他人の基本的なニーズを満たすよりも先に、自分の子どもたちにぜいたく品を買い与えることが正当化されるわけではないのだ」。ピーター・シンガー『あなたが救える命』児玉聡、石川涼子訳、勁草書房、２０１４年、１８４－１８５頁。シンガーの哲学においては、「たまたま出会ったもの」に対する偏愛はつねに公正と倫理に反するものと位置づけられている。しかし現実には、公正も倫理も誤配からしか生まれないのではないか。シンガーが支援する寄付行為、それそのものがほんとうは、ある種の誤配抜きには、すなわちたまたま寄付を与えられた人々とそうでない人々の偏差の産出抜きにはありえないのではないか。ひとは、たまたま出会ったひとを助けたいと思うからこそ寄付を差し出し支援を行うのであって、人類全体の匿名の集合的な福利のために所得の一部を差し出すのであれば、それはもはや寄付ではなくたんなる税金なのではないか。つまりシンガーは寄付の必要性について語るあまり、逆にその本質を無化しているのではないか。本書第五章の言葉を用いれば、シンガーは、スモールワールドでの誤配の表れだった寄付を、スケールフリーの秩序のなかで機能的に最適化しようとしているように思われるのである。ただし、最後にもういちど繰り返すが、シンガーの論理の力強さと実践とのあいだの一貫性（彼自身、大学院生時代に始まり長いあいだ、所得の一割を寄付に割りあて続けていることが知られている）には目を見張るものがある。そこでは、グローバリズムの時代にナショナリストであることの非倫理性が厳しく問われている。ぼくの批判は、シンガーのその問題提起を深く受けとめたうえでのものである。

第7章 — 不気味なもの

この章に収めた原稿は、情報社会に関するものである。ぼくはいままでにいくどか、情報社会の哲学的な解釈を主題にした仕事を試みている。そしていつも、未完のまま中断してしまっている。なぜか。その理由は、ぼくが、その仕事に着手するたびに、いつも、情報技術の革新性とはそもそもそこで哲学が意味を失うことにあるのではないか、だとすればこの仕事はそもそも無意味なのではないかという疑いに苛まれてしまったことにある。その疑いは、第一部で見た観光客の哲学への疑いに似ている。観光客もまた、同じように哲学の図式そのものを無効化する存在だった。ぼくたちはいま、伝統的な人文思想が哲学的考察に値しないものとして退けてきたさまざまなアイデアを、ひとつひとつ再検討すべき時代に入っている。

そこでこの章では、かつてぼくが直面した情報社会論の問題を、あらためていまの言葉で整理しなおしてみたいと思う。郵便的マルチチュードは、ネットワークが可能にするマルチチュードでもあった。だから情報技術と観光客的あるいは家族的な主体の関係を考察することは不可欠でもある。この草稿は、そのための準備作業だ。

1

ぼくは二〇年ほどまえに、「サイバースペースはなぜそう呼ばれるか」（以下サイバースペース論と呼ぶ）という長い論文を書いている[★1]。

この論文はあるメディア論の専門誌に連載されたものだが、じつはもともとは、同時期に別の雑誌で連載された「過視的なものたち」という論文、および数年後に論壇誌で連載された「情報自由論」という論文とともに、大きな著作の一部を構成する予定だった。

予定された著作のタイトルは「ポストモダンの文化的論理」というもので、第一部は理論編、第二部がサイバースペース論と「情報自由論」がともに収まって技術編をなし、第三部が「過視的なものたち」でいわば美学編という構想だった。まったく新しいポストモダン理論のもと、サイバースペース論でその主体がいかに情報技術と結びつくかを論じ、「情報自由論」では同じ主体の政治との関係を論じ、最後の「過視的なものたち」で文化的な変化を論じるという構想だったのである。けれどもこの構想は実現せず、情報技術の哲学的な解釈を基礎にポストモダン社会の全体理論を作ろうという企ては、結局日の目を見ることはなかった。じつはいま『動物化するポストモダン』と

★1　東浩紀「サイバースペースはなぜそう呼ばれるか」、『サイバースペースはなぜそう呼ばれるか＋』、河出文庫、2011年。連載は1997年から2000年。

して出版されている本は、この「過視的なものたち」に手を入れ、単著のかたちに再編成したものである。『動物化するポストモダン』のオタク論は、ほんとうは情報社会論の一部だったのだ。

では、ぼくはそこでどのような議論を行っていたのか。そこでぼくが主張したのは、ひとことで言えば、情報技術の本質は不気味なものの経験にある、しかし当時情報社会論で流行していた「サイバースペース」の比喩はそれを取り逃がしてしまう、ということである。


　サイバースペースとは、コンピュータをつなぐネットワークを、ひとつの「空間」（スペース）として捉える比喩的な表現である。いまでは古くさく響く言葉だが、一時はかなり広く普及していた。「電脳空間」と訳されたこともある。

　この言葉が広く知られるようになったきっかけは、ウィリアム・ギブスンが一九八四年に出版した小説『ニューロマンサー』だと言われる。ギブスンはこの作品で、ネットワークへのアクセスを「没入」（ジャック・イン）という言葉で形容し、そのことによって登場人物の意識が物理的身体から電子的身体へ切り替わるかのように描写した。つまりは彼は、近未来の情報ネットワークを、目のまえの物理的な現実とは異なるかたちで自立して存在する、電子的な並行世界であるかのように描いたのである。その並行世界が「サイバースペース」と呼ばれる。いまならばＶＲ（仮想現実）の概念が近いだろう。

　サイバースペースや「没入」の経験は、あくまでも文学における表現である。いまぼくたちは日常的にコンピュータやネットワークを使っているが、その経験は現実の身体にはなんの影響も与えない。ネットワークに接続してSNSの投稿を読むことと、オフラインで本を読むことは、「読む」という点ではまったく同じだ。実際ギブスンは、『ニューロマンサー』の執筆当時、現実のコンピュータやネットワークにほとんど無知だったと言われている。サイバースペースは完全に彼の想像の産物なのだ。

にもかかわらず、この言葉は多くの読者を惹きつけた。彼以降、サイバースペースを描く多くの小説や映画が似たイメージを採用していく。たとえば日本では、士郎正宗のコミックを押井守が映画化した『GHOST IN THE SHELL 攻殻機動隊』(一九九五年)が有名である。『ニューロマンサー』が開いたその潮流は、文化史では「サイバーパンク」と呼ばれている。そしてその影響力は、虚構だけでなく、現実の情報社会論をも侵食していくことになる。

このサイバースペースという概念は、ジャンルSFの歴史を考えると、じつはなかば必然として現れたと言うことができる。

SFとはなにか。ダルコ・スーヴィンはSFを「異化」と「認識」を同時に実現する文学だと定義している[★2]。ひらたく言えば、SFとは、ぼくたちが生きる「いまここ」の現実とは異なる別の現実を、論理的な仮定に基づき導入し描写する文学のことである。この定義でのSFは一六世紀のトマス・モアにまで遡るが、二〇世紀にはそれがひとつの文学ジャンルにまで成長した。ジャンルSFは、一般には一九二〇年代に誕生したと見なされている。ヒューゴー・ガーンズバックによる初のSF専門誌『アメージング・ストーリーズ』が、一九二六年に創刊されたからだ。ジャンルSFにおいて、スーヴィンのいう「異化」のための世界は、当初は宇宙や未来として設定されていた。クラーク、アシモフ、ハインラインといった黄金期のSF作家たちが、宇宙と未来から続々と現れる。けれども、一九七〇年代に入ると、その舞台設定そのものがむずかしくなってくる。宇宙や未来が、それだけでは異化の想像力を刺激する舞台でなくなり始めたからである。たとえば一九六九年にはアポロ一一号が月に着陸している。しかし、現実には人類が月に行ったからといってなにが変わったわけでもないし、みながそれを知ってしまった。それが一九七〇年代という時代である。そもそも一九七〇年代は、より広い文脈でも、近代主義が限界を迎えたと言われる時代である。ローマクラブ報告が「成長の限界」を訴え、ダニエル・ベルが『脱工業社会の到来』を書き、ニューエイジやエコロジーやポストモダニズムなど、近代の価値観を疑う思想があちこちから生まれてきた。宇宙と未来への懐疑もそのなかから生まれている。

SF作家はここでむずかしい選択を迫られることになった。ひとことで言えば、もはや異化作用がないことを知りつつ宇宙や未来にこだわるか（つまりSFがファンタジーになってしまうことを許容するか）、それとも新たな文学的フロンティアを探すのか、どちらかを迫られたのである。私見では、そこで前者を確信犯的に選んだのが（小説ではないが）ジョージ・ルーカスの一九七七年の映画『スター・ウォーズ』である。同作の成功は一九八〇年代以降のSFの位置を決定的に変えてしまい、日本でもアニメやライトノベルへとつながっていくのだが、それについて語るのは別の機会に譲りたい。ここで重要なのは、そこで後者を選んだ作家たちがいたということである。J・G・バラード、ブライアン・オールディス、サミュエル・R・ディレイニー、トマス・ディッシュといった作家たちで、彼らはまとめて「ニューウェーブ」と呼ばれる。のち取りあげるフィリップ・K・ディックも、このグループに分類されることがある。

ニューウェーブの作家たちの傾向は、しばしば、宇宙（アウタースペース）から内宇宙（インナースペース）へという言葉で語られる。彼らは未来世界や宇宙の描写よりも、むしろ登場人物の内面や幻想を重視した。つまりは内宇宙とは心のことなのだが、ここでそれが空間（スペース）の比喩をともなっていることに注意されたい。SF作家はそこで、未来、宇宙に次ぐ、第三の異化の舞台＝空間を発明したのである。この運動からはいくつもの傑作が現れた。とはいえ、内宇宙を描くとはつまり心を描くということなので、純文学（主流文学）の文体に近づくことにもなる。それゆえ彼らの作品は、批評家にこそ高い評価を得ているが、黄金期の作家に比べると娯楽性が落ちる。読者も、ニューウェーブの作家の名前にはいまひとつ親しみがないことだろう。

★2　ダルコ・スーヴィン『SFの変容』大橋洋一訳、国文社、1991年、57頁。スーヴィンは、自然主義的／異化的、認識的／非認識的のふたつの二項対立により、文学を四つに分類することを試みている。自然主義的かつ認識的な文学がいわゆる自然主義文学（日本でいうところの純文学）、自然主義的かつ非認識的な文学が自然主義の下位文学（大衆文学）、異化的で認識的な文学がSF、そして異化的で非認識的な文学が神話やファンタジーに相当する。「認識的」はここでは「啓蒙的」に近い意味で使われている。スーヴィンの著作は1979年に刊行されたものだが、この区分にしたがえば、現在の日本で刊行されているSFは多くがファンタジーに分類されるだろう。

さて、このようにジャンルSFの歴史をたどると、サイバースペースという言葉がなぜ一九八〇年代に生みだされることになったのか、その背景を具体的に理解することができる。SF作家は異世界を必要としていた。しかし、宇宙と未来はすでに古く、内宇宙はいまひとつ娯楽性に欠けていた。そのような状況のなかで、サイバースペースはまさに、宇宙や未来ほどには古びておらず、かといって内宇宙のように不自由ではない、第四の異化の舞台＝空間として現れたのである。この新しい舞台＝空間の発明は、それから長いあいだSFの想像力を活性化することになった。サイバーパンクそのものが流行したのは一九八〇年代後半だが、影響力ははるかに長く続いている。前掲の『攻殻機動隊』ですら一九九五年の作品だが、映像の世界では、サイバースペースの想像力は、さらに遠く、一九九九年のウォシャウスキー兄弟（当時）による映画『マトリックス』でようやく頂点に達したと言ってよい。サイバースペースの発明は、じつに二〇年にわたりSFを延命させたのだ。

このような事情は、裏返せば、サイバースペースの概念が、あくまでもジャンルSFの発展のなかで必要とされた、文学的あるいは映像的な装置にすぎないことを意味している。繰り返すが、コンピュータのネットワークは現実には異世界を作りだすわけではない。SNSやMMORPG（大規模多人数参加型オンラインRPG）でいくら自分のアバター（自分が操作するキャラクター）が活躍していたとしても、その操作主体であるぼくたち（プレイヤー）の身体は、あくまでも「いまここ」の平凡な現実のなかに存在している。現実と虚構、プレイヤーとキャラクターのこの区別は、サイバースペースの出現によっても、なんら脅かされることがない。

にもかかわらず、一九九〇年代の情報社会論では、サイバースペースの比喩に無批判に引きずられ、情報技術の普及が、ぼくたちが操るキャラクターだけでなく、プレイヤー自身の身体感覚も直接に変容させるかのように議論されていた。ぼくはそれに苛立ち、前掲の論文を書いたのである。


かといって、ぼくはそこで、情報技術は人間の本質はなにも変えず、したがって情報社会論も無意味だといった乱暴な議論を行ったわけでもなかった（人文系の思想を学んだひとにはそのように主張するひとも多いが、ぼくはけっしてその立場ではない）。ぼくはむしろ、情報技術の普及はたしかにあるしかたで現実と虚構の境界を揺るがしてしまい、それは哲学的にも重要な意味をもっているが、しかしその変容はサイバースペースのような単純な比喩で捕まえられるようなものではない、と主張したのである。そこで要請されるのが、本章のタイトルにもなっている「不気味なもの」の概念だ。ぼくのむかしからの読者であればご存じのように、キャラクターとプレイヤーの差異とその境界侵犯というこの問題は、のち『動物化するポストモダン』の続編である『ゲーム的リアリズムの誕生』でも主題的に扱っている。繰り返しになるが、ぼくのオタク論はそもそも、あくまでも情報社会論の一部として構想されていたものだったのである。

それでは、サイバースペースの経験と「不気味なもの」の差異とはなにか。その説明に入るまえに、当時ぼくが抱いたもうひとつの違和感を記しておきたい。情報技術の誕生を新たな舞台＝空間の誕生として捉えるサイバースペースの比喩は、誤った認識を生みだしただけではない。それは同時に特殊な政治的含意を帯びていた。

ギブスンの『ニューロマンサー』は一九八四年に出版された。じつはこのまえの一〇年ほどは、アメリカで急激にパーソナルコンピュータ（ホームコンピュータ）が普及し始めた時期にあたる。マイクロソフトが設立されるのが一九七五年、アップルIIが発売されるのが一九七七年である。一九七〇年代後半から一九八〇年代前半にかけては、自宅のガレージで趣味でコンピュータを組み立てていたビル・ゲイツやスティーブ・ジョブズたちが、一気に世間に出て、巨大な成功を手にすることになる情報技術史上の革命期である。『ニューロマンサー』の刊行の年にはマッキントッシュが発売されている。

ゲイツやジョブズのような若いプログラマーたちは、当時「ハッカー」と呼ばれていた。この言葉はいまでは犯罪者を意味するものとなっているが、本来の意味は異なる。それはもともとはコンピュータの操作に熟練した技術者を広く指す言葉で、一九五〇年代には、大学や研究所の高価なメインフレーム・コンピュータ相手に巧みなプログラムを書く理系学生たちを意味していた。そんな「ハッカー」たちが作りだす独特の文化は、一九六〇年代になると大学を飛び出し、西海岸のニューエイジ思想やサブカルチャーと融合し、コンピュータのパーソナル化を果たすことで、一九八〇年代には巨大産業の担い手へと一気に飛躍することになる。そのあたりの歴史はスティーヴン・レヴィの『ハッカーズ』に詳しく書かれているので、興味のあるかたはぜひそちらにあたってほしい[★3]。

いずれにせよ、ここで重要なのは、その『ハッカーズ』を読めばわかるように、アメリカの情報産業がたんなるビジネスとして発達してきたものではないということである。その背後には独特の精神文化がある。そしてそのさらに中核には、一九七〇年代の西海岸の文化風土に強い影響を受けた、サブカルチャーとも結びつく草の根の反権威主義がある。その心性は同世代の日本のオタクたちに似ている。実際に一九八〇年代の前半は、日本でいうと、ちょうどオタク第一世代の人々、のちに『新世紀エヴァンゲリオン』を作る庵野秀明や同世代のクリエイターが活躍し始める時期にあたっている。オタクたちは、日本で情報化をもっとも熱心に受け入れた集団でもあった。

ハッカー文化もオタク文化も、ポストモダンの時代に現れた新たな若者文化であり、精神も世代も似ている。けれどもハッカー文化は、二〇一七年のいまも基本的に脱政治的であり続けることができている日本のオタク文化と異なり、ある時期以降、政治権力との直接の対峙を迫られることになった。一九九〇年の春、コンピュータ犯罪の危険を重視した合衆国連邦政府が、ゲーム会社とその関連施設を不当に捜査するという事件があった。そのまえにもいくつかの事件があり、その過程で、情報技術の存在を想定していない従来の刑法は、プログラムの開発などを抑えこむためかなり

★3　スティーブン・レビー『ハッカーズ』古橋芳恵、松田信子訳、工学社、1987年。原書は1984年刊行。この著作が1984年に出版されていることは、ギブスンが『ニューロマンサー』を出版したとき、すでにハッカー文化が十分に成熟していたことを意味している。そしてそこに記されたハッカーの現実は、サイバーパンクが描く幻想とはかなり異なっている。

恣意的に用いられることがわかってきた。そこでアメリカのハッカーたちは、同事件に対処するため「電子フロンティア財団」という非営利組織を結成し、技術者の自由を守るための啓蒙やロビー活動に乗りだすことになる。このあたりの経緯については、こんどはブルース・スターリングの『ハッカーを追え！』というノンフィクションに記されているので、興味のある読者はこちらも読まれたい[★4]。スターリングは、サイバーパンクを代表する小説家でギブスンとも共作があるが、同時に、ギブスンとは異なりハッカーの現実を深く理解している運動家でもあった。ローレンス・レッシグのような、法もわかれば情報技術もわかり、しかも政治にもコミットする学者がアメリカにいるのはなぜか（そして日本で育たないのはなぜか）、同書を読むとその背景がわかる。レッシグ自身もいちど電子フロンティア財団の理事を務めている。

さて、以上のような歴史をもつハッカー文化は、基本的に「反権力」だと言うことができるし、実際に広くそう見なされている。けれどもここで重要なのは、アメリカの反権力は、日本の左翼と異なり、必ずしも反アメリカ、反ナショナリズムを意味しないということである。アメリカにはそもそも、植民地時代にまで遡る強い個人主義と自由主義の伝統があり（リバタリアニズムはそこから生まれている）、それこそが反権力の源泉にもなっている。つまりアメリカにおいては、アメリカを愛することと現在の権力を批判すること、祖国への誇りと権力への怒りは矛盾なく結びつくのだ（というよりも、その両者がけっして結びつかない戦後日本の状況のほうが、世界的にはめずらしいと言うべきである）。

その結びつきはハッカー文化でも観察される。そのもっともわかりやすい例が、一九九六年にジョン・ペリー・バーロウが発表した、「サイバースペース独立宣言」という短い文章である[★5]。この文章は、当時のアメリカで成立した「通信品位法」という法律に反対するために書かれている。同法はネットワークに猥褻な情報を流すのを規制するもので、制定時は言論の自由との関係でその是非が活発に議論された。つまり、バーロウはネットワークの検閲をやめろと主張したわけだが、そこで重要なのが、タイトルからもわかるとおり、彼がそれをアメリカ独立宣言に模して記したことである。

バーロウはサイバースペースを新大陸に擬した。彼は、情報産業はサイバースペースという名の新たなフロンティア＝新大陸なのだと宣言する。かつてアメリカは旧大陸のくびきに苦しみ、そこからの独立によって繁栄を手に入れた。それがアメリカの出発点である。だとすれば、いまこの新しい新大陸＝サイバースペースに、旧大陸＝既存産業の法秩序を適用してはならない。アメリカが旧大陸から独立したように、サイバースペースも古い法秩序から独立しなければならない。それがバーロウの主張だ。ここではサイバースペースという空間の隠喩が、情報産業の革新的（反伝統的）な性格と愛国心（アメリカの伝統への愛）を結びつける重要な役割を果たしている。

サイバースペースはもともと文学的な比喩でしかなかった。けれどもそれは、『ニューロマンサー』から一〇年ほどで、情報産業の未来とアメリカの歴史を重ねるための政治的な言葉に変わって

★4 ブルース・スターリング『ハッカーを追え！』今岡清訳、アスキー出版局、1993年。
★5 John Perry Barlow, "A Declaration of the Independence of Cyberspace." URL=https://www.eff.org/cyberspace-independence

いく。インターネットをサイバースペースと呼ぶことは、それを資本主義の新しいフロンティアと見なすことを含意している。そして実際に歴史はそのような道をたどった。情報産業には無数の「サイバースペース・カウボーイ」(この表現も『ニューロマンサー』に出てくる)が押し寄せ、所有者がいなかったネットワークは無数の私有地に分割され、先行者が巨大な富を築きあげた。しかし、ほんとうにそれがインターネットのあるべきすがただったのだろうか?

イギリスの研究者、リチャード・バーブルックとアンディ・キャメロンは、マルクスとエンゲルスが青年ヘーゲル学派を「ドイツ・イデオロギー」と呼んだのを参照し、ハッカーたちの運動を「カリフォルニア・イデオロギー」と名づけている[★6]。

彼らによれば、カリフォルニア・イデオロギーは、新しい技術が社会をよくするという技術的な楽観主義、起業家の競争を全面的に肯定する新自由主義、ヒッピー文化の影響を受けた反体制志向、そして最後に前述のような愛国主義が合わさって生まれた、たいへんいびつなイデオロギーである。そこには保守の志向とリベラルの志向が無批判に混ざりあっている。まさにそのような混淆があったおかげで、ハッカーたちは、資本主義の本質を否定しないまま、反資本主義的な理想をナイーブに語ることができた。言い換えれば、生々しい富への欲望を抱いたまま、無欲な共産主義者であるかのようにふるまうことができたのである。オープン、シェア、フリーなど、反資本主義的なバズワードを生みだすアメリカ人は同時に多くが億万長者だが、彼らがその矛盾に苦しんでいるようすはない。

二〇一六年のアメリカ大統領選では、シリコンバレーの少なからぬエリートたちがトランプ候補を支持し衝撃を与えた。しかし、その保守性はすでに二〇年前の「サイバースペース独立宣言」で予告されていたとも言える。カリフォルニアのハッカーたちは、そもそもが「アメリカ・ファースト」なのだ。なぜならば、サイバースペースとは最初からアメリカの別名にすぎなかったからである。

2

サイバースペースという言葉には独特のメッセージが含まれている。それは、ひとことで言えば、情報技術の誕生によって、ぼくたちは新しい世界＝空間に生きるようになるというメッセージである。その認識論的な表現が「仮想現実への没入」で、経済的な表現が「情報産業という新しいフロンティア」だと考えられている。

ぼくは前掲の論文では、以上のような整理のうえで、その構図全体を乗り越え、空間の比喩に頼らない情報社会論の可能性を開こうとした。そこで登場したのが、さきほども触れた「不気味なもの」という概念である。

★6　リチャード・バーブルック、アンディ・キャメロン「カリフォルニアン・イデオロギー」篠儀直子訳、『10＋1』第13号、ＩＮＡＸ出版、１９９８年。

ここで「不気味なもの」は、日常の言葉としてではなく、精神分析上の概念として使われている。フロイトは一九一九年に、「不気味なもの」と題する有名な論文を書いている。ここでは簡単な紹介にとどめるが、フロイトによれば、不気味さの本質は、親しく熟知しているはずのものが突然に疎遠な恐怖の対象に変わる（たとえば身近な親族が幽霊になるなど）、その逆転のメカニズムにある。ひとつしかないはずのものがたくさんに増殖したり、いちどしか起こらないはずのことがなんども続けて起こったりすると、不気味さのメカニズムが発動する。そして、そのメカニズムは、「死の欲動」や「反復強迫」といった問題とも深い関係にあるのだという。

ぼくは情報社会論の基礎に、この「不気味なもの」の感覚を置くべきだと主張した。つまりは、情報技術に接触すると、ひとは、新世界に行くというよりむしろ幽霊に取り憑かれるのだと主張したのである。

では、その提案は情報社会論をどう変えるのか。ぼくは件の論文では、「分身」と「不気味なもの」を対置し[★7]、その対立をさらにギブスンの小説とフィリップ・K・ディックの小説に重ねるという議論を展開している。

まずはギブスンについて言えば、彼は明らかに「分身」の作家である。なぜならば、サイバースペースとは人々が分身（アバター）を送りこむ仮想空間のことだからだ。情報社会の主体は、ネットワークに触れることで物理的身体と電子的身体とに分裂し、後者をサイバースペースに送りこむ。

『ニューロマンサー』の物語はそのようなイメージのうえで語られる。そこでは情報技術の本質は、自分の電子的な分身を生みだすことにあると考えられている。この想像力は、二〇一七年のいまもしぶとく生き残っている。

ちなみに、ここでは触れるにとどめるが、主体を分裂させるこの想像力は、おそらくは同時期に流行した多重人格の現象と深い関係をもっている。心理学者のシェリー・タークルは、一九九五年の『接続された心』で、まさにギブスンの小説やラカンの精神分析を引きながら、ネットワーク上

★7 フロイトの論文「不気味なもの」では、分身(ドッペルゲンガー)は不気味なものの表現において頻出するモチーフと位置づけられている。フロイト『ドストエフスキーと父親殺し/不気味なもの』中山元訳、光文社古典新訳文庫、2011年、164頁以下。だとすれば、ここは正確には、分身の表現には不気味さを感じさせるものと感じさせないものがあり、ギブスンのサイバースペースは後者の例だと記すべきなのかもしれない。ところでフロイトはこの短い論文で、「不気味さ」とは、個人あるいは集団が原始的段階でいちど経験し、その後抑圧されたものが回帰してきたときに生まれる感覚だと定義している。「わたしたちは誰もが、個人としての発達段階において、原始人のアニミズムに相当する時期を経験していた。このアニミズムの段階がわたしたちのうちにさまざまな残滓や痕跡を残しているのであり、それはときにふれて必ず外に現れてこざるをえないのである。そして成人したわたしたちが「不気味なもの」と感じるすべてのものは、このアニミズム的な心の能力の残滓にかかわり、これを表現する刺激となる条件を満たしているようである」。『ドストエフスキーと父親殺し/不気味なもの』、177頁。この定義が本論の文脈で興味深いのは、それが、第六章で述べた「家族」あるいは「贈与」の回帰(高次元での回復)と深く関係しているように思われるからである。家族も贈与もアニミズムも、文明の原始的段階でいちど世界を支配し、そしてその後抑圧された。家族も贈与もアニミズムも、考えてみればみな不気味なものだ。ぼくたちはいまその回帰の時代に生きているのかもしれない。だからマルチチュードの連帯(回帰した家族)やシェアエコノミー(回帰した贈与)が頻繁に語られ、アニメーションやゲームの表現(回帰したアニミズム)がもてはやされるのかもしれない。本章の記述はそのようにして第六章や第八章に接続する。本論ではほとんど展開することができなかったが、家族の哲学を論じるのであれば、そもそも精神分析は二〇世紀にもっとも影響力をもった家族の哲学である。それゆえ、家族の概念の再構築あるいは脱構築を目指すぼくの試みは、必然的にフロイトのテクストの再読を含まざるをえない。もし本書の続編が書かれるとすれば、それは多かれ少なかれフロイト論にならざるをえないだろう。

のコミュニケーションではひとが多重人格的にふるまうことに注意を促している[★8]。他方で、科学史家のイアン・ハッキングは、同じ年に出版された『記憶を書きかえる』で、一九八〇年代のアメリカで多重人格がいかに文化的な流行となったか、そしてその症例が一九七〇年代以前にはいかにまれだったかを明らかにしている[★9]。つまりは、サイバースペースの概念と多重人格の症例は、ほぼ同時期の北米で「発明」され、のち全世界に急速に広まったものなのである。このことは、オンライン・コミュニケーションによって主体が分裂するといった分析が、客観的な分析というよりも、じつはひとつの時代精神の表現にすぎないことを示唆している。日本でも、二〇〇〇年代に入り、一部の論者により「分人」といった言葉が唱えられたことがある[★10]。現代人は統一した自我をもつ「個人」であることをやめ、状況に応じて人格を切り替える「分人」であるべきだといった主張だが、それもまた、新しい思想というよりも時代の表現だと考えたほうがよい。ぼくたちは、主体の分裂を妙に夢見る時代に生きているのだ。

他方でディックはどうだろうか。この作家もしばしば情報社会を予見したと言われ、多くの作品がハリウッド映画の原作となっている。けれども、さきほどニューウェーブに分類されることもあると記したように、世代的にはギブスンより上にあたり、活躍したのは一九六〇年代から一九七〇年代にかけての時期である。そして『ニューロマンサー』刊行の二年前に亡くなっている。だからディックはサイバースペースを知らない。

それでは、ディックは、ネットワークとの接触による主体の変容をどのように描写したのだろうか。ディックは必ずしもコンピュータやインターネットを主題にした作家ではない。一九八二年に亡くなった彼は、そもそもパーソナルコンピュータの本格的な普及を知らない。けれども、彼の小説は初期のころからポストモダンの消費社会を切り取ったものだと高く評価されており、加えて西海岸に住んでいた彼は、若いハッカーたちと文化的にきわめて近い場所にもいた。それゆえ、彼の小説は、具体的にコンピュータやインターネットが登場しなかったとしても、情報社会の特徴（監視社会の出現など）を捉えた文学としていまにいたるまで高い評価を得ているのだ。では彼はそこで、新しい社会の到来をどのような感覚で捉えていたのか？

そこで重要な役割を果たすモチーフが、まさに「不気味なもの」だった。ディックの小説では、登場人物が特殊な技術に出会うことが多い。『火星のタイム・スリップ』であれば時間感覚を変容させる幻覚剤であり、『パーマー・エルドリッチの三つの聖痕』であれば幻覚剤とジオラマを組み合わせた仮想現実キットであり、『アンドロイドは電気羊の夢を見るか？』であればアンドロイドであり、『ユービック』であれば死者の脳を再活性化する技術である。そしてそれらとの接触によって、登場人物は、本物か偽物かわからないなにか、人間か非人間かわからないなにか、生物か無生物かわからないなにかに取り囲まれることになる。現代思想の言葉で表現すれば、「シミュラー

★8　シェリー・タークル『接続された心』日暮雅通訳、早川書房、１９９８年、３５２頁以下。
★9　イアン・ハッキング『記憶を書きかえる』北沢格訳、早川書房、１９９８年。
★10　『なめらかな社会とその敵』、１３４頁以下。また、平野啓一郎『私とは何か』、講談社現代新書、２０１２年など参照。

クル」に取り囲まれることになる。ディックは、それらシミュラークルの出現のため、登場人物が現実感を失っていく経験を繰り返し描いている。その小説世界はしばしば「悪夢的」とも形容される。

ぼくはこのディックの小説の特徴が、新たな情報社会論を構想するうえで決定的に重要だと考える。ディックの登場人物は、現実から分身を離脱させ、それをサイバースペース＝異界に送りこむようなことはしない。むしろ、不気味なものに取り憑かれ、現実とサイバースペース＝異界の境界そのものを見失ってしまう。つまりは、ギブスンが、こちらが現実、あちらがサイバースペースときっちり区別された世界を描いたのに対して、ディックは、こちらとあちらの境界があいまいになる、その経験をこそ現代社会の本質と捉えるのだ。ぼくは、このようなディックの読解こそが、ネットワークを新しいフロンティア＝異界として捉えるのではない、ほんとうの意味で新しい情報社会論の基礎になるはずだと考えた。

ギブスンとディックの文学的な差異から、現代社会の理論を探る。文芸批評の作法に慣れない読者にとって、このような手法はあまりに奇異に響くかもしれない。とはいえ、ぼくがそこで主張したことは、だれもがソーシャルメディアを利用するようになった二〇年後のいま、多くの読者が体感できる話なのではないかとも思う。

現代のＳＮＳのユーザーは（とくに日本では）、しばしば「本アカ」と「裏アカ」を使い分ける。

前者は、ユーザーの実名と紐づけられ、現実の友人や知人も読むものと見なされているアカウントで、後者は、実名から切り離され、匿名でだらだらと好き勝手なことを書いてよいと見なされているアカウントである。

この区別を援用して説明すれば、ギブスンが描いたのは、いわば本アカと裏アカがきちんと区別できている世界である。本アカは現実のぼくたちが運営し、裏アカは電子的な分身が運営している。サイバースペースへの「没入」とは、つまり裏アカへのログインだ。サイバースペースの比喩に引きずられた一九九〇年代の情報社会論は、裏アカの確保がいかに人間を自由にするか、その肯定的で解放的な側面ばかりを強調していた。そして、それはまた、主体の分裂を夢見るぼくたちの時代にとって、いかにも都合のいい言説でもあったのである。ネットワークはぼくたちを「分人」にしてくれる、万歳！　というわけだ。

けれども、二〇一七年のいまでは明らかなように、情報社会の怖さというのは、まさにその夢が夢でしかないこと、すなわち本アカと裏アカの使い分けがだんだんとできなくなっていくことにあるのである。本アカと裏アカの区別はしばしば失効する。実名が暴露され「炎上」する。そのような光景は日常茶飯事である。しかもそれだけではない。より恐ろしいのは、本アカと裏アカの使い分けを、その使い分けをしているはずの当人もだんだんできなくなっていくことだ。虚構で毒を吐き続けていれば、やがて現実にも影響を及ぼす。ひとはそんなに器用に「分人」にはなれない。分身が裏アカで吐いた毒は、まさに不気味なものとして本体に貼りつき、少しずつ本アカのコミュニケーションにもゆがみを与えていく。ぼくたちはいま、まさにそのような事例をヘイトやフェイクニュースの隆盛というかたちで日常的に目にしているように思われる。ディックの小説は、その「悪夢」を正確に予見している。だからぼくは、情報社会論は、ギブスンのサイバースペースのうえにではなく、ディックの悪夢のうえに設立するべきだったと考えるのである。

分身から不気味なものへ。ぼくは二〇年前の論文で、その論理の説明を『ヴァリス』という小説の読解に集約させた。

『ヴァリス』は一九八一年に刊行された小説である。主人公はディック本人に擬せられており、自伝的な要素を強くもっている。しかし同時に、作家独特の宗教思想や陰謀論、現実の麻薬中毒体験、ニューエイジやヒッピー文化などすべてが流れこんだ、虚実入り混じったじつに奇妙な作品になっている。その物語は、ごく短く要約すれば、新たな情報技術との接触によって主人公に分身（ホースラヴァー・ファットという名の二重人格）が生まれるが、最後には不気味なもの（ソフィアという名の少女）との出会いによって消滅するというものである。ぼくはそこから、分身から不気味なものへという前述のテーゼを引きだした。

ここではその『ヴァリス』の読解までは紹介しない。ただ、本書の文脈で付け加えておくと、この小説で不気味なものを体現する役割のソフィアが、つねに家族のイメージとともに描かれていることは重要かもしれない。

そもそも『ヴァリス』の主人公はひどく孤独な存在である。妻とは離婚し、友人は麻薬中毒でつぎつぎ自殺している。子どもも近くにはいない。前述のように、そこにはディック自身の経験が投影されている。そんなとき主人公は、情報の洪水（ネットワーク）に出会い、もうひとりの自分という妄想を抱いてしまう。『ヴァリス』の物語はそこから始まるが、そんな妄想を解消し（とはいっても、おおかたのディック作品と同じく、それはより上位の妄想への参入にすぎないのだが）、生きる目的を与えるのがソフィアなのである。ソフィアは幼い少女ながらも、神の代弁者であり、畏怖の対象として描かれる。そして事故で突然死ぬ（そのあたりがディックの小説の怖いところである）。しかし彼女は同時に家族の幼い一員としても描かれる。主人公は、初対面で彼女を自分の家族として受け入れている。小説にはつぎのような描写がある。「「何てかわいい子供なんだろう」ソフィアはわたしに息子のクリストファーを思いださせた」[★11]。つまりはディックは、この小説で、孤独を癒やす分身（二重人格）は自分の似姿でしかないが、不気味なものは子どもとして現れるというモチーフの対立をはっきりと導入している。二〇年前のサイバースペース論の文脈からはいささか離れるが、二〇年後のぼくには、ここにはなにか重要な問題が宿っているように思われてならない。ぼくは前章の最後で、新生児への憐れみについて触れた。考えてみれば、新生児とはまさに神の使いであり、同時に不気味なものではなかっただろうか？

いまならば、ぼくは『ヴァリス』を、陰謀論と麻薬中毒の地獄を経たディックが、否定神学的な

★11　フィリップ・K・ディック『ヴァリス』大瀧啓裕訳、創元SF文庫、1990年、327頁。

マルチチュード（孤独な連帯）から郵便的なマルチチュード（家族）への脱出を描こうとした小説として読めるのかもしれない。しかしそのためには、またもうひとつ新たな論文が必要だろう。

3

情報社会の主体を、不気味なものに囲まれた主体として捉える。前章までの議論を追ってきた読者は、本章の記述をあまりにも文学的だと感じたかもしれない。

そこでここでは、主体が不気味なものに囲まれるとはいったいなにを意味するのか、精神分析の知見を活かした図式化の試みのほうも紹介しておこうと思う。そちらについても、二〇年後の視点から更新することで、第一部の議論との接続が可能になる。ただし、繰り返すが、ここでの論述は、あくまでも将来行われるべき本格的な探求のための準備作業である。

ぼくは二〇年前に図1のような図を提案した。この図は、イ

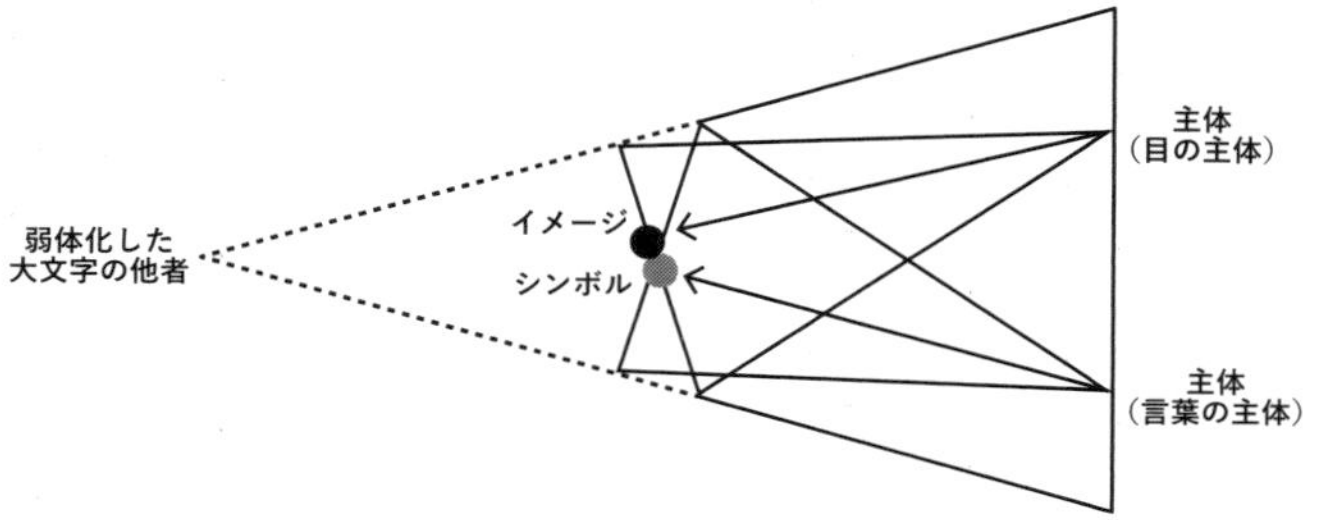

図1　情報社会の主体（インターフェイス的主体）の構造
『サイバースペースはなぜそう呼ばれるか＋』、93頁より再制作

デオロギーがなくなり、かわりにネットワークが整備されたポストモダンの時代において、主体が世界とどのような関係を結ぶかを図示している。

多少の説明が必要だろう。この図は特殊な前提に基づいている。じつはこれは、フランスの精神分析医、ジャック・ラカンが描いた主体の構造の図を変形して作りあげたものなのである。ラカンは近代の主体の構造を図で示した。主体の構造を図に示すことなんてできるのかと疑問を感じた読者がいるかもしれない（し、その疑問は個人的には妥当だと思う）が、ここではとりあえず、そのような学問があるのだということで深く考えず受け入れてほしい。二〇年前のぼくは、その図を変形することで、ポストモダンの主体の構造を図示することができると考えた。

いずれにせよ、この図は応用なので、その意味を理解するためにはより基礎的な図を理解する必要がある。図2と図3がそれである。

ラカンの精神分析理論によれば、人間の主体は「想像的同一化」と「象徴的同一化」というふたつのメカニズムの組み合わせで構成されることになっている[★12]。

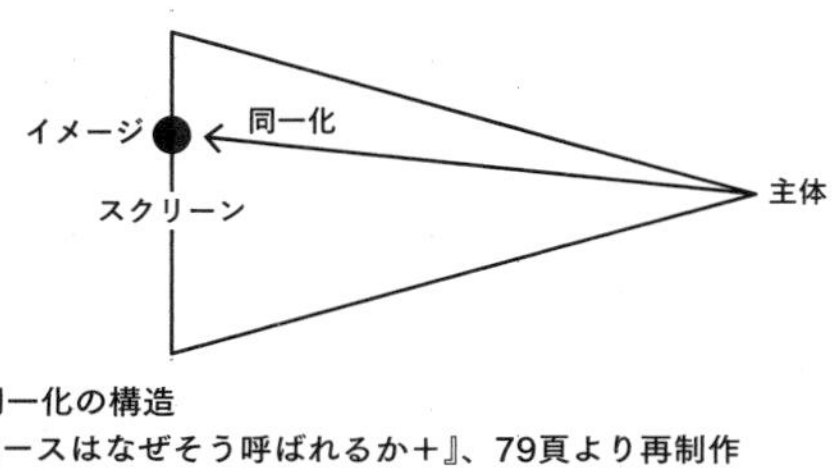

図2　想像的同一化の構造
『サイバースペースはなぜそう呼ばれるか＋』、79頁より再制作

想像的同一化とは、目で見ることができるイメージ（像）への同一化を意味している。もともとは幼児が鏡に映る像を自分と認識する働き（鏡像段階）を意味する言葉だが、ラカンの理論ではより広い文脈でも使われる。ここでは映画の比喩で説明してみよう。ラカンの精神分析が映画研究と親和性が高いことはよく知られている。ラカンの主体についての理論は、まるで人間が世界に対して、映画の観客がスクリーンに対するときと同じ構造で接しているかのように読めるところがある。裏返して言えば、彼の理論は、映画を例にして考えるととても理解しやすい。現代思想に親しんでいる読者であれば、第一部でも参照した批評家、ジジェクがやたらと映画評を書いていることをご存じだろう。それは、彼が依拠するラカンの理論が、そもそも映画ととても親和性が高いからなのである。

図2はその想像的同一化の働きを図示したものである。この図は、ラカンがあるセミネールで描いた図から一部を取り出し、簡略化して作成したものである[★13]。図の右に「主体」が、左に「スクリーン」が位置している。スクリーンとは世界のことだと

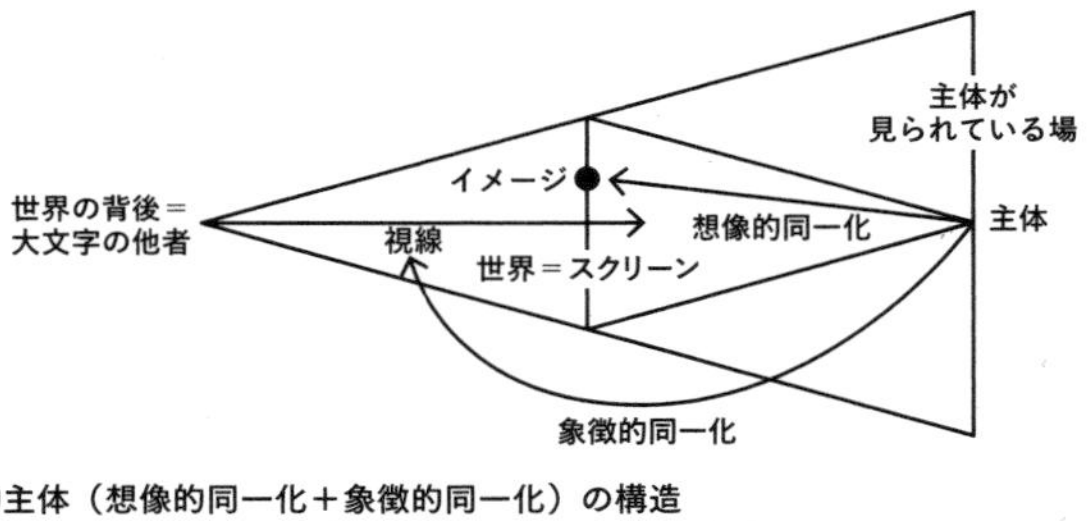

図3　近代的主体（想像的同一化＋象徴的同一化）の構造
『サイバースペースはなぜそう呼ばれるか＋』、81頁より再制作

考えてほしい。この図は、映画館で観客がスクリーンを眺めている状態をモデル化するものであるとともに、人間が世界に対峙している状態をモデル化した図でもある。

さて、ここで注目してほしいのは、主体からスクリーンの特定の箇所（イメージ）に矢印が向かっていることである。この矢印が想像的同一化の作用を意味している。ひとはだれでも、成長の過程で世界のだれかに「同一化」する。具体的には両親や教師や先輩といった人物である。それがこの図ではイメージの黒点で示されている。ひとは想像的同一化の対象と自分を重ね、そのふるまいをまねること（同一化すること）で大人になる。映画の例で言えば、それは、観客がスクリーンを見ながら、あの俳優かっこいいなおれもああなりたいな、あの女優きれいだなわたしもああなりたいな、と思う感情の動きに相当している。

しかしそれだけではない。ラカンの考えでは、人間にはもうひとつ同一化

★12　想像的同一化と象徴的同一化の差異については、ラカンの著書やセミネールよりも（彼の著書は難解で知られている）、ジジェクの説明を参考にしたほうがわかりやすい。『イデオロギーの崇高な対象』、２０１頁以下。

★13　１９６４年のセミネール『精神分析の四つの基本概念』で書かれた図。参考までに下にラカンの元図を引用する［図4］。ジャック・ラカン『精神分析の四基本概念』ジャック＝アラン・ミレール編、小出浩之ほか訳、岩波書店、２０００年。なおこのセミネールでは、想像的同一化と象徴的同一化の二重性は「目となざしの分裂」と表現されている。ぼくたちは、なにかを目で見るときに、同時にそんな自分もまなざされている。その分裂が主体の基礎だというのがラカンの主張だ。図の右の「表象の主体」とは「なにかを見る主体」のことを意味している。

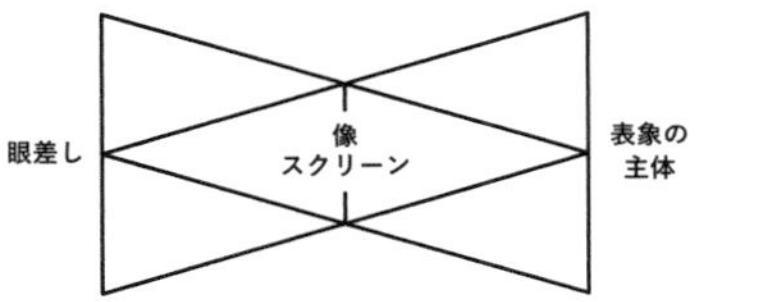

図4　『精神分析の四基本概念』、140頁より再制作

のメカニズムが存在している。それが象徴的同一化である。

図3はその象徴的同一化の働きを図示したものである。ひとめ見てわかるとおり、この図は図2を拡張して描かれている。ラカンのオリジナルにはじつはこちらが近い。ここでもスクリーンは世界を表している。そして主体が世界＝スクリーンを眺めている。しかしこんどは、世界＝スクリーンの背後の構造が描きこまれているところが異なっている。世界＝スクリーンは、ただ漠然と観客＝主体に与えられているものではなく、背後にそれを生みだす秩序を隠している。哲学の言葉で言えば、それは、世界を成立させる「超越論的主観性」や社会をつくりだす「象徴秩序」ということになる。映画館の例でいえば、それはフィルムの映写機であり、またそのフィルムに映る光景を切り取った映画監督のカメラに相当する。世界を生みだすその根源は、ラカンの理論では「大文字の他者」と呼ばれる。それが大きな三角形の頂点をなしている。

この図3には主体から発するふたつの矢印が描かれている。ひとつは図2と同じ、想像的同一化の矢印である。しかしここで重要なのはもうひとつの矢印が、世界＝スクリーンを飛び越え、大文字の他者から発して世界＝スクリーンを通過し右側の主体へとまっすぐに向かう「視線」なるものに宛てられていることである。これが象徴的同一化の作用を表している。それは、世界＝スクリーンを成立させるメカニズム、それそのものに対する同一化である。

世界を成立させるメカニズムそのものへの同一化とは、あまりに抽象的に響くかもしれない。けれども、これもまた映画の例で考えるとわかりやすい。ぼくはさきほど、想像的同一化とはスクリーンに映る俳優（イメージ）への同一化なのだと述べた。しかし、そもそもその俳優たちはなぜスクリーンに映っているのか。それはむろん、だれかが彼らをキャスティングしたからであり、まただれかが彼らを撮影したからである。象徴的同一化はその裏方の作業への同一化である。つまりは、映画で言えば、カメラへの同一化ということになるわけだ。「大文字の他者」から主体にまっすぐに伸びる「視線」とは、映画監督が俳優たちを見つめる視線のことである。

象徴的同一化は想像的同一化よりも「高級」である。これもまた、映画の例で考えるとわかりやすい。多少とも映画にうるさい友人がいるひとであれば、つぎのように言われた経験があるだろう（ぼくにはある）。俳優にせよ物語にせよ、映画の内容を見ているあいだはアマチュアである。映画好き（シネフィル）は、スクリーンに映っているものではなく、映っていないもの、つまりはカメラの画角（フレーム）や監督の視線を追いかけるのだと。まさにそれこそが想像的同一化と象徴的同一化の差異である。アマチュアはイメージを見る。シネフィルはカメラに同一化する。そして後者の同一化を経ることで、はじめて映画の鑑賞は成熟を迎える。

じつはラカンの理論は、これと同じ論理で主体化の過程を説明している。ひとは、両親なり教師なりをまねるだけでは（想像的同一化だけでは）大人になれない。彼らがなぜそのようなふるまいをするのか、そのメカニズムを理解すること（象徴的同一化をすること）ではじめて大人になる。この二重化がラカン派精神分析の主体理論の肝なのだ。別の言葉で言い換えれば、人間は、見えるもの（イメージ）に同一化するだけでなく、見えないもの（シンボルあるいは言語）に同一化することで、はじめて大人になる（主体になる）のである。ラカンはこの見えるものの世界を「想像界」と、見えないものの世界を「象徴界」と名づけた。「大文字の他者」と「象徴界」は、ほぼ同じ意味である。

以上を踏まえて図1に戻ろう。いまやこの図が図3の変形になっていることはたやすく見て取れるはずである。ぼくがこの図で示そうとしたのは、象徴界（大文字の他者）が弱体化したポストモダン社会において、主体がどのようにして同一化の二重性を確保するのか、という問いに対するぼくなりの答えだ。

その問いは、じつはさきほどまで見てきたサイバースペースの問題と密接に関係している。

サイバースペースの概念が現れたのは一九八〇年代である。一般に「ポストモダン」と定義される時代は、その少しまえの一九七〇年代から始まったと言われている。ここでは詳しく紹介しないが、ポストモダンとは「大きな物語」の喪失によって定義される時代である。それはまた精神分析の用語で言えば「象徴界」の失調を意味している。そしてここで重要なのは、さきほど紹介したジャンルＳＦ史における「宇宙」や「未来」の地位低下は、まさに、時期的かつ内容的に、文学におけるポストモダン化の表れだと考えられることである。宇宙と未来の失墜、それは大きな物語の喪失にほかならない。

情報社会論、精神分析、ジャンルＳＦを横断するこのような歴史を描いてみると、サイバースペースという概念が、大きな物語が消えた世界において、その欠落を埋め合わせる「新しい大きな物語」の役割を果たしたことがわかってくる。サイバースペースは、宇宙や未来の魅力が失われた時代に、新しいSFの舞台として現れた。またそれは、エコロジーが叫ばれ成長の限界が説かれた時代に、新しい産業のフロンティアとして現れた。つまりはそれは、文学的にも政治的にも、近代が終わったあとにも残り続けた近代主義、「大きな物語」の残滓を受け取るすぐれて精神分析的な機能を果たす言葉として現れたのである。ひらたく言えば、現実の世界はすっかりポストモダン化し、もうだれもかつてのような大きな夢（宇宙や未来を信じる夢）はもてなくなってしまったけれど、唯一サイバースペースにだけは夢が残っている、そのように二〇世紀末の人々は信じようとしたのだ。その幻想はいまも残っている。情報社会論では、近未来に「シンギュラリティ」が来る、新しい技術の力で人間のすがたも社会のすがたも一変するといった、二〇世紀どころか一九世紀の空想的社会主義者もかくやと思わせる「大きな物語」がまだ流通している。その類の言説はビジネス界隈ではじつに素直に受容されているが、本来はこのような視野のもとで批判的に検討されるべきである［★14］。

さて、さきほど記したように、ぼくは二〇年前の論文で、サイバースペースに頼らない情報社会論を企てた。その手がかりのひとつがディックの読解と「不気味なもの」だったのだが、もうひとつがいまここで紹介しているラカン派の主体理論のアップデートになる。

サイバースペースなき情報社会の主体について考えるとは、すなわち、大文字の他者の弱体化をごまかさずに受け入れた主体の構造について考えることである。そしてラカン派の理論によれば、主体は主体であるためには、必ず想像的同一化と象徴的同一化のふたつの同一化を経なければならない。したがってぼくはそこで、大文字の他者が弱体化したポストモダン社会において、主体はどのようにして同一化の二重性を確保するのか、という問いについて考えることになったのである。それは、いわば、不気味なものについての考察の、別のかたちでの表現だ。

では、あらためてぼくはどのような答えを出したのか。みたび図1を見てもらいたい。この図では、図3と異なり、もはや世界＝スクリーンの背後の構造は描かれていない。それは、ポストモダンの時代において、主体はもはや社会を支える象徴秩序（象徴界＝大きな物語）にアクセスすることができず、したがってそこに同一化の欲望を向けることもできないことを意味している。ふたたび映画の比喩を借りれば、それは映画監督のカメラが存在しないことを意味している。二〇年前に論文を書いていたとき、ぼくがそこで念頭に置いていたのはじつはコンピュータのインターフェイス画面である。コンピュータの画面には映写機もカメラも存在しない。

それでは、このカメラが欠落した状況で、いかにして同一化の二重性を確保するのか。そこでぼくが考えだしたのが、宛先の二重化というアイデアだった。図では、ひとつの世界＝スクリーンのうえに、想像的同一化の対象（イメージ）と象徴的同一化の対象（シンボル）が等価に並ぶようすが描かれている。ポストモダンの世界では、世界のカメラがなくなったかわりに、スクリーンのうえにイメージとシンボル、見えるものと見えないもの、現象とそれを生みだす原理が同時に並び立つ。主体はそのふたつに同時に同一化する。その結果、あるときイメージのほうに同一化していたとしても、つねにシンボルへの別の同一化から介入が来るような、そのような葛藤が生じる。その葛藤こそが、図3のような想像的同一化と象徴的同一化の二重性とは異なったかたちではあるものの、それに似た機能をもつポストモダン特有の主体の二重化を生みだす――ぼくはそのような仮説を立てたのである。

この仮説は二〇年前には抽象的なものにとどまっていた。しかし、二〇年後のいまはもう少し具

★14　本文ではまったく展開する余裕がなかったが、現在のシンギュラリティ論のような「技術の進化で人間社会が一変する」というタイプの議論の起源のひとつは、一九世紀ロシアの思想家、ニコライ・フョードロフだと考えられる（もうひとつの同時期の起源はシャルル・フーリエだろう）。フョードロフはキリスト教終末論と技術的進歩主義を結びつけた独特の神秘思想を唱え、晩年のドストエフスキーに深い影響を与えた（ドストエフスキーがフョードロフの思想をともに語りあった若い思想家ウラジーミル・ソロヴィヨフは、『カラマーゾフの兄弟』のアリョーシャのモデルになったとも言われている）。フョードロフは、歴史の終末における死者の復活は技術的に実現可能なはずだと主張し、また過去に生きた人間の行為すべてを記録する巨大な博物館（アーカイブ）の設立を考えてもいた。「不死」や「アーカイブ」への強い関心は、現在のITイデオローグたちにも通じるところがある。フョードロフのこのような思想は、「宇宙主義」と呼ばれ、のちロシアのさまざまな思想家に影響を与えた。そのなかには地質学者のウラジーミル・ヴェルナツキーがおり、彼が考えたヌースフェア（精神圏）なるアイデアが、テイヤール・ド・シャルダンの『現象としての人間』を経由してマーシャル・マクルーハンの『グーテンベルクの銀河系』に入りこみ、のちに「地球村」（グローバル・ヴィレッジ）の概念、さらには「サイバースペース」へいたることになる。第七章の問題はここで第八章と響きあう。ヘーゲルからコジェーヴを経てフクヤマにいたった「歴史の終わり」すなわち大きな物語の終わり（共産主義の物語の終わり）のすぐとなりで、というよりもまさにその足下で（同じアメリカで同じ時期に）、カリフォルニア・イデオロギーというかたちで、フョードロフに発するもうひとつの「大きな物語」がぬけぬけと復活を遂げていたのである。それは思想史的にもじつに刺激的なドラマのように思われる。いずれにせよ、情報技術革命の思想にはさまざまな水脈が流れこんでおり、情報産業の動向が世界の秩序を直接に決めているいま、その文化史的な研究は急務であるように思われる。フョードロフについては、スヴェトラーナ・セミョーノヴァ『フョードロフ伝』安岡治子、亀山郁夫訳、水声社、1998年を参照。ロシア宇宙主義については、ボリス・グロイス「ロシア宇宙主義」上田洋子訳、『ゲンロン2』、2016年が参考になる。

体的に説明することができる。

第一部でもいくどか言及しているように、ぼくは二〇一一年に『一般意志2・0』と題した本を刊行している。ルソーの一般意志を主題とした本だが、その結論部分で、未来の政治のモデルとして図5を挿入した。

ぼくはこの本で、未来の政治は、専門家による「熟議」と、大衆の無意識を可視化したものすなわち「データベース」の組み合わせになるべきだと主張した。この図はその組み合わせのかたちを表している。図の右側には視聴者＝国民がいる。左側には出演者＝専門家の熟議がある。両者を隔てる壁は、視聴者の無意識の声を拾いあげ、専門家の熟議へとフィードバックする役割を担う。ぼくは、熟議とデータベース（大衆の無意識）をつなぐその中央の壁を「一般意志2・0」と呼んだ。

さきほど、ラカンの精神分析は映画の構造に近いと述べた。他方でぼくのこの図は、ニコニコ生放送（ニコ生）の構造にヒントを得て描かれている。中央の壁をニコ生の画

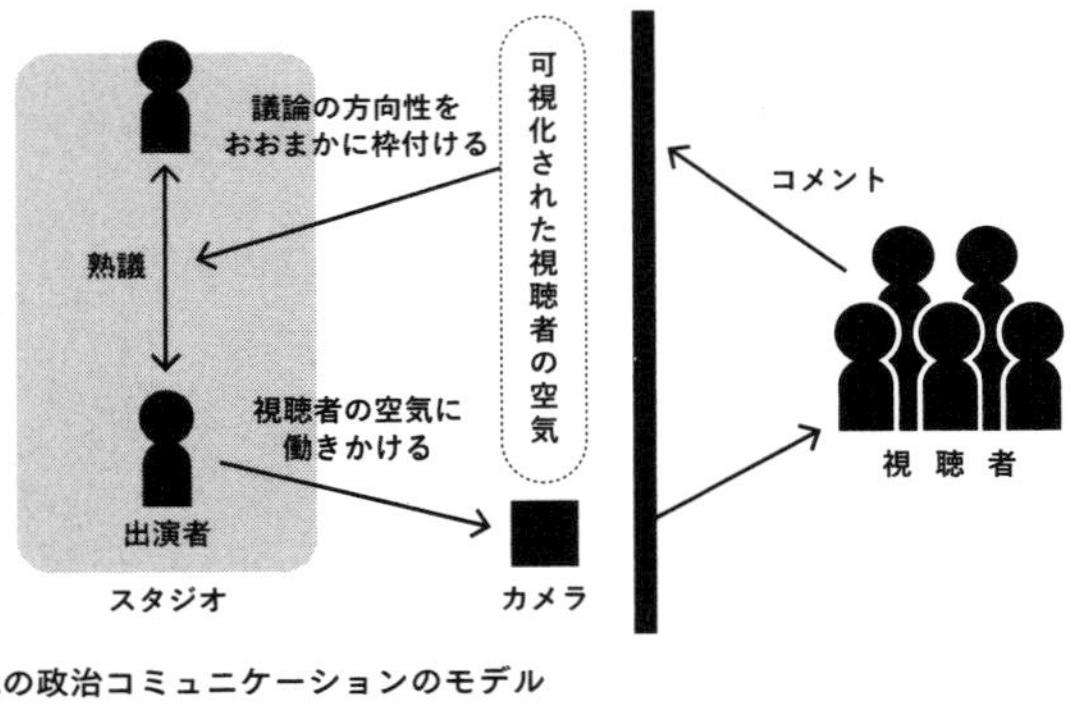

図5　新時代の政治コミュニケーションのモデル
『一般意志2.0』、196頁より再制作

面だと考えていただきたい。視聴者は出演者の熟議を見ている。けれども同時に、視聴者のコメントが画面に表示される。視聴者はそちらも見る。ここで興味深いのは、ニコ生のコメントは実際には匿名の短い文章ばかりで、しかも短時間で流れて消え去るので、議論への個々の「意見」というよりは、議論の場全体に対する集団的な「感情」の表れとして機能するということである。ひらたく言えば、ニコ生のコメントは、視聴者の「空気」を可視化したものとして現れる。そして出演者もそれを見て、ときに議論の内容を調整する。そのフィードバックがあるのがニコ生の魅力である。ここからは、視聴者の空気がリアルタイムで可視化され、その表示が専門家の熟議をあるていど方向づける、そのフィードバックにこそ新たな政治の可能性があるという主張へと進んでいくのだが、本書ではその詳細には立ち入らない。いずれにせよ、ここで重要なのは、中央の壁＝画面が、専門家の熟議と視聴者の無意識（データベース）の両方を同時に可視化し、視聴者に示す役割を担うということである。

この図5の構造は、『一般意志2・0』では触れていないが、じつは図1の主体モデルを受け継いでいる。図5の「視聴者」を図1の「主体」に、「出演者」を「イメージ」に、「可視化された視聴者の空気」を「シンボル」にあてはめて、ふたつの図を重ねてみてほしい。図5の視聴者は、熟議する出演者のすがた（イメージ）を見ると同時に、可視化された視聴者の空気＝コメント（言葉／シンボル）も見ることになる。ニコ生の視聴において、辛辣でシニカルなコメントが流れ、出演者への感情移入に冷や水を浴びせられた経験があるひとは少なくないだろう。図5の世界では、視聴者＝主体は単純にイメージに同一化することができない。視聴者はときに出演者に同一化してしまうかもしれないが（想像的同一化）、しかし同じ画面にはたえずコメントが流れ、そちらを読むところんどは大文字の他者ならぬ視聴者の無意識に同一化することになり（象徴的同一化）、出演者への素朴な感情移入は壊れてしまうことになる。このように理解すると、二〇年前のぼくが「目と言葉、イメージとシンボル、仮想現実の虚構性を伝える情報と現実性を仮構する情報とが、ともに並んでスクリーンの上に見いだされる」と抽象的な言葉で描こうとした経験が[★15]、かなり具体的にニコ生の画面で実現していることがわかるだろう。一九九〇年代には仮説でしか語れなかったポストモダンの主体の新たな二重化が、いまでは現実に動いている。

情報社会の主体はいかなる主体か。大きな物語なきポストモダンの世界で、人間はいかにして主体でありうる（大人でありうる）のか。ここまでの議論で、いくつかの重要なヒントが得られたことと思う。それらのヒントを第一部の観光客論につなげる仕事は、また別の機会に譲りたい。

最後にもうひとつ論点を付け加えておこう。さきほど触れたように、ぼくは図1を作図するとき、コンピュータのインターフェイス画面を念頭に置いていた。

ラカン派精神分析は、近代の主体を映画を見る主体として捉えた。ぼくの考えでは、ポストモダンの主体はコンピュータのグラフィカル・ユーザー・インターフェイス（ＧＵＩ）を見る主体として捉えるべきである。実際、アラン・ケイたちによるＧＵＩの発明もまた一九七〇年代のことだった[★16]。

映画のスクリーンとコンピュータのインターフェイスは、同じく映像を表示する平面でありながら、そのメディア的な性格がまったく異なっている。前者には映像を投影する映写機があり、またその映像を撮影したカメラもあるが、後者にはそれに相当するものは存在しない。そもそもコンピュータのインターフェイスは映像だけの平面ではない。スクリーンにはイメージしか投影されないが、インターフェイスには、イメージもシンボル（文字）も、あるいはさらにイメージや文字のさらに深層にあるコードさえ、すべて等価に表示することができる。あまりにあたりまえの話なのでピンとこないかもしれないが、Ｗｏｒｄを立ち上げＹｏｕＴｕｂｅを再生し、同時にターミナルで簡単なコマンドを打っているというとき、ひとは三種類の記号を同時に表示している。

スクリーンの背後にはカメラがあり、それはまた監督の視線でもあるから、観客がそれに同一化するのはたやすい。けれどもインターフェイスの背後にあるのはたんなる計算にすぎないから、ユーザーが同一化する対象はどこにもない。別の言葉で言い換えれば、映画の鑑賞においては観客が監督に同一化し、みずからの「分身」を見いだすことが可能だが（シネフィルとはまさにそういう人々だ）、コンピュータの利用においてはユーザーはどこにも自分の似姿を見いだすことができない。

★15　『サイバースペースはなぜそう呼ばれるか＋』、92頁。強調を削除。
★16　この発明のメディア論的意味については、ケイ自身の発言がもっとも参考になる。アラン・ケイ『アラン・ケイ』浜野保樹監修、鶴岡雄二訳、アスキー出版局、1992年参照。

インターフェイスの背後を覗いてみたとしても、映画のスクリーンとは異なり、見つかるのはソースコードの塊、「不気味なもの」の群れでしかない。本稿では触れることができなかったが、スクリーンとインターフェイスのこの性格の差異は、近代の主体とポストモダンの主体の差異を考えるうえで大きな示唆を与えてくれる。第一章で参照したアーリとラースンは、観光のまなざしの起源を写真の起源と並べて捉えた。しかしほんとうは、観光客の視線とは、世界を写真あるいは映画のようにではなく、コンピュータのインターフェイスのように捉える視線なのではないだろうか？そこにはイメージもあればシンボルもあり、そして解読しなければならない暗号もある。

　イデオロギーのかわりにコンピュータが与えられたこの時代において、ぼくたちはどう世界と関係をもつべきか。本書の探求の裏側にはじつはそのような問いがある。イデオロギーがなくなった、ぼくたちは自由だ、だから新しい連帯を呼びかけるのだと言っていればいい時代はすでに終わった。なぜならば、いまやかつてイデオロギーがあった場所はコンピュータに占められ、そしてコンピュータの秩序はかつてのイデオロギー以上にぼくたちを支配しているからである。

　イメージとシンボルを等価に並べるコンピュータの平面、それはまた、帝国の秩序と国民国家の秩序を往還する郵便的マルチチュードの平面でもあるはずだ。サイバースペースの比喩は、その可能性を覆い隠してしまうのである。

第8章　ドストエフスキーの最後の主体

この章に収めた原稿は、ドストエフスキーに関するものである。ここでは、ドストエフスキーの小説を「弁証法的」に、すなわちある種の思想の自己展開として読むことで、観光客（郵便的マルチチュード）の主体に別の角度からのアプローチを試みる。読み進めるなかで、読者は、この一五〇年前の小説家が歩んだ思考が、驚くほど本書の状況認識と呼応していることに気がつくだろう。

本稿は未完というよりも荒削りである。議論はいちおうの結論に達している。しかし論述が駆け足で、多くの穴を抱えている。また同時に、本来なら掘り下げるべき論点が放置されている。そのような限界を理解したうえで、読み進められたい。

1

なぜドストエフスキーなのか。それはいまがテロの時代だからである。第一章で記したように、観光客の時代とはテロリストの時代でもある。そしてドストエフスキーの小説の多くはまさにテロリストを扱っている。ドストエフスキーは、信仰が失われ、正義が失われた時代においてひとがテロリストにならないためにはどうすればよいか、そのことばかりを考えていた小説家だった。

ドストエフスキーの文学とテロの関係は深い。テロを主題にした作品としては、まずは一八七一年から七二年にかけての『悪霊』が挙げられる。主人公のニコライ・スタヴローギンは、文学史のなかでもっとも有名なテロリストかもしれない。『悪霊』は、スタヴローギンを中心とした若いテロリストたちの逡巡と内部抗争を描いている。この長編は、執筆直前に起きた現実の事件（ネチャーエフ事件）に着想を得ていることが知られている。

ドストエフスキーの文学は、直接にテロを主題にしていないときにおいても、多くがテロリストの心性に近いところで書かれている。一八六四年の『地下室の手記』は、人生に失敗した男性（いまでいう負け組の男）の屈折した呪詛を鬱々と書き連ねた小説である。一八六六年の『罪と罰』は、老婆殺害を正当化するため、高尚な理論を延々と展開する若者の物語である。彼らはとにかく、不条理な怒りを世界にぶつけ、安穏と平和に生きる人々の生活を破壊したいと願っている。その描写は、現代のアメリカやヨーロッパの、組織もイデオロギーももたないホームグロウン・テロリストの心理にかぎりなく近い。のちに紹介するように、ドストエフスキーの最後の長編、一八七九年から八〇年にかけての『カラマーゾフの兄弟』もまた、もし続編が書かれていたとしたらそこでは主人公がテロリストになっていたと推測されている作品である。ドストエフスキーは死ぬまでテロリストを描き続けた。

この作風は作家の人生と関係している。というのも、そもそもドストエフスキー自身が「元テロリスト」だったと言えるからである。

ドストエフスキーは、一八四六年に『貧しき人々』で文壇に現れた。二〇代の若い作家として華々しいデビューを飾るが、その三年後に、体制転覆を企てたと言われる共同謀議事件（ペトラシェフスキー事件）に連座し逮捕されている。彼自身は、会合に顔を出していただけで計画にはほとんど関与していなかったと言われるが、いちどは死刑判決まで受け、のち恩赦を与えられシベリアに送られた。

そのような経歴をもつドストエフスキーの行動は、作家として成功したあとも長いあいだ秘密警察の監視下にあった。その状況は、国民作家として大衆の支持を集め、エッセイで愛国主義的な主張を展開するようになり、「皇帝派」と見なされるようになった晩年になっても、基本的には変わらなかったらしい。したがって、彼の反革命的な言説も（そのせいで彼は二〇世紀の左翼知識人のあいだで評判を落とすことになるのだが）、単純に文字どおりには受け取ることができない。一八七〇年代にはロシア全土でテロが相次いでいた。しかし当時の彼は、もし皇帝暗殺計画を事前に知ったらどうするかと問われ、なにもしないと答えていたと言われる[★1]。ドストエフスキーは、ロシアを愛し、正教を愛する保守主義の作家だったが、しかしテロリストへの同情を欠くわけでもなかった。ロシア文学者の亀山郁夫は、バフチンが『ドストエフスキーの詩学』で「ポリフォニー」と名づけたドストエフスキー独特の言語感覚、すなわち、複数の矛盾する声がひとつの表現のなかに響いているかのような表現手法は、具体的には検閲との闘争によって培われたものではないかと推測している

［★2］。もしドストエフスキーが二〇一七年のいま生きていたら、おそらくは、言論人として権力側の排外主義にあるていど同調しつつも（たとえばトランプを支持しつつも）、同時にイスラム教徒のテロリストを主人公に小説を発表するような、じつに両義的で危うい立場をとっていたのではないか。少なくとも、単純にデモに駆けつけたりしなかったことはたしかだ。

そこでぼくは、この章では、ドストエフスキーの作品をたどることで、観光客あるいは郵便的マルチチュードが、テロリストに共感を覚えつつもどうすればそこに転落しないですむのか、その方法について考えてみたいと思う。それはぼくには、体制と反体制が動員の論理においてかぎりなく近づいているいま、理論的にも実践的にもとても重要な問いのように思われる。

2

ドストエフスキーの『地下室の手記』は、実存主義文学の起源のひとつと位置づけられている。実存主義ということは、国籍も時代も超えた普遍的な人間の真実を探求しているということである。

★1　亀山郁夫『『カラマーゾフの兄弟』続編を空想する』、光文社新書、2007年、44頁参照。
★2　亀山郁夫『ドストエフスキー　父殺しの文学』下巻、NHKブックス、2004年、28頁以下参照。ポリフォニーについては以下のバフチンの記述を参照。「それぞれに独立して互いに溶け合うことのないあまたの声と意識、それぞれがれっきとした価値を持つ声たちによる真のポリフォニーこそが、ドストエフスキーの小説の本質的な特徴なのである」。『ドストエフスキーの詩学』、15頁。強調を削除。

実際、この小説に力を与えているのは、数学や自然の法則に対してすら抗議の声をあげる、主人公（「地下室人」と呼ばれる）の怒りの徹底性である。たとえば彼はつぎのように記している。「二二が四、これはわたしに言わせると、もう鉄面皮以外の何物でもない。二二が四は、両手を腰にあててきみたちの行く手に立ちふさがり、ぺっぺっと唾を吐いている伊達男そのものだ。二二が四が、きわめて立派な代物であることは認めてやってもいい。だが、褒めるついでに言ってしまえば、二二が五だって、時には愛嬌があって相手として悪くない」[★3]。地下室人の怒りは時代を超えている。

けれども、この小説は同時に強い時代の刻印を帯びてもいる。というのも、この作品はそもそも、ドストエフスキーより七歳年少の社会主義者、ニコライ・チェルヌイシェフスキーが同時期に出版し、ベストセラーになっていた小説『何をなすべきか』への応答として記されたものだからである。チェルヌイシェフスキーは『何をなすべきか』で、民衆の啓蒙が進み、みなが正しく理性的になれば、貧困も戦争もなくなり世界はユートピアに近づくだろうといった、いかにも一九世紀らしい理想主義を謳いあげた。ドストエフスキーはまさにその理想こそが気に入らず、『地下室の手記』を書いている。

チェルヌイシェフスキーや同時代の社会主義者たちの思想は、いまでは、のちのマルクス主義すなわち科学的社会主義と対置され、空想的社会主義と呼ばれている。階級闘争の科学的な分析がなく、それゆえ革命も実現できないユートピア主義という批判的な意味だが、一九世紀のなかばには大きな役割を果たした。チェルヌイシェフスキーの小説も、当時広く読まれ、多くの青年が感化された。のちにレーニンも愛読したことが知られている。レーニンには同じ題名の著作まである。

それでは、『何をなすべきか』はどのような小説なのだろうか。この作品はいまはほとんど読まれることがない。けれども現在の視点で読みかえしてみると、いろいろと興味深い発見がある。『何をなすべきか』の物語の中心は、いま風に言えば「お仕事小説」である。主人公はヴェーラという若い女性で、自分の裁縫工場をもちたいと考えている。この主人公の特徴から、世界最初のフェミニズム小説と称されることもある。

ヴェーラには明確な理想の工場像がある。彼女は、その実現のために、強欲な経営者から経営権を買い取り、同僚とともに「委員会」を組織し、共同住宅を借り、工場を自分たちが運営するものへと変えていく。その歩みが物語の要となっている。ここで興味深いのが、チェルヌイシェフスキーが、その改革の過程でヴェーラが直面する問題と解決をじつに細かく描写していることである。たとえば、雨が降る。労働者は雨天時も出勤しなければならないが、そのときに用いる傘はだれが用意すべきか。ヴェーラの結論は、工場で傘を大量に購入し共有したほうが、ひとりひとりが傘を購入するよりも費用が抑えられ、また傘の稼働効率もよいので福利厚生で傘を用意すべし、というものである。『何をなすべきか』には、こういった類の描写が、具体的な金額を交えてあちこちに

★3　フョードル・ミハイロヴィチ・ドストエフスキー『新訳 地下室の記録』亀山郁夫訳、集英社、2013年、60頁。

記されている。当時その描写がどう読まれたか正確にはわからないが、おそらくはこの小説は、それ自体が運動や起業のマニュアルとして機能するように書かれていたのではないか。そもそも一九世紀なかばのロシアにおける繊維業は、いまで言えばＩＴにあたるような最先端の産業である。つまり『何をなすべきか』は、若い女性がベンチャー企業を立ち上げ、シェアハウスで暮らしながら経営哲学を説く小説だったのだ。ベストセラーになったのは当然である。

同時に『何をなすべきか』は恋愛小説でもある。そしてそちらでも先進的な恋愛観を描いている。それもまた若い読者に支持される原因になっただろう。

ヴェーラには最初に恋人がいる。けれども彼とは思想が合わない。そこに新しい男性が現れる。いろいろあったすえに、ヴェーラはそちらとつきあうことに決める。ところが元恋人は嫉妬したり悲しんだりすることがない。彼は、すべてを受け入れ、新しい恋人とも意気投合し、最終的には三人で共同生活を始める。このいっけん奇妙に見える展開は、物語のなかでは「新しい人間」という言葉で描写されている。新しい社会を築くには、人間も新しくならねばならない。それがヴェーラたちが繰り返し言う言葉である。排他的な私的所有を放棄し、物品だけでなく異性すら「共有」しようとする登場人物たちのすがたは、その新しさのモデルになっている。ヴェーラはつぎのように（いささか性的な連想をともないかねない比喩を使って）語っている。「発達した人間には嫉妬心などをもつ余地はありません。これはゆがめられた虚偽の感情、いとうべき感情です。これはほかの者にわたしのシャツを着させない。ほかの者がわたしのパイプでたばこを吸うことをゆるさないというのと同じで、人間を自分の所有物と見なすことからそういう考えが生まれるんです」[★4]。

ひとつ付け加えておけば、チェルヌイシェフスキーはじつはこの小説で、ヴェーラのような新しい女性を先駆的に描いた書物として、ルソーの『新エロイーズ』の名を挙げている[★5]。近代恋愛小説の起源とされるこの小説もまた——これもまた現代ではほとんど読まれることがないが、発表当時は大ベストセラーでルソーの生前には『社会契約論』や『告白』より広く読まれたテクストだった——、女ひとりと男ふたりの三人がともに暮らす夢を描いていた。この共通性の意味については後述する。


さて、ドストエフスキーは『地下室の手記』のなかで、このチェルヌイシェフスキーを標的としたと思われる批判的な文章をあちこちで書き記している。

本書の文脈でとりわけ興味深いのは、そこで「水晶宮」という言葉が頻繁に現れることである。ドストエフスキーはこの言葉を、地下室人が拒否する理想社会の象徴として用いている。「きみたちは、永久に壊れることのない水晶宮を、つまり、こっそりとあかんべえしたり、ざまあみろのしぐさをすることもままならない、そんな建物を信じておられる。が、もしかしたら、わたしがこの水晶宮を怖れる理由とは、それが水晶でできていて永久に壊れることがなく、こっそりあかんべえ

★4 チェルヌィシェーフスキイ『何をなすべきか』下巻、金子幸彦訳、岩波文庫、1980年、112-113頁。
★5 『何をなすべきか』下巻、228頁。

できなくなるからこそなのかもしれない」[★6]。

読者のみなさんは覚えているだろうか。ぼくは第一章でこの「水晶宮」に触れている。それは、一八五一年にロンドンで開かれた万国博覧会で建設された、巨大なガラス建築の名称である。チェルヌイシェフスキーは、この水晶宮のイメージを未来社会の豊かさの象徴として用いた。チェルヌイシェフスキーは、ヴェーラの夢として、みながガラス張りの建築に住み、労働から解放され豊かに生きる未来社会を描写している[★7]。そこでは水晶宮そのものの名前は出ていないが、書かれた地名と描写でそれと特定できる。実際にチェルヌイシェフスキーがロンドンで水晶宮を見たことも知られている。

第一章での紹介と重なるが、あらためて確認しておこう。このロンドン万博は、一九世紀の文化史においてきわめて重要な位置を占めている。産業革命の進展にともない、当時のイギリスでは「美」から「技術」へと価値観の重心の大きな移動が起きていた。万博の目的も、美を集めて権力者の威光を示すことにではなく、各国の産業力の誇示に置かれていた。そして水晶宮は、まさにそのような価値観の移動を体現する建築物だった。水晶宮の設計には、じつは専門的な建築家が関わっていない。設計者のジョゼフ・パクストンは、庭師出身で、当時のイギリスで「セルフメイド・マン」と呼ばれていた「たたきあげ」の人物、いまでいうエンジニアだった。つまりは、水晶宮は、美の原理によってではなく技術の原理によって、最先端の工業的プロダクトとして作りあげられたものなのだ。チェルヌイシェフスキーはそのような建築物を未来社会の象徴として導入し、ドストエフスキーはそれを批判したのである。

もうひとつ、こちらも第一章で記したことだが、水晶宮がショッピングモールの起源に関わることとも重要である。水晶宮は、鉄骨とガラスで作られた巨大建造物という点で、同時代のパリのアーケード建築、「パサージュ」と共通している。ベンヤミンによれば、パサージュは、中産階級のユートピアへの夢がつまった、現実と虚構を横断する幻想（ファンタスマゴリー）の空間である。それは具体的には「街路と住居の陶酔的な相互浸透」、すなわち室内でも室外でもない空間設計によって実現されていたが[★8]、水晶宮もまた、建築物内に噴水があるなど、同じ建築的文法で作られていた。そしてそのパサージュは、フーリエが理想社会の建築を設計するときに、まさにモデルとして参照したものでもあった。水晶宮を理想社会の象徴としたチェルヌイシェフスキーも、またそれを批判したドストエフスキーも、そのことは知っていただろう。

つまりは水晶宮は、いま風に言えば、新しい技術と新しい消費こそが理想社会につながるといったユートピア論の象徴だったのである[★9]。「地下室人」は、その理想にこそ唾を吐きかけているのだ。

★6　『新訳 地下室の記録』、62頁。
★7　『何をなすべきか』下巻、236頁以下。
★8　ヴァルター・ベンヤミン『パサージュ論』第3巻、今村仁司、三島憲一ほか訳、岩波現代文庫、2003年、94頁。

このように整理すると、『地下室の手記』の問題提起が、実存の普遍的な苦悩を扱っているとともに、同時代の社会とも深くつながっており、そして後者の問題意識は二〇一七年の現在にも通じるアクチュアルなものであることがわかる。

ぼくたちはいま、一方で、未来ではなにもかもがつながり、なにもかもがシェアされ、人工知能の助けで多くのひとは働かなくてもすむようになるといった、空想的社会主義と見まごうばかりのヴィジョンをあちこちで聞かされている。前章でも触れたように、それはカリフォルニア・イデオロギーとも呼ばれる。そして他方で、現実においては、宗教やイデオロギーの差異を超えてあらゆる国に似たようなショッピングモールが建設され、観光客が行き交い、どこに行っても同じ服、同じ食事、同じ音楽、同じブランドに出会う世界に生きている。それはまさに、ロンドン万博開催にあたってアルバート公が演説したテーマ、「全人類の結合という大目標」が実現したかのようである[★10]。コジェーヴの比喩を使えば、ぼくたちはいま動物たちのユートピアに生きている。

けれども、ドストエフスキーは『地下室の手記』で、まさにそのすべてに否を唱える人物を創造したのである。地下室人はITもショッピングモールも認めない。彼はそもそも、人類全体がみなひとしなみに賢く幸せになること、それそのものを認めない。

そしてここで重要なのは、それが単純な反発ではないことである。地下室人は、チェルヌイシェフスキーの主張の内容や実現可能性を批判しているのではない。彼は、ユートピアが実現するなら実現すればいいいし、みなが幸せになるなら幸せになればいいと記している。そのうえで、地下室人は、自分はそんなものには巻きこまれたくないと訴えているのである。言い換えれば、彼は、賢くならないこと、幸せにならないことの権利を主張しているのだ。地下室人はつぎのように記している。「きみたちはきっと、このわたしにしつこくこうくり返すにちがいない。つまり、啓蒙された教養ある人間、ひと言で言って、未来の人間が、自分にとって何かしら不利になることを承知のうえでこれを望むなどということはありえない、これは数学である、と。［……］しかしくどいようだが、わたしは百遍でもくり返し言いたい。人間がわざと、意識的に、自分にとって有害であり、愚かであり、愚劣きわまりないことを願う場合がひとつだけある、と。たったひとつ。それはほかで

★9　新しい技術と新しい消費が理想社会につながる。じつはぼく自身が数年前まで似た主張を展開していた。ぼくはその主張を、まさにパサージュと水晶宮の後継者であるショッピングモールに注目し、モールがつくりだす新しい公共性という問題提起を軸に展開していた。東浩紀、北田暁大『東京から考える』、ＮＨＫブックス、２００７年、および東浩紀、大山顕『ショッピングモールから考える』、幻冬舎新書、２０１６年を参照。したがってぼくはここで、過去の自分の立場をいわばチェルヌイシェフスキーのそれに見立て、ドストエフスキーの弁証法をたどることで、自己批判をするとともにその更新を企図しているとも言える。「はじめに」［初版への序文］で記したように、本書は『ゲンロン』の創刊準備号であるとともに、『思想地図β』の終刊号でもある。じつは『思想地図β』の創刊号の特集はまさにショッピングモール（特集名は「ショッピング／パターン」）で、ぼくはその巻頭言でつぎのように記していた。「消費のネットワークが変える二一世紀の世界。新たな政治。新たな階級。新たな身体と新たな世界観。そして本物か偽物かの二分法を超えた、グローバルでローカルな新たなリアリティ。あえて抽象的な言葉で要約すれば、『思想地図β』は、その光景に直面するすべての人々のために創刊される」。東浩紀編『思想地図β ｖｏｌ.１』、コンテクチュアズ、２０１１年、８頁。ぼくは創刊号で水晶宮とマルチチュードを肯定していた。そう考えると本書の議論がまた、その六年を経た終刊号にふさわしいこともわかっていただけるかもしれない。ぼくはいまでも水晶宮とマルチチュードを肯定している。ショッピングモールを肯定している。ただ、その肯定はかなり複雑に組織されなければ結局は無効なのだ。ぼくはここで、その肯定を「高次元で回復」しようとしている。

★10　『水晶宮物語』、58頁参照。

もない。自分にとって愚劣きわまりないことをも願い、賢いことしか自分に願ってはならないという義務に縛られずにすむ権利を確保する、そのためにである」[★11]。

『地下室の手記』は二部構造になっている。第一部は四〇代の中年男性が記した手記で、第二部はさらに、その男性が二〇代のころの自分の失敗を思い出して書いた手記という設定である。つまり地下室人は若くない。四〇代の中年男性である。親戚から遺産が入ったので、公務員の仕事を辞めた。暇になったので自室で手記を書き、「二二が四」に苛立っている。それそのものが救いがないが、二〇年前の思い出というのも、被害妄想から友人のパーティをぶちこわし、娼婦を買い、おまけにその女性に罪悪感をぶつけて勝手に自責の念と屈辱感に囚われる、というさらに救いのないものである。

にもかかわらず、地下室人は、二〇年近くを経たあとでも、その「痛い」経験を手放すことができない。彼は逆に、その痛さを忘却してしまうことは人間の誇りを失うことだと考えている。『地下室の手記』は、いわばその痛さの権利を守るため記された。「わたしはひとつつまらない質問を出してみようと思う。安っぽい幸福と高められた苦悩とでは、はたしてどちらがよいか、ということだ。さあ、どちらがいいか?」[★12]ここには、動物的ユートピアを拒否する論理のひとつの雛形が提出されている。

3

チェルヌイシェフスキーの立場は、いまで言えば、情報技術やグローバリズムに期待を寄せる、多少リベラルな知識人のそれに近いと言える。合理的な思考の積み上げで理想社会が実現可能だと考える立場である。日本ではいま、リベラルといえば技術や経済の進歩に抵抗する人々を名指す言葉になっているのでわかりにくいかもしれないが、知識人とはもともとは知性を信じ、国際化を歓迎する存在だった。その起源に一九世紀の空想的社会主義がある。

したがって、チェルヌイシェフスキーとドストエフスキーの対立は、二一世紀の現代に置き換えれば、グローバリズムを支援する国際派知識人と、反グローバリズムに傾斜する鬱屈を抱えた市民の対立に相当する。実際にこの対立は、いままさにアメリカでＩＴ企業とトランプ政権の衝突として演じられている。

けれどもそれだけではない。ここで見逃してはならないのは、社会主義の理想を批判したドストエフスキー自身が、じつはかつてはチェルヌイシェフスキーと同じ社会主義者だったという事実である。さきほども記したように、ドストエフスキーは若いころに革命家のサークルに加わり、逮捕

★11　『新訳 地下室の記録』、50－51頁。強調を削除。
★12　『新訳 地下室の記録』、２２１頁。

されシベリアにまで送られている。当時の彼がチェルヌイシェフスキーと同じくフーリエを信奉していたことは記録に残っている[★13]。したがって、チェルヌイシェフスキーとドストエフスキーの対立は、けっして単純な対立ではない。両者のあいだにはねじれた関係がある。

地下室人の拒絶と呪詛は、社会主義の理想から必然的に生みだされる。テロリストの拒絶と呪詛は、グローバリズムの理想から必然的に生みだされる。その回路の存在こそが、シベリア送りから一五年の経験で得た洞察だった。ドストエフスキーは、チェルヌイシェフスキーがその回路の存在に気づかず、素朴にユートピアを謳いあげていたからこそ、あれほど苛立ちを顕わにしたのである。

しかし、なぜそのような回路が存在するのだろうか。補助線として三つのドストエフスキー論を導入してみよう。

ひとつめは、フロイトの論文「ドストエフスキーと父殺し」である。前章で触れた「不気味なもの」の一〇年ほどあとに書かれた論文で、ドストエフスキー研究においてはきわめて有名なものである。フロイトはこの論文で、タイトルどおり、ドストエフスキーの文学を父殺しの欲望に駆動されたものとして読解している。作家自身の父親は農奴に殺されたとも言われており、また最後の『カラマーゾフの兄弟』はそもそも父殺しの小説である。それゆえこの読解は大きな影響力をもった。

ふたつめは、フランスの哲学者、ルネ・ジラールが一九六三年に出版した著作『ドストエフスキー』である。ジラールはこの二年前に『欲望の現象学』という書物を出版し（原題は『ロマン主義の嘘とロマネスクの真理』）、他人の欲望を欲望するという「三角形的欲望」の分析を行っている。他人の欲望を欲望するとは、ひらたく言えば、友人の恋人に恋をする、いわゆる「三角関係」の欲望のことである。ジラールは、ドストエフスキーの作品にこの欲望の三角形が頻出することに注目する。最初の小説『貧しき人々』は、主人公がある女性を愛するようになるが、最終的には第三者に奪われてしまう悲喜劇の物語だった。最後の小説『カラマーゾフの兄弟』は、父と息子たちがひとりの女性をめぐり争い、結果として父が殺される物語だった。作家自身も、愛する女性をほかの男性に奪われる経験を、いくどかしていることが知られている。

そしてみっつめは、すでにいくどか参照しているが、亀山郁夫が二〇〇四年に刊行した『ドストエフスキー 父殺しの文学』である。この著作は、フロイトの父殺しへの注目とジラールの三角形的欲望への注目を組み合わせ、嫉妬やマゾヒズムを軸にドストエフスキーの全作品を読解する包括的な試みになっている。

亀山の考えでは、ドストエフスキーは、父殺しに失敗し「去勢」されてしまった不能の作家である。現実の父は、自分が殺すまえに農奴によって殺されてしまった。象徴的な父である皇帝についても、暗殺に参加するまえに逮捕されてしまった。そのためドストエフスキーは、独特のマゾヒズ

★13 亀山郁夫『ドストエフスキー 父殺しの文学』上巻、NHKブックス、2004年、74頁。

ムを、すなわち去勢そのものに快楽を感じるような倒錯を病んでいる。その倒錯の快楽は、愛する女性がほかの男に奪われ、自分が父＝男であることが否定される「寝取られ」の瞬間に頂点に達する。だからこそ、ドストエフスキーは繰り返し三角関係を設定し、主人公が愛する女性を奪われる場面を描き続けたし、現実にもそのような恋愛関係のなかに巻きこまれていった。これが亀山の見立てだ。

この見立てについては、研究者のあいだでは異論もあるようだ。しかし本書の議論には大きな示唆を与えてくれる。とりわけここで注目したいのは、亀山が、ドストエフスキー作品のなかでの社会主義者から地下室人への移行を、マゾヒズムの自覚として整理していたことである。

さきほど『貧しき人々』に触れたように、ドストエフスキーは初期の作品でも三角関係を描いている。しかし当時の彼は、『何をなすべきか』と同じく「三人で仲よく暮らす夢」を思い描いていた。実際に『貧しき人々』の主人公は、ほかの男性に奪われる女性に対し、最後まで「美しい奉仕者」であり続ける。けれども亀山によれば、作品歴が進むにつれて、奉仕の背後にある倒錯的な快楽が徐々に頭をもたげてくる。現実生活で転機になったのは、シベリアへの流刑が終わったあと、ドストエフスキーのまえに現れたアポリナーリヤ・スースロワの存在である。当時作家は病に倒れた年上の妻を抱えていたが、この若くいささかサディスティックな性格の女性にのめりこみ、さんざん振り回されたあと失恋を経験することになる。そして亀山によれば、彼女とのその恋愛経験こそが、「屈辱と嫉妬の頂点で自己犠牲へと反転するマゾヒズム」の洞察をもたらし、『地下室の手記』を準備した。「[『地下室の手記』は]「苦痛が快楽である」というテーゼを文学的な肉付けにおいて体現した作品だった。[……]サド・マゾヒズムの発見はそれまでの彼の思想的な基盤を根本から覆すほど強烈な破壊力を帯びていたのである」[★14]。

空想的社会主義者は、内なるマゾヒズムに目覚めると地下室人に変わる。理想を信じて世界に奉仕するのではなく、逆にその奉仕の背後に隠れていた倒錯を暴きたて、呪詛を並べ立てるように変わる。一時はユートピアの理想を信じていたからこそ、その倒錯に対しても厳しくあたる。この亀山の読解は、ドストエフスキーによるチェルヌイシェフスキー批判の理解をいっそう立体的なものにしてくれる。『何をなすべきか』では、男ふたりと女ひとりの共同生活が理想として描かれていた。それに対してドストエフスキーは、たんにそれが非現実的だと言っただけではない。男が女を取られてもいいわけがない、もしそういうことがあるとすれば、それはおまえが女がほかの男に抱かれるのを見て興奮する変態なだけだからだ、と残酷な観察を突きつけていたのである。

地下室人はたんに社会主義者を批判しているわけではない。もしそうならば、社会主義のすばらしさを説き、地下室人を改心させればいい。実際にそれがチェルヌイシェフスキーの（そしていまにいたる左翼の）戦略でもあった。

★14　『ドストエフスキー　父殺しの文学』上巻、173、175頁。

けれども地下室人は、むしろ社会主義の偽善を指摘している。ユートピアの理想に隠された倒錯的な快楽、正しいことをすることのエロティックな歓びに気づいてしまっている。だからそれに巻きこまれない権利を主張する。そしてその主張には理がある。社会主義者から地下室人へつながる、政治的であり性的でもある移行の回路。それこそがドストエフスキーが発見したものだった。この発見は、二〇一七年のいまもまったく色褪せていない。ぼくたちはまさにリベラルの偽善を暴く呪詛の声に取り囲まれている。その声がトランプを英雄に押し上げている。それゆえぼくはいまこそ『地下室の手記』を読みかえすべきだと考えたのである。

世界がどれほどユートピアに近づいたとしても、そしてそのユートピアがどれほど完全に近づいたとしても、人間が人間であるかぎり、ユートピアがユートピアであるかぎり、その全体を拒否するテロリストは必ず生みだされる。それが、いまぼくたちの世界が直面している問題である。その本質は政治の問題ではない。文学の問題である。しかしテロという帰結は政治の問題なのだ。

社会主義者が地下室人に変わる。理想主義者がマゾヒストに変わる。このような読解が可能なのは、ドストエフスキーの小説が弁証法的構造を備えているからである。彼の文学においては、主要な作品の主人公は、あたかも以前の作品の主人公を乗り越えるかのように造形されている。だから、『地下室の手記』から『罪と罰』へ、『悪霊』へ、そして『カラマーゾフの兄弟』へといった「論理展開」を考えて読むことができるのだ。それはあたかも哲学書のようである。ジラールは、ドストエフスキーが、「その少年時代から晩年までの間に、ほぼ三世紀の長さにわたって西欧に横たわっている弁証法の、すべての契機を走り抜けた」のだと記している[★15]。

それでは、ドストエフスキーのその弁証法は最終的にどこにたどりつくのだろうか。ここで、ドストエフスキーの読解は本書の主題と交差することになる。

『地下室の手記』の出版は一八六四年である。続く一八六〇年代の後半には『賭博者』『罪と罰』『白痴』といった重要な作品が書かれている。とくに『罪と罰』の主人公、ラスコーリニコフの性格は地下室人に通じている。しかし、地下室人の問題意識を継承しつつ、また異なった人間へと変容を遂げた登場人物ということであれば、検討すべきはまずは『悪霊』に登場するニコライ・スタヴローギンになるだろう。

『悪霊』は一八七一年から七二年にかけて出版された。本章冒頭でも記したように、物語の中心は、現実の事件をモデルとした若いテロリストたちの内部抗争と殺人事件である。スタヴローギンはそのテロリストたちの指導者として、物語の途中で舞台の田舎町にやってくる。

スタヴローギンは地下室人と異なり、美しく若い男性である。そして計算高く理知的な人物である。彼はスマートに社交界に溶けこみ、人々の欲望を巧みに操作する。物語が進むにつれて、幾人

★15 ルネ・ジラール『ドストエフスキー』鈴木晶訳、法政大学出版局、1983年、99頁。

もの有力者がスタヴローギンにかしずき、何人もの女性が彼と床をともにし、最後には、彼の言葉に操られ、運動家たちは殺しあい町に火までつけてしまう。にもかかわらず、スタヴローギンの目的は最後まではっきりしない。彼は仲間たちに指示を与えるが、ほんとうは革命になにも関心を抱いていないし、そのことを隠しもしない。彼はすべてに対し冷めている。そのすがたは、小説内で「無関心病」と名づけられている[★16]。『悪霊』はこの無関心病を主題にした小説である。

スタヴローギンはマゾヒストではなくサディストである。寝取られる男ではなく寝取る男である。世界を呪う男ではなく世界に無関心な男である。だからそれはいっけん地下室人に対立する人物造形のようにも見える。実際に物語内では対立してもいる。『悪霊』で地下室人に相当するのは、スタヴローギンを取り巻くキリーロフやシャートフといった人物だが、彼らはまさにスタヴローギンに思うがままに操られている。地下室のマゾヒストたちは、社会主義者の偽善は指摘できても、サディストの無関心病には逆らえないのだ。

けれどもここで興味深いのは、ドストエフスキーが、同時にそのスタヴローギンに地下室人を思わせる過去を設定していたことである。その過去は、「チーホンのもとで」(別名「スタヴローギンの告白」)と名づけられた章で明かされている(この章は『悪霊』の最初の出版時には削除されていた)。そこではスタヴローギンは、あえて醜い行為をし、その醜さについて自分を責め、同時に他人を傷つけるという、青年時代の地下室人とそっくりな行動を取っている。したがって、スタヴローギンは、地下室人に単純に対立する存在ではない。むしろ彼のサディズムは、地下室人のマゾヒズムが極限まで成長し、弾け、結果としてすべてが反転して生まれたものだと理解したほうがよい。つまりは、スタヴローギンは、しなびた中年男性にならずにすんだ地下室人、マゾヒズムを深めるかわりにニヒルなサディストになることを選んだ地下室人なのである。だからこそ、彼は、地下室人たちの弱点を的確に突き、思うがままに操ることができるのだ。マゾヒズムからサディズムへのその反転をドストエフスキーがいかに描きだしているか、そちらについては亀山の前掲書を見てほしいが[★17]、いずれにせよ、世界への期待（マゾヒズム）が極限まで高まったとき、それが突然反転し冷淡な無関心に変わることがあるというのは、『悪霊』を読まなくても理解できる心理なのではないかと思う。そしてそのような「冷たい」人間が、しばしばひとを惹きつけるのもまたよくある話である。だからこそスタヴローギンは、神も理念ももたないのにテロリストのリーダーになることができたのだ。ジラールはつぎのように記している。「神に反抗し、自分自身を崇める者は、結局かならず、「他者」、すなわちスタヴローギンを崇めることになる」[★18]。

社会主義者から地下室人へ、そしてスタヴローギンへ。理想主義者からマゾヒストへ、そしてサディストへ。社会を変えたいと願う人間から、社会を変えるなんて偽善だと顔を赤らめて罵る人間へ、そして社会なんて変わっても変わらなくてもいいから好きなことをやればよいのだとうそぶく

★16 ドストエフスキー『悪霊』第2巻、亀山郁夫訳、光文社古典新訳文庫、2011年、558頁。
★17 『ドストエフスキー 父殺しの文学』下巻、79頁以下。
★18 ジラール『ドストエフスキー』、87頁。

人間へ。ドストエフスキーの弁証法は、『悪霊』でそのような第三の主体にたどりついた。

　ぼくはさきほど、チェルヌイシェフスキーを現代における国際派の知識人に、地下室人を同じくテロリストに比した。その延長で考えたとき、ぼくはスタヴローギンはテロリストではなく、むしろリバタリアンなＩＴ起業家やエンジニアたちと比較するのがよいのではないかと考える。冒頭にも記したように、スタヴローギンは小説ではテロリストとして描かれている。そして実際に広くそう読まれている。けれども実際には彼は、殺人にしろ放火にしろ、みずから破壊行為には手を下していない。彼は集団の構成員の欲望を操作しただけである。しかも、とくに目的があるわけでもなく、操作できるから操作してみただけなのである。スタヴローギンは小説の最後になってもなにひとつ反省していないし（自殺はするが反省が原因とは考えられない）、なにひとつ法的な責任を追及されてはいない。その描写は、『罪と罰』のラスコーリニコフなどとはまったく異なっている。

　ドストエフスキーが描いたスタヴローギンの本質は、社会改革への意欲にも理想主義への呪詛にもなく、無関心病にある。他人の運命を操作する。操作できるから操作する。目的なく操作する。現代社会で、そのようなニヒルな関係を世界に対してもつことができるのは、金融市場を介して億単位の金額を日々動かしているビジネスマンや、ネットサービスを介して万単位の人々を自在に動かしているエンジニアぐらいなものである。彼らの指先のちょっとした操作で、地球の裏側で何人ものテロリストが自爆する。それが二〇一七年の現実だ。ジラールはスタヴローギンの思想をニーチェの超人思想と比較している［★19］。たしかに、かつてテロリスト＝革命家は超人だったかもしれない。けれども、いま、トルコで、シリアで、イラクで、あるいはそれに呼応して先進諸国で自爆する若者たちに、超人の面影はまったくない。テロはいまでは、地下室人たちの破れかぶれの呪詛の表明でしかない。スタヴローギンは、彼らよりもはるかに強い。だから、この二一世紀の世界においては、もはやスタヴローギンをテロリストに比することはできないのだ。

社会主義者から地下室人へ、そして超人へ。ユートピア主義者からテロリストへ、そしてシニカルなエリートへ。社会改革の理想に燃えた人間が、過激な運動を経ていつのまにかニヒリストになってしまうというその悲喜劇は、現在の日本でも見られるものである。ドストエフスキーの文学は、そのだれもが知る心理の弁証法を、どんな哲学書よりも緻密に描きだしている。

ドストエフスキーの作品歴には弁証法がある。じつはこれはとても重要な特徴である。本題から離れるが、ここでルソーとの簡単な比較を試みたい。

ルソーとドストエフスキーはしばしば似た作家だと言われる。実際に似たモチーフをあちこちで展開している。ただしその全体の構造が異なっている。

ぼくはさきほど、チェルヌイシェフスキーが『新エロイーズ』に言及していたことに触れた。ルソーはチェルヌイシェフスキーと同じく、嫉妬のない世界を夢見ていた。これは実際、彼の哲学的

★19　ジラール『ドストエフスキー』、99頁以下。

なテクストにも現れている主張である。そのかぎりで彼は理想主義者で社会主義者である。しかし、ルソーにはまた別の側面もあった。そこでは彼は社会主義者というよりも地下室人である。第三章でも述べたように、ルソーはとても嫉妬深い、被害妄想気味のいささか「痛い」人間だった。『告白』や『孤独な散歩者の夢想』、それに同時代人との書簡などには、地下室人もかくやといった文章が数多く残されている。

その両者はどのように統合されているのだろうか？　結論から言うとルソーでは統合されていない。これも第三章で指摘したように、ルソーは一般に、人間はそもそも孤独で社会など必要としない存在だと主張しながらも（地下室人的な側面）、個人の意志は一般意志にしたがうべきだと説く（社会主義者的な側面）、二面性を抱えた矛盾した思想家として理解されている。ぼくの『一般意志2・0』はその矛盾の解消を試みた本だし、実際にぼくの主張はそこには矛盾などないというものなのだが、普通に読めば、そこに矛盾が感じられるのはまちがいない。

じつはここここそが、ルソーとドストエフスキーの大きな差異である。前述のように、社会主義者と地下室人の矛盾は、ドストエフスキーにおいては作品の発展により弁証法的に統合されていた。地下室人が社会主義者を乗り越え、スタヴローギンが地下室人を乗り越えるという移行があった。しかしルソーにはその移行がないのだ。彼は最後まで、社会主義者の自分と地下室人の自分、世界をよくしたいと思う自分とそんなの欺瞞だと感じる自分の矛盾に苦しんでいた。彼は晩年になっても、まだ『ルソー、ジャン＝ジャックを裁く』と題する自己分裂のテクストを書いている。ジラールはその弁証法の欠如を、ドストエフスキーには『虐げられた人々』に対して『永遠の夫』があったが、ルソーには『新エロイーズ』に対して相当する作品がなかったという表現で指摘している[★20]。しかし、なぜルソーには弁証法がなかったのだろうか。ここで、フロイトが指摘したように、ドストエフスキーの文学につねに「父殺し」の主題がつきまとっていたことを思いだすのは有益かもしれない。

ルソーにもドストエフスキーと同じように性の問題がある。三角形的な欲望がある。むしろ伝記的事実を見るかぎり、ルソーのマゾヒズムは、ドストエフスキー以上に屈折し、あからさまなものだったように思われる。たとえば彼は『告白』で、青年時代に下半身の露出を行っていたことを赤裸々に告白している。けれども、ルソーには、テクストのなかにも伝記的な事実のなかにも、父殺しの問題はない。もしルソーにコンプレックスがあったとすれば、それはむしろ母についてのものだっただろう。彼は生後まもなくで母を失っており、また——こちらも『告白』に記されているのだが——年長の女性に惹かれる傾向にあった。片方には父殺しの主題があり、片方にはない。もしこの差異がルソーとドストエフスキーの思考様式の差異を作りだしているのだとしたら、たいへん興味深い現象である。

★20　ジラール『ドストエフスキー』、96頁。

4

ドストエフスキーに戻ることとしよう。社会主義者は地下室人によって乗り越えられ、地下室人はスタヴローギンによって乗り越えられた。だとすれば、ドストエフスキーの結論は、ひとはみなスタヴローギンになるべきだというものなのだろうか。

むろんそうであるはずがない。『悪霊』におけるスタヴローギンの描写はけっして肯定的なものではない。そもそも彼は結末で自殺している。スタヴローギンはたしかに『悪霊』の主人公だった。しかしそれは、『罪と罰』のラスコーリニコフや『白痴』のムイシュキンとは異なり、あくまでもアンチヒーローとして位置づけられていた。ドストエフスキーは、むしろこの小説で、スタヴローギンの病＝無関心病からの解放の必要性こそを訴えたと考えるべきである。つまり、社会主義者から地下室人へ、そしてスタヴローギンへという歩みには、あともうひとつ、最後の段階があるはずなのだ。スタヴローギンのニヒリズムを超えた、そのむこうに現れる最後の主体が。

その最後の主体について考えることは、本書の構想にとってきわめて重要な意味をもっている。ぼくは第五章で、二一世紀のいま、論理的に一貫しうる思想は、もはやコミュニタリアニズムすなわちナショナリズムとリバタリアニズムすなわちグローバリズムのふたつしかありえず、普遍性に賭けるリベラリズムの場所はなくなっている、しかしだからこそ、ぼくたちはいま、その普遍の場を別のかたちで再構築するために観光客＝郵便的マルチチュードが生みだす誤配を導入するのだと記していた。つまり、かつてあったリベラリズムはいまは有効性を失っており、もはやコミュニタリアニズムとリバタリアニズムしかないが、それではまずいので第四の思想が必要なのだと記していた。本章が検討しているドストエフスキーの弁証法は、まさにその構図に重なっている。チェルヌイシェフスキーはリベラルで、地下室人はコミュニタリアンで、スタヴローギンはリバタリアンである。リベラルは偽善を語り、コミュニタリアンはマゾヒズムの快楽に浸り、リバタリアンは無関心病を患っている［★21］。

チェルヌイシェフスキーの偽善を乗り越え、地下室人の快楽の罠を逃れたあと、いかにしてスタヴローギンのニヒリズムから身を引きはがすのか。第一部の言葉で言い換えれば、リベラリズムの偽善を乗り越え、ナショナリズムの快楽の罠を逃れたあと、いかにしてグローバリズムのニヒリズ

★21　コミュニタリアン（ここではほぼナショナリストと同義）がマゾヒズムの快楽に浸っているというこの整理は、いささかわかりにくいかもしれない。そこで簡単に補足しておく。まえにも参照した大澤の『ナショナリズムの由来』によれば、ナショナリズムはそもそも、あらゆる超越性——大澤の用語では「第三者の審級」——を無化する資本主義の運動に対する、一種の反動として現れ構築されたイデオロギーである。資本主義は神を無化する。そこで人々がかわりに作りあげたのがネーションというわけだ。だから、ネーションは、人々にとってもっとも親密なものでありながら、ときに絶対的に疎遠なものとしても機能する。実際、ネーションはしばしば自国の「外」にその起源を見いだす。日本の起源は南洋や大陸にあるというように。『ナショナリズムの由来』、377頁以下参照。この大澤の指摘は、のち★29で参照するドゥルーズの言葉を先取りして言えば、ナショナリズムが、本質的にマゾヒズムと同じ精神分析的構造をもっていることを意味している。マゾヒストは、主人（超自我）がいないところに、主人を人工的に作りあげる。同じように、ナショナリストは、神（超自我）がいないところに、ネーションを人工的に作りあげるのである。

ムから身を引きはがすのか。それは、いまこの時代において、きわめて現実的で実践的な、しかし同時に哲学的にも政治的にも重要な問いである。

ドストエフスキーの最後の主体はいかなる主体なのか。その答えを見とどけて、本書の探求を締めくくることにしたい。

本論はここでひとつリスクを冒す必要がある。じつはここからさきの議論は、ドストエフスキーの読解としては危ういものである。なぜならば、以下ぼくが読むのは、ドストエフスキーが書いた小説ではなく、書かなかった小説だからである。ぼくはここからさき、亀山郁夫が二〇〇七年に出版した著作『『カラマーゾフの兄弟』続編を空想する』を参照して、『カラマーゾフの兄弟』の存在しない続編を読む。

なぜそのようなことをするのか。ドストエフスキーは『悪霊』のあと、彼自身が主宰する雑誌で発表したいくつかの短編を除けば（じつは晩年のドストエフスキーは雑誌の運営に大きな情熱を傾けており、彼を有名にしたのもそこで展開した時事評論だった）、二作の長編しか発表していない。一八七五年の『未成年』と一八七九年から八〇年にかけての『カラマーゾフの兄弟』である。そして後者の完成の二ヶ月後に急逝している。それゆえ、常識的に考えれば、ドストエフスキーの弁証法の到達点は『カラマーゾフの兄弟』だということになるだろう。実際、この小説は文学史に残る傑作とされている。けれどもじつは、この小説は未完なのである。現存する『カラマーゾフの兄弟』は、単体でも読めるように書かれており、実際に独立の小説と考えても不自然なところはない。けれどもドストエフスキーは、まえがきではっきりと、出版された小説は「第一の小説」にすぎず、続く「第二の小説」と対になって完成するものであると告げている。だとすれば、ドストエフスキーの弁証法はその続編の構想を含めて考えたい。では続編はどのような物語になるはずだったのか？　前掲の亀山の著作は、まさにその内容を推測したものである。亀山はそれをあくまでも「空想」と呼ぶ。作家自身がはっきりとした草稿や構想メモを残していない以上、学問的にはそれは空想と呼ぶほかないからである。しかし、ぼくには彼の予想は、じつに緻密で説得力のあるもののように思われる。そこでここでは、むしろその空想をもとに、ドストエフスキーの最後の主体について考えてみたいと思う。

ぼくの考えでは、ドストエフスキーの弁証法は、現存の『カラマーゾフの兄弟』では完結していない。それは亀山の空想（書かれなかった続編）のなかでようやく完結している。このようなアプローチは、もし本稿がドストエフスキーの小説を分析する試みなのであれば、けっして許されないだろう。けれど、彼の哲学の可能性を解読する試みなのであれば、許されてもよいのではないかと考える。ぼくたちがここで関心を向けているのは、ドストエフスキーがなにを考えたかという現実の問いだけではない、彼がなにを考ええたかという可能性の問いでもあるからである。

亀山の空想の内容を簡単に見てみよう。いま存在する『カラマーゾフの兄弟』、すなわち第一巻

(第一の小説)は、父殺しの物語だった。亀山は、その延長で、第二巻(第二の小説)もまた父殺しの物語になったはずだと推測する。ではこんどはどんな父が殺されるのか? 亀山は、いくつかの伝記的な証言から、それは「象徴的な父」を殺す物語、すなわち皇帝殺し(皇帝暗殺)の物語になったはずだと予想する。『カラマーゾフの兄弟』第二巻は皇帝暗殺の物語である。まずはこれが出発点となる。

つぎに亀山は、いくつかの根拠から、第二巻は第一巻の一三年後が舞台になるはずだと推測する。『カラマーゾフの兄弟』の第一巻には、父フョードル・カラマーゾフとその四人の息子が登場する。ドミートリー、イワン、アリョーシャ、そしてスメルジャコフである(説明を簡単にするためここではスメルジャコフを兄弟に含める)。第一巻の結末で、父と三人の兄弟は死んだり狂ったり逮捕されたりしているので、第二巻の中心は残されたアリョーシャにならざるをえない。アリョーシャは第一巻では、敬虔なキリスト者として描かれる。ではそのアリョーシャが第二巻では転向し、いきなりテロリストになるのだろうか? 従来の研究ではそのような推測が多かった。

しかし亀山は、それはまちがいだと主張する。なぜなら、ドストエフスキーは、現存する第一巻の序文(「著者より」)で、第二巻までを視野に入れた語りの地点から、第一巻の主人公のアリョーシャは最後まで無名だったと記しているからである。だとすれば、アリョーシャが暗殺犯になるという推測は成立しない。皇帝を暗殺した人間が無名のはずがないからだ。

では、だれが暗殺を試みるのか? 亀山はそこでコーリャ・クラソートキンという少年に注目する。じつは『カラマーゾフの兄弟』第一巻の結末近くには、コーリャをはじめ多くの少年たちがいきなり新しく登場し、アリョーシャと交流し始める章が存在する（第四部第一〇編「少年たち」）。それは現在の第一巻の物語だけを読むといささか唐突な挿話であり、実際に批評家から構成の失敗を指摘されてもきた。けれども亀山は、その「失敗」こそが、逆にこの章が第二巻への伏線であることを証拠だてていると考える。そして、年齢設定そのほかの状況証拠から、コーリャこそが第二巻で主人公となり、皇帝暗殺を試みるそのひとだと結論づけるのである。

では第二巻はどのような話になるのか。亀山の推測では、第二巻ではコーリャが秘密結社を結成し、皇帝暗殺を試みることになる。秘密結社の中核は、晩年のドストエフスキーの交友関係およびコーリャの名前から、ニコライ・フョードロフの影響を受けたロシア風の風変わりな社会主義的神秘思想になると考えられる（コーリャはニコライの愛称である）[★22]。他方で、アリョーシャも健在のはずである。彼のほうはこんどは、第一巻のまた別の伏線から、キリスト教異端派（鞭身派）を経て、新たな宗派を立ち上げそこのリーダーになっていると考えられる。第二巻の物語は、コーリャがかつての師アリョーシャを、みずからの秘密結社に迎えようとする場面から始まる。そして小説は、アリョーシャとコーリャ、師と弟子、異端の宗教者と異端の革命家のあいだの観念の戦いを軸に展開することになるだろう……。

★22　フョードロフの哲学については第七章の★14を参照。

さて、この亀山の空想が重要なのは、それが、本稿が追跡してきたドストエフスキーの弁証法をよりさきに推し進めるものになっているからである。

そもそも『カラマーゾフの兄弟』は、社会主義者から地下室人へ、そしてスタヴローギンへという彼の弁証法の集大成であるかのように構成されている。この小説の登場人物の配置は、その弁証法に照らすとじつに明確である。

まえにも述べたように、『カラマーゾフの兄弟』には、ドミートリー、イワン、アリョーシャ、スメルジャコフの四人の兄弟が登場する。ここまでの枠組みにあてはめると、ドミートリーとスメルジャコフは地下室人に、イワンはスタヴローギンに相当する人物だと言うことができる。社会主義者に相当する人物はいない。

ここで地下室人がふたりいるのは、一方が『地下室の手記』の地下室人を継承し、他方が『悪霊』の地下室人を継承した人物だと考えるとわかりやすい。ドミートリーは、嫉妬に狂い会話を空回りさせる滑稽な青年として描かれている。その造形は地下室人を連想させる。他方で、スメルジャコフは卑屈なマゾヒストで、イワンを崇拝している。イワンは、神がいなければあらゆることは許されると言い放つニヒリストであり、イワンとスメルジャコフの関係はスタヴローギンとテロリストたちの関係に類比的である。実際、スメルジャコフは、イワンの無意識の教唆を忠実に守り、テロ（父殺し）を実行してしまう。同じ地下室人でも、ドミートリーは父殺しを実行できないが、スメルジャコフは実行できる。そこには『地下室の手記』から『悪霊』への変化が刻まれている。つまりは、『カラマーゾフの兄弟』は、『地下室の手記』から『悪霊』への弁証法的な歩みを綜合し、さらにそのさきへ行こうとした小説として読むことができるのだ。

この観点から見た場合、ドストエフスキーが「著者より」の冒頭で、小説の主人公がアリョーシャだとはっきり宣言していること――「わたしの主人公、アレクセイ・カラマーゾフの一代記を書きはじめるにあたって、あるとまどいを覚えている」［★23］――はきわめて重要な意味をもってくる。『地下室の手記』はドミートリーの物語で、『悪霊』はイワンとスメルジャコフの物語で、『カラマーゾフの兄弟』はアリョーシャの物語である。だとすれば、ここでアリョーシャこそが弁証法の新たな展開を担うと考えるのは自然だろう。ドミートリーの精神がスメルジャコフに受け継がれ、スメルジャコフの精神がイワンに支配されているのだとしたら、イワンの精神もまた、アリョーシャによってなんらかのかたちで乗り越えられているのではないか？　そしてそこにこそ、チェルヌイシェフスキーの偽善を乗り越え、地下室人の快楽の罠を逃れたあと、いかにしてスタヴローギンのニヒリズムから身を引きはがすのかという前掲の問いへの答えが、物語のかたちで刻まれているはずではないか？

けれども、現存の『カラマーゾフの兄弟』を読むかぎり、その期待はあっさりと裏切られること

★23　ドストエフスキー『カラマーゾフの兄弟』第1巻、亀山郁夫訳、光文社古典新訳文庫、2006年、9頁。

になる。現実にはアリョーシャの役割はじつに漠然としている。残りの三人の兄弟と異なり、彼が自分の思想を開陳する場面はほとんどない。アリョーシャは多くの場面で聞き手であり、むしろ物語を進めるための狂言回しの役割を割りあてられている。まえがきで宣言される重要性と比較したとき、その空虚さは不審ですらある。

ドストエフスキーはこの人物をなんのために造形したのか。その答えは現存する第一巻では出ない。だからぼくたちは存在しない第二巻について考える必要がある。

5

それでは、いよいよ第二巻の空想の読解に入っていくこととしよう。亀山は、第二巻の題名は『カラマーゾフの子どもたち』になると予想する[★24]。「子どもたち」とはコーリャを中心とした少年たちを指している。

第二巻のコーリャは、さまざまな理由から、第一巻のイワンに、すなわちスタヴローギンに相当する人物になると予想されている。それゆえ彼が皇帝暗殺の首謀者になると考えられる。実際にコーリャは、前掲の章「少年たち」でも、友人(イリューシャ)を「奴隷」と呼び、「いろんな考え方を吹きこんで」いると誇らしげに語ったりしている[★25]。その態度は、幼いながらもスタヴローギンを思わせる。『カラマーゾフの子どもたち』におけるコーリャと少年たちの関係は、『悪霊』におけるスタヴローギンとテロリストたちのそれの反復となる。超人に意のままに動かされる地下室人という悪夢が、皇帝暗殺という巨大な陰謀を舞台にもういちど繰り返されるわけである。

けれども、『悪霊』と『カラマーゾフの子どもたち』のあいだには決定的なちがいがひとつある。それがアリョーシャの存在である。スタヴローギンの隣にはだれもいなかった。けれどもコーリャはアリョーシャの存在を熱烈に求めている。その情熱は第一巻でも明らかである。「カラマーゾフさん、ぼくはあなたにどんなに憧れていたことか、どんなに前から、あなたとの出会いを探し求めていたことか!」[★26]コーリャは、いわば、アリョーシャを必要とするスタヴローギンなのだ。

それにしても、コーリャはなぜかくもアリョーシャを求めるのだろうか。ここで見逃してはならないのは、コーリャは、アリョーシャを単独で求めているのではなく、むしろ彼を疑似的な父とした家族的共同体の構築をこそ求めているということである。「少年たち」の章で登場する少年たちは、じつは多くが家族に問題を抱えている。コーリャにはそもそも父がいない。イリューシャの母は狂人で、家庭は崩壊している。彼らはつねに子どもたちだけで集まり、一種の疑似家族を形成している。そしてアリョーシャはそこに、父の役割を期待される人物として現れる。少年たちのその願いは、現存の『カラマーゾフの兄弟』の最後の場面、イリューシャの葬儀(彼は物語の途中で病死

★24 『「カラマーゾフの兄弟」続編を空想する』、216頁。
★25 ドストエフスキー『カラマーゾフの兄弟』第4巻、亀山郁夫訳、光文社古典新訳文庫、2007年、63頁。
★26 『カラマーゾフの兄弟』第4巻、131-132頁。

する）で叫ばれる「カラマーゾフ万歳！」という言葉にこのうえなくはっきりと示されている[★27]。イリューシャの葬儀にもかかわらず、少年たちは、イリューシャ万歳でもスネギリョフ（イリューシャの姓）万歳でもなく、カラマーゾフ万歳と叫ぶ。それはあたかも――フョードルが殺されドミートリーが逮捕されスメルジャコフが自殺しイワンが狂い、旧カラマーゾフ家があとかたもなく崩壊してしまった物語の結末において――、アリョーシャを父とし、コーリャを長兄とする新たなカラマーゾフ家を設立する儀式であるかのようである。カラマーゾフ家の物語は、第一巻の最後で再起動するのだ。

第二巻はこの結末に続いて書かれる。だとすればそこでは、アリョーシャは父になり、コーリャとともに疑似家族（結社）をつくるはずだと考えられる。それは新たなカラマーゾフ家になる。その物語こそが『カラマーゾフの子どもたち』の軸となるだろう。

その新たな家族は成功するのだろうか？　亀山の予想によれば、それもまた成功しそうにない。アリョーシャは結局は父になることができない。アリョーシャは結社の指導者にもならないし、皇帝暗殺の計画を止めることもできない。コーリャたちは暗殺を決行して失敗する。そして死刑を言い渡される。物語の最後では、皇帝に恩赦をもらい死を免れることになる。それが亀山が予想する第二巻のクライマックスだが、そこではアリョーシャは、コーリャにあれほど熱烈に必要とされていたにもかかわらず、第一巻と同じく事件に対してはじつに小さな影響力しかもつことができない。

彼はコーリャを救うことすらできない。コーリャの命を救うのも結局は皇帝なのだ。

スタヴローギンは父を必要とする。しかしそれは不能の父である。自分を救うことすらできない、地下室人＝子どもたちに囲まれた不能の父である。亀山は『カラマーゾフの子どもたち』をそのような不能の物語として「空想」する。

ここに亀山の構想の決定的な重要性がある。繰り返すが、この『カラマーゾフの兄弟』および『カラマーゾフの子どもたち』においては、アリョーシャがいかにしてスタヴローギン＝イワンを乗り越えるのか、その哲学的あるいは精神的な論理が問題となっている。そしてまえにも述べたように、多くの研究者は、第二巻ではアリョーシャ自身が皇帝の暗殺を試みると想定している。言い換えれば、ドストエフスキーの最後の主体は、スタヴローギン＝イワンの無関心病を克服し、最後は宗教心を抱いたテロリストにたどりつくのだと結論を出している。

けれども亀山はまったく異なる論理を提示している。彼は第二巻において、逆にアリョーシャからそのような能動性を徹底的に奪っている。亀山は、アリョーシャは不能の父にしかならず、しかしその不能性こそがイワン＝コーリャの乗り越えを可能にするのだと主張しようとしている。

この亀山の論理はいっけんアクロバティックに見えるが、にもかかわらず強い説得力をもっている。なぜならば、それは、ぼくたちがいままで見てきたドストエフスキーの弁証法を出発点に差し

★27　ドストエフスキー『カラマーゾフの兄弟』第5巻、亀山郁夫訳、光文社古典新訳文庫、2007年、62頁。

戻し、円環として閉じる提案になっているからである。ドストエフスキーの弁証法（社会主義者から地下室人への移行）は、前述のように、かつて作家がまだ二〇代だったころ、体制転覆の容疑で逮捕され、象徴的に去勢された経験から始まっている。彼はそこでいちど死刑判決を受け、まさに皇帝の恩寵（恩赦）によって生き延びている。亀山は『カラマーゾフの子どもたち』において、ドストエフスキーがもういちどその経験に戻り、その克服を企てる歩みを考える。そしてそれこそが、彼が晩年になってふたたび皇帝暗殺の主題に戻り、過去の去勢を虚構のかたちで反復しようとしたことの意味のはずだと考える。去勢は去勢に還る。無関心病を患い、去勢の存在を忘れたリバタリアンもまた、結局は去勢に還る。亀山はドストエフスキーの弁証法をそう理解している。

現実には『カラマーゾフの子どもたち』は書かれなかった。だからぼくたちは、ドストエフスキーが、スタヴローギン＝コーリャの不能の父への渇望をどのように描くつもりだったのか、ほんとうのところはわからない。実際にはそんなものは描けないのかもしれない。しかしもし、彼が、その渇望を『カラマーゾフの子どもたち』の最後までで描き切ることができていたのだとしたら、そこにはたしかに、スタヴローギンを超える新たな主体、ドストエフスキーの最後の主体が現れていたことだろう。そしてそこでこそ、アリョーシャはほんとうの主人公となっていたことだろう。

チェルヌイシェフスキーの偽善を乗り越え、地下室人の快楽の罠を逃れたあと、いかにしてスタヴローギンのニヒリズムから身を引きはがすのか。ぼくはここで、その問いに対して、不能の父になることによってと答えることにしよう。リベラリズムの偽善を乗り越え、ナショナリズムの快楽の罠を逃れたあと、グローバリズムのニヒリズムから身を引きはがし、ぼくたちは最終的に、子どもたちに囲まれた不能の主体に到達するのだ。それこそが観光客の主体である。

スタヴローギンのあとで、去勢を受け入れた不能の主体になること。けれどもそれはたんに無力であるだけではない。世界を変えることを諦めるわけではない。なぜならば、ここまで論じてきたように、その最後の主体は子どもたちに囲まれているからである。そして世界は子どもたちが変えてくれるからである。

ドストエフスキーの弁証法における子どもの意味について、最後にもういちど実在する小説に戻って考え、本書の記述を終えようと思う。

ぼくたちはここまで、ドストエフスキーの最後の主体を考える入口として、アリョーシャがイワンをいかに乗り越えるのか、その論理の可能性を探ってきた。しかし、じつはイワンとアリョーシャは、現存の『カラマーゾフの兄弟』のなかでいちど正面から対決している。第二部第五編「プロとコントラ」で描かれた長い対話である。そこでは子どもの苦しみが主題となっている。

イワンとアリョーシャのこの対話はきわめて有名で、無数の解釈が行われている。それゆえ最低限の紹介にとどめるが、そこではイワンはつぎのような議論を展開し、アリョーシャの信仰に挑んでいる。――なるほど、神はもしかしたらいるのかもしれない。救済もあるのかもしれない。何百年か何千年かのち、すべての罪人が許され、あらゆる死者が復活し、殺人者と犠牲者が抱き合って涙を流す、そのようなときが到来するのかもしれない。しかし問題は、いま、こ、こ、で痛めつけられ辱められている、罪のない子どもたちが無数にいることである。そんな彼らの苦痛と屈辱は、未来の救済によっても償われない。神はこの問いにどう答えるのか？

じつはこの対話では、アリョーシャは論争に負けている。少なくとも話をごまかしているように見える。アリョーシャはイワンの頬に口づけをして立ち去るだけである。アリョーシャはイワンを乗り越えることができない。

しかし、ここで重要なのは、この対話の存在そのものがイワンの弱点をあぶり出していることである。イワンは無関心病のはずだった。実際に彼は「神はいない」とうそぶいていた。けれどもそんな彼も子どもの苦しみの存在は看過できない。だからこそ彼はアリョーシャに論争を挑むのである。

超人はすべての不条理に耐えられるが、子どもの苦しみにだけは耐えられない。この構図はじつは『悪霊』から継承されている。

『悪霊』にもまた、スタヴローギンが、ある経験を「耐えられない」と告白する場面がひとつ存在している。それも、前述の『カラマーゾフの兄弟』の対話と同じく、たいへん有名な挿話である。それは、まえに紹介した「チーホンのもとで」の章に組みこまれた過去の回想である。

スタヴローギンは下宿先で幼い少女に出会う。彼女はまだ一〇代の前半で、母親から日常的に虐待を受けている。スタヴローギンは気まぐれから少女と性関係をもつ。そしてすぐに関心を失ってしまう。数日後、スタヴローギンに裏切られたと感じた少女は自殺を図る。少女は彼の顔を睨み、ひとり無人の納屋へと入っていく。スタヴローギンは自殺を予想するが、なにも行動を起こさない。そして少女は首をくくって死んでしまう。スタヴローギンはそのことすらすぐに忘れてしまう。ところが数年を経て、彼は少女の幻覚に悩まされるようになる。そしてつぎのように告白する。罪悪感はまったく覚えていない。同じことをもういちどやれと言われればためらいなくやるだろう。けれども「たったひとつ、そのしぐさだけが耐えられないのだ。［……］私を脅しつけるあの小さなこぶし、あのときの彼女の姿ひとつだけ、あのときの一瞬のみ、あの顎のしゃくりかた。それが、私には耐えられないのだ」［★28］。

ドゥルーズはかつて、マゾヒストには自我しかないが、サディストには逆に超自我しかないと述べたことがある［★29］。超自我しかないとは、自我を超えた制度やシステムしかないということである。本書でリバタリアンがサディストと呼ばれるのは、この規定に基づいている。リバタリアン＝サディスト＝スタヴローギンには、自分がない。自分を超えた存在しかない。世界の必然しかない。だから欲望がない。あらゆるものが手に入るが、なにも欲しくならない。無関心病とは自我の欠如を意味している。

だとしたら、スタヴローギンはここで、少女の幻覚を見て、ようやく自我を取り戻したと言える

★28 『悪霊』第2巻、580頁。
★29 ジル・ドゥルーズ『マゾッホとサド』蓮實重彦訳、晶文社、1973年、150頁以下。

のかもしれない。子どもの幻覚（幽霊）は、失われた自我の回帰である。それは前章の言葉で言えば「不気味なもの」だ。不気味なものの回帰が、超人の超自我を内部から蝕んでいくのである。

苦しむ子どもは、イワン＝スタヴローギンの最大の弱点である。しかし、アリョーシャは直接の対話ではその弱点を突くことができなかった。だからこそ本章では、アリョーシャによるイワンの乗り越えの可能性を探るために、存在しない続編についての亀山の空想が必要とされた。

けれども、批評家の山城むつみは、また別の読解の可能性を示唆している。彼は二〇一〇年に刊行した『ドストエフスキー』で、前掲の「少年たち」の章を緻密に解読することで、さきほど見たイワンの議論への反駁を打ちたてようと試みている。

どういうことか。山城の議論はじつに複雑で込み入っているので、ここでは、山城の文章に加え、彼の議論を受けてロシア文学者の番場俊が二〇一二年の『ドストエフスキーと小説の問い』で行った整理をあわせて、論理の核心だけを紹介しておきたい［★30］。

山城と番場によれば、「少年たち」の章で注目すべきなのは、じつはジューチカという犬の「復活」の場面である。イリューシャはもともと、野犬の一匹をジューチカと名づけてかわいがっていた。けれどもあるとき、スメルジャコフに唆され、針の入ったパンを食べさせてしまう。ジューチカは鳴き叫んで走り去り、そのまま消えてしまった。病床に伏せたイリューシャは、そのことをずっと気に病んでいる。そこでコーリャは、そっくりな犬を探し出し、イリューシャに贈ることにする。発見された新しい犬は、ペレズヴォンと名づけられ、ジューチカではないことになっている。しかしイリューシャは、ペレズヴォンをひとめ見てそれがジューチカだと確信し、たいへん喜ぶことになる。その犬がほんとうにジューチカだったのかどうかは、だれにもわからない。研究者のあいだでも（そのような研究がされていることそのものが驚きだが）諸説あるらしい。

では、この話がなぜイワンの議論への反駁になるのか。それは、イワンの問題提起が、たとえ未来に救済が来てもこの子どもの苦しみはけっして癒えることがない、という存在の固有性に関わる問いとしてなされていたからである。ジューチカとペレズヴォンの寓話は、まさにその「この」性そのものが解体され解消される瞬間を描いたものだと考えられる。

イリューシャはジューチカを愛していた。そのジューチカはあのジューチカしかいない。そのかぎりでジューチカが消えた傷は癒えることがない。実際にイリューシャも当初は、ほかの犬を飼お

★30 山城むつみ『ドストエフスキー』、講談社文芸文庫、２０１５年。番場俊『ドストエフスキーと小説の問い』、水声社、２０１２年。ぼくがここで参照しているのは山城の著書の最後の章だが、じつはそれは（亀山への言及はないが）ずばり「カラマーゾフのこどもたち」と題されている。ところで、山城はその著書で、ぼくが１９９３年に書いたアレクサンドル・ソルジェニーツィンについての論文「確率の手触り」を参考文献に挙げている。東浩紀『郵便的不安たちβ』、河出文庫、２０１１年所収。ぼくはその論文で、まさに前述のイワンとアリョーシャの対話に触れ、のちの「郵便」につながる「確率」という鍵概念を提出した。そして他方で番場は、前掲書の山城に言及する箇所で、ぼくの二〇年近くまえの著作『存在論的、郵便的』を援用して、ジューチカをめぐる山城の問題提起を固有名論の枠組みで説明しなおしている。つまりは、山城と番場は、上記の著書で、ともにぼくの過去の仕事に触れながらドストエフスキーを読解し、イワンの議論を乗り越えようとしているのである。この第八章の議論は、そんな彼らへの応答であり、また彼らの問題提起をよりさきに引き延ばすことを目指して書かれている。

うという提案をことごとく退けていた。

　ところがドストエフスキーはここで、まさにその傷が癒える奇跡の瞬間を描いている。山城と番場がともに指摘するように、イリューシャがペレズヴォンはジューチカだと信じたのかどうか、また実際にペレズヴォンがジューチカなのかどうかはもはや重要ではない。重要なのは、ペレズヴォンがペレズヴォンでありながら同時にジューチカでもありうること、イリューシャがそのような思考の可能性に気づいたことである。ジューチカがジューチカだったこと、考えてみればそれそのものが偶然だった。そもそもそれは野犬の一匹にすぎなかった。だからぼくたちは、ジューチカが死んだあとも、もういちどジューチカ的なるものを求めて新しい関係をつくることができるし、またそうすべきである。それが生きるということだ。山城はつぎのように記す。「ペレズヴォンがジューチカであることによって、それ［イリューシャとコーリャの関係］がまったく新しい別の関係、カラマーゾフ的な兄弟愛に置き換えられたのだ。森有正が「復活」と呼んでいるのは、ペレズヴォン、コーリャ、イリューシャの「邂逅」によって生じた、出来事としてのこの新しい関係のことなのだ」［★31］。

　ぼくはこのぼくでしかなく、ジューチカはあのジューチカでしかなく、だからその傷はけっして未来のぼくやほかの犬の救済で癒えることがない。地下室人はそれを理由にユートピアを否定し、イワン＝スタヴローギンは神の存在を否定した。アリョーシャはそれに論理的には反駁できない。けれどもドストエフスキーはここで、その隘路を通り抜ける別の思考の可能性を、物語として提示しようとしている。山城と番場はそう考える。

そしてその別の思考は、まえにも触れた『カラマーゾフの兄弟』の最後の場面、イリューシャの葬儀において、もういちど決定的な役割を果たすことになる。イリューシャの父は息子の死を嘆く。それは、「死なねばならなかったイリューシャがあのイリューシャでなければならなかったのはどうしてなのか。わが子がわが子であるのはなぜなのか」という嘆きであり[★32]、つまりはイワンの指摘と同型である。その嘆きはけっして癒やされることがない。それは人間を孤独に閉じこめる。そしてイワン＝スタヴローギンをニヒリズムへと導いていく。

だとすれば、ここではもういちど、ジューチカの死がペレズヴォンの導入で乗り越えられたように、イリューシャの死についてもまた乗り越えの道すじが示されねばならない。そして山城と番場は、まさにそのためにこそ、ドストエフスキーはここで最後、コーリャにカラマーゾフ万歳と叫ばせたのだと考えるのである。番場はつぎのように記す。「イリューシャがイリューシャであったことが、そもそもまったくの偶然であった。新しい「よい子」がやってきて、父親とともに新しい関係を始めることは十分に可能なはずだ。よみがえったジューチカが新たにペレズヴォンとしてやってきたように、新しいイリューシャもまた、交換可能な偶然の身体としてやってきて、父親とともに、偶然を必然へと変えていく新しい運動を開始するだろう」[★33]。ある子どもが偶然で生まれ、

★31　山城『ドストエフスキー』、587-588頁。
★32　山城『ドストエフスキー』、606頁。

偶然で死ぬ。そして、また新しい子どもが偶然で生まれ、いつのまにか必然の存在へと変わっていく。イリューシャの死はそのような運動で乗り越えられる。ぼくたちは、一般にその運動を家族と呼んでいる。

だから、子どもたちに囲まれた不能の主体は、不能ではあるけれどけっして無力ではないのだ。世界は子どもたちが変えてくれる。人間は、人間を孤独のなかに閉じこめる「この」性の重力から身を引きはがし、運命を子どもたちに委ねることで、はじめてイワン＝スタヴローギンのニヒリズムを脱することができる。

亀山は、アリョーシャは不能の父になることで、イワンを超えると考えていた。存在しない第二巻についてのその空想は、実在する第一巻をめぐる山城と番場の以上の思弁を、物語のかたちで構成したものだと言うこともできるだろう。

6

社会主義者から地下室人へ、超人へ、そして子どもたちに囲まれた不能の父へ。リベラリズムからコミュニタリアニズムへ、リバタリアニズムへ、そして観光客へ。あるいは、普遍主義から国家主義へ、個人主義へ、そして誤配の空間へ。本章でぼくは、ドストエフスキーの作品歴からそれら四つの主体を取り出し、移行のメカニズムを明らかにすることで、観光客の哲学への、第一部とは異なる角度からの接近を試みた。

最後にもういちど簡潔に記しておこう。本章でぼくが伝えたかったメッセージのひとつは、ぼくたちは世界に対して、地下室人としてでもスタヴローギンとしてでもなく、親が子に接するように接するべきだというものである。言い換えれば、コミュニタリアンとしてでもリバタリアンとしてでもなく、家族的類似性に基づき、いわば新生児に接するように他者と接するべきだというものである。

ぼくはこの本を他者の話から始めた。ぼくたちは、矮小な地下室人がリベラリズムの偽善をたえず指摘し、リバタリアンなサディストたちが現実の秩序を支配する、そのような時代に生きている。かつてリベラリズムは他者の原理をもっていた。けれどそれはもはや力をもたない。他方でいま優勢なコミュニタリアニズム（ナショナリズム）もリバタリアニズム（グローバリズム）も、そもそも他者の原理をもたない。二〇一七年のいま、他者への寛容を支える哲学の原理は、もはや家族的類似性ぐらいしか残っていない。あるいは「誤配」ぐらいしか残っていない。それがぼくの認識である。だからぼくは、家族の理念とその可能性について、哲学はもっと真剣かつ包括的に検討すべきだと考える。それは、読者のみなさんが家族をもっているのかいないのか、子どもをもっているのかいないのかといった個別の問題にかかわらず、哲学的にそうなのである。だからぼくはこの第二

★33 『ドストエフスキーと小説の問い』、319頁。

部を書いた。

子どもとは不気味なもののことである。新生児の顔は実際に不気味である。子どもは、自分にとってもっとも親密でありながら、拡散し、増殖し、いつのまにか見知らぬ場所にたどりついてぼくたちの人生を内部から切り崩しにかかってくる、そのような存在である。

いつの時代でも哲学者は子どもが嫌いである。けれども、ぼくたちはみなかつては子どもだった。ぼくたちはみな不気味なものだった。偶然の子どもたちだった。ぼくたちはたしかに実存として死ぬ。死は必然である。けれども誕生は必然ではないし、ぼくたちのだれも生まれたときは実存ではなかった。だから、ぼくたちは、必然にたどりつく実存になるだけでなく、偶然に曝されつぎの世代を生みだす親にもならなければ、けっして生をまっとうすることができない。子として思考するかぎり、チェルヌイシェフスキーと地下室人とスタヴローギンの三択から逃れることができない。ハイデガーの過ちは、彼が、複数の子を生みだす親の立場ではなく、ひとり死ぬ子の立場から哲学を構想したことにあった。

子として死ぬだけではなく、親としても生きろ。ひとことで言えば、これがぼくがこの第二部で言いたいことである。むろんここでの親は必ずしも生物学的な親を意味しない。象徴的あるいは文化的な親も存在するだろう。否、むしろそちらの親のほうこそが、ここでいう親の概念には近いのかもしれない。なぜならば、親であるとは誤配を起こすということだからである。そして偶然の子どもたちに囲まれるということだからである。

ぼくのこの仕事もまた、できるだけ多くの偶然の子どもたちを生みだし、未来の哲学につながるとよいと思う。

補遺

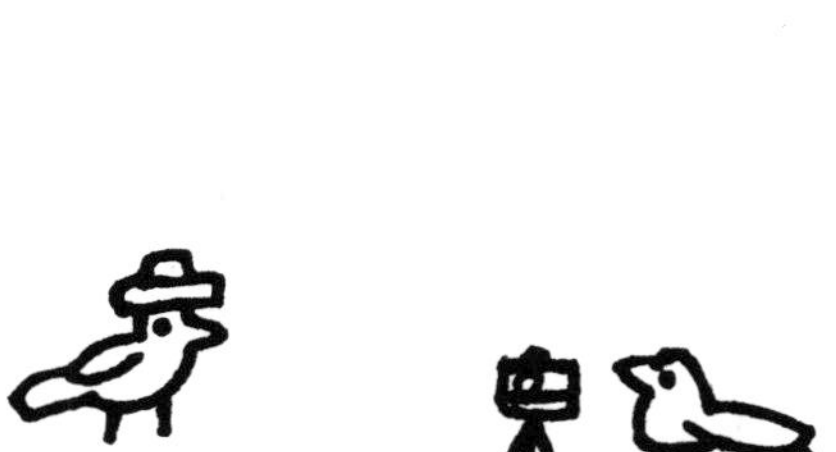

第9章 ― 触視的平面について

『観光客の哲学』の初版は前章で終わっていた。本章と次章は、同書の刊行後、ゆるやかに関連する主題についてそれぞれ独立して書かれたエッセイを改稿したものである。それゆえ前章までと直接にはつながっていない。

その前提のうえでいえば、この第九章は第七章の議論を少しだけさきに進めたものだということができる。ぼくはそこで、「イメージとシンボルを等価に並べるコンピュータの平面」の特質こそが、主体と統治の現代的な関係を考えるうえで重要なのではないかと記した。どの時代でも、ひとはメディアを介して世界を認識する。裏返していえば、世界像の変化はなによりもまずメディアの変化として現れる。だとすれば観光客の時代にはそれ特有のメディアがあり、その特性は観光客という主体のありかたとも密接に関係しているだろう。本章の議論は、そのような着想のもと、タッチパネルとインターフェイスの「哲学的な意味」について考えようとしたものである。

ただ、この議論は、増補版の時点でもまだあまりきちんと展開できていない。本格的な展開は未来への宿題としつつ、ここでは一種の中間報告としてアイデアを提示しておきたい。

1

現代はタッチパネルの時代である。タッチパネルとはなにか。それは、ある映像機器企業のウェブサイトでは、「画面に直接触れることにより、コンピュータの操作が行える装置のこと」であり、「表示と入力の2つの機能を融合したデバイス」だと定義されている[★1]。

この簡潔な定義のなかに、本論で問題にしたいタッチパネルの特徴はすべて出揃っている。まず、タッチパネルは接触(触れること)に関わっている。つぎに、タッチパネルは情報機器に対して能動的に働きかける(機器の操作が行える)。最後に、タッチパネルは出力(表示)と入力の二面性を備えている。

これらの特徴は、タッチパネルの本質が、従来「スクリーン」と呼ばれてきたものとは大きく異なることを意味している。タッチパネルは英語ではタッチスクリーンと呼ばれている。実際、日常の感覚としては、タッチパネルは「触ることのできるスクリーン」そのものであり、歴史的に「スクリーン」と総称されてきた、映画やテレビやコンピュータで利用するあの映像出力装置の進化形にほかならないように見える。双方ともに同じ矩形の平面であることも、連続的な印象を強めてい

★1 EIZO株式会社のウェブサイト。URL=http://www.eizo.co.jp/eizolibrary/other/itmedia02_08/

る。

しかし、現実には、タッチパネルは、さきほどの三点においてスクリーンと本質的に異なる特徴をもつ平面である(ここからさきはタッチパネルとスクリーンを対置して議論するため、タッチスクリーンという名称は避けることにする)。スクリーンは出力専用の平面だったが、タッチパネルは入力を受け入れる。スクリーンに投影された映像は触ることができなかったが、タッチパネルに投影された映像は触ることができる。スクリーンの映像は触っても変化しないが、タッチパネルの映像は触ることで変化する。映像を見る主体と映像の関係が、スクリーンがタッチパネルに進化する過程で大きく変わっているのである。

タッチパネルの映像は触ることができる。そして触ると変化する。このような「触知可能で操作可能な映像」の出現は、じつは、いままでの映像論とメディア論を、さらにはそれらを支える伝統的なパラダイムを大きく揺るがしかねないものでもある。古くはプラトンの洞窟の比喩まで遡るように、西洋の哲学は伝統的に、影と実体、「にせもの」と「ほんもの」、あるいは「見えるもの」と「見えないもの」の対立を中心に思考を組み立ててきた。目や耳で知覚可能な世界はしょせんは影で「にせもの」にすぎず、感覚から隠れたところに、つまりは知覚できない世界にこそ実体があり「ほんもの」があるのだという発想が、哲学の中心にあり続けてきた。

第七章でも触れたように、そのような二項対立は、二〇世紀の精神分析や映画論にも受け継がれている。映画のスクリーンに投影される映像(見えるもの)は触ることができない。それは影であり

「にせもの」にすぎない。影は触ることができないし、操作もできない。だから学問は、影に囚われるのではなく、影をつくり出すカメラ（見えないもの）のほうに向かわなければならない。精神分析の言葉でいえば、想像界ではなく象徴界に向かわなければならない。それは、二〇世紀にいたっても、人文知を支える根本的な二項対立のままだった。

ところが、タッチパネルの映像、つまり「触知可能で操作可能な」影の出現は、まさにそのような二項対立を脅かしている。そこでは、「にせもの」が「にせもの」のまま触られ、操作され、「ほんもの」を変化させてしまうのだからだ。

これはけっして抽象的な話ではない。むしろとても具体的な話だ。写真家の大山顕が指摘しているように[★2]、写真はかつては指で触れるものではなかった。むしろ指紋がつかないように縁をもって覗きこむものだった。そもそも触れてもなにも起こらなかった。写真の「ほんもの」はネガにあり（あるいは撮影時のさまざまな機器の設定にあり）、一般に写真と呼ばれるものはその印刷物にすぎなかったからだ。ところが現在では状況が異なっている。いまでは「写真」は多くの場合、プリントアウトではなく、スマホのタッチパネルに表示された映像を意味している。そこではだれもが写真そのものに触れ、大きさを変え、回転させ、色彩を調整し、スタンプを押し、フィルタを適用し、ネットにアップロードし続けている。表示画面という「にせもの」に触れることは、データという

★2　大山顕『新写真論』、ゲンロン、２０２０年、２０４頁以下。

「ほんもの」を改変することに直結している。写真はスマホの出現によって、見えるけれど触れることができないものから、見えてかつ触れることができるものに変わってしまった。その変化は、むろん新たな写真表現も生み出している。

それはとても大きな変化なはずだが、残念ながら、その意味を明らかにする議論はほとんど行われていない。表象文化論やメディア論では、レフ・マノヴィッチが二〇〇一年に刊行した『ニューメディアの言語』がいまだに参照される。けれども同書では、タッチパネル（touch screen）はいちども言及されず、触れる（touch）という単語すらほとんど現れない[★3]。『ニューメディアの言語』は、一九二〇年代のロシアの映画監督、ジガ・ヴェルトフへの言及から始まっており、「ニューメディア」といいながらあくまでもスクリーン時代の映像論にとどまっている。けれども、いまぼくたちが必要としているのは、まさにそのスクリーンの限界を画定し、そのさきについて語る映像論ではないかと思われる。

いずれにせよ、ぼくたちはもはやスクリーン（だけ）の時代には生きていない。二〇世紀のスクリーンは受動的で視覚的な平面でしかなかった。二一世紀のタッチパネルはそこに能動性と触覚性を加えた新たな平面である。多少こなれない表現ではあるが、そのようなタッチパネルの性格を触視的という言葉で表現してみよう。触覚と視覚が組み合わさった複合感覚という意味だ。

触視的平面の誕生。それこそが二〇世紀後半から二一世紀にかけて起きた、きわめて重要なメディアの変化なのではないかというのが、ぼくの仮説である。

2

現代はタッチパネルの時代であると記した。いいすぎだと感じた読者もいるかもしれない。たしかにタッチパネルは身のまわりに溢れている。なによりもスマホがタッチパネルだ。とはいえ現実には、映画にしろテレビにしろゲームにしろ、日常的に接する画面の多くはたんなるスクリーンだ。そしてそれらを対象にしたエンターテインメントもまだまだ巨大産業だ。将来すべてがタッチパネルに置き換わるとも考えられない以上、スクリーンの時代は続くと考えるべきではないか。

それはそのとおりだ。ぼくもすべての表示機器がタッチパネルになるとは思わない。これからもスクリーンは便利に使われていくだろう。

それでもぼくは、現代はタッチパネルの時代だと主張してよいと考える。なぜなら、たとえ装置としてはまだスクリーンが使われていたとしても、そこに表示される映像そのものがどんどんタッチパネルを模倣するようになっているからである。映画にしろテレビにしろゲームにしろ、いまでは「タッチパネルっぽい」映像が好んで製作され表示されるようになっている。

たとえば、いつごろからか地上波テレビのニュースやバラエティの画面を埋め尽くすようになっ

★3 レフ・マノヴィッチ『ニューメディアの言語』堀潤之訳、みすず書房、2013年。「touch」「touch screen」の検索は原書である英語のKindle版で行った。Lev Manovich, *The Language of New Media*, Reprint Edition, MIT Press, 2002.

た、ワイプ（ウィンドウ）やアイコン様のイメージ、字幕を表示するためのＬ字型画面などの補助的な記号表現を思い起こしてみてほしい。

テレビのスクリーンにアイコンが表示されても、触ることができないのだから意味がない。にもかかわらず、あたかもユーザーがアイコンに触れたかのような効果を伴い、映像が切り替わる。そのような演出に触れたことのある読者は多いだろう。それは、いまの映像製作者が、受動的で一方向的なスクリーンを表示メディアに選びながらも、にもかかわらず双方向的な映像体験を模倣しようとしていることを意味している。現実にタッチパネルのうえに表示されていなくても、あたかもタッチパネルのうえで表示されているかのような映像をつくったほうが、いまの視聴者には「リアル」に感じられるのである。

ここで「タッチパネルっぽい」とはどういうことだろう。ウィンドウやアイコンを例に挙げたが、それは具体的にはコンピュータのインターフェイス・デザインに似せた映像を意味する。インターフェイスという言葉は、もともとはコンピュータと人間の媒介を広く意味するものだ。マウスやキーボードといった物理的な機器もインターフェイスの一部である。しかし、本章では以下、とくにグラフィカル・ユーザー・インターフェイス（ＧＵＩ）のことを指すものとして使いたい。

いまのＧＵＩは、一九七〇年代に基本設計が提案され、一九八〇年代にアップルによって商品化されたものである。デスクトップと呼ばれる平面があり、ウィンドウと呼ばれる矩形の領域があり、マウスでカーソルを動かし、スクリーンに投影されたアイコンなどのイメージを操作することで情報機器を操作する、コンピュータ入力支援用の視覚デザインを意味する。

ＧＵＩは機器としてはタッチパネルを前提としていない。一九七〇年代のコンピュータの画面はタッチパネルではなかったからだ。けれどもＧＵＩの本質は、いまの単純な説明からもわかるとおり、まさに「にせもの」（スクリーンに投影されたイメージ）に触ることで「ほんもの」（プログラム）を動かすという触視性の実現にある。この意味で、ＧＵＩこそがタッチパネル的なものの起源だということができる。というよりも、タッチパネルの出現によって、ＧＵＩの精神ははじめて技術的に実装され完成したというべきかもしれない。

タッチパネルっぽいとは、つまりはインターフェイスっぽいということである。このように意味を拡張すれば、現代がタッチパネルの時代だという主張は説得力を増すのではないか。

タッチパネルは世界を覆い尽くしてはいないかもしれないが、インターフェイスは世界を覆い尽くしている。かつてスクリーンはたしかに映像を表示するだけだった。映像の制御は映写機のような別の機器によって行うもので、スクリーンに表示されている「見えるもの」とは関係がなかった。けれどもいまのスクリーンは、制御装置にＧＵＩが採用されていることが多く、その点では疑似的なタッチパネルとして機能している。たとえば家庭用テレビの設定画面。いまのテレビはたんなるスクリーンではない。画質や音量の調整をＧＵＩによって行っている。それは本質的には小さなコンピュータであり、視聴時こそむかしのブラウン管と同じく映像だけが投影されているように見えるが、本質的にはGUIのひとつのウィンドウが「全画面表示」されているにすぎない。同じことは街に溢れるデジタルサイネージや自動車などの操作画面にもいえる。いまや、GUIにより制御されず、映像を調整するためにコマンドを打ったり配線を変えたりしなければならないスクリーンを探すほうがむずかしいだろう。

ぼくたちはタッチパネルあるいはインターフェイスの時代に生きている。それを以下、触視的平面の時代と表現しよう。

触視的平面とは、「見えるもの」がただ見られるだけでなく、触れることで「見えないもの」が操作可能になるような、そういうものとして投影される平面のことである。現実にタッチパネルとして操作できなくても、あたかもタッチパネルかのような映像をつくったほうが「リアル」に感じられるのは、そのような操作感覚が現代人の世界経験の基礎にあるからだ。

ひとつわかりやすい例を挙げよう。二〇一八年に公開された『サーチ』という映画がある[★4]。全編がPCや携帯電話などのモバイル端末の画面のキャプチャでつくられ、話題となった作品だ。監督は一九九一年生まれのアニーシュ・チャガンティで、映画製作前はグーグルに勤務していた。

同作の映像は二〇〇〇年代初頭のウィンドウズOSのデスクトップから始まる。画面の中心でカーソルが動き（この映画では操作する人間は最後まで映されない）、コントロールパネルが開かれ、「新しいユーザーの追加」が選択される。テキストボックスに「マーゴット」とタイプされ、続いてビデオキャプチャのウィンドウが開く。ウィンドウには若い夫婦と幼い女の子の三人が写り込み、彼らの会話（音についてはPCのマイクが取り込んでいるという設定だろう）と見慣れたインターフェイスから、映画の観客は、マーゴットが娘の名前で、彼らがいま幼い娘のユーザーアイコンをつくるため、顔写真を撮影しようとしているところであることがわかる。マーゴットは笑顔を浮かべ、父親が指をカメラのほうに向けて、シャッターが切られる。そこで画面は暗転し、製作クレジットが流れ始める。

この一分にも満たない場面には、この映画が伝えようとする世界感覚が凝縮して示されている。それはまさに、本論が触視的平面の時代と呼ぼうとしている時代の世界感覚である。『サーチ』の世界では、子どもをつくるとは「新しいユーザー」をつくることである。そして子どもを育てるとは、カレンダーに予定を入れ、写真や動画を撮影し、それらをフォルダにまとめて整理することである。製作クレジットのあと、映画は、マーゴットの成長を記録するデスクトップの画面をつぎつぎに映し出していく。観客は、マーゴットが幸せに育ったこと、ピアノを習ったこと、そして母（パメラ）が、彼女が小学生のときにリンパ腫によって亡くなったことを知る。その死もまた、デスクトップ上でのフォルダ操作によって示される。

★4　日本での公開名は『search／サーチ』だが、ここでは『サーチ』とだけ記す。原題は *Searching*。

ちなみに物語としては、ここまでは導入にすぎず、本編はパメラの死の数年後に始まることになっている。そこでの主人公は、マーゴットの父デイヴィドである。パメラの死ののち、父娘の関係は希薄になっている。生活時間もすれちがい、連絡はもっぱらメッセンジャーだ。そんなある日マーゴットが失踪する。ところがデイヴィドは娘の予定も友人の連絡先もなにも知らない。しかたなく彼は残された娘のラップトップを起動する。そしてフェイスブックや動画配信サービスのアカウントにアクセスすることで、娘の生活を再構築し、失踪の真実に迫っていく。

これ以上の紹介は本章の議論に必要がないので割愛するが、本作の鑑賞後に印象に残るのは、とにかくこのデイヴィドが、娘の失踪という深刻な事態をまえにしても、ただひたすら検索と電話ばかりし続けていることである。彼は娘の情報すらグーグルで集めようとし、ネットワークの外にほとんど足を踏み出さない。それはむろん、すべてのショットを画面キャプチャで構成するという作品自体の構想によって要請されたシナリオではあるだろう。けれども同時に現代人の生の描写としてたいへんリアルなものにもなっているように感じられる。デイヴィドはアメリカ西海岸在住のシステムエンジニアとして設定されている。監督自身グーグルに勤務していたことを思えば、そこには痛烈な風刺が込められているだろう。

現代人の生は触視的平面に支配されている。友人との会話も職場との連絡も予定の管理も新聞の購読も、そして亡くなった家族の思い出の整理さえ、すべてがＰＣやモバイル端末のインターフェイスを通して行われる。『サーチ』は、そのような現実をみごとに映像化している。

3

現代は触視的平面の時代である。写真と映画の時代の人々がカメラのファインダを覗くように世界を捉えていたのだとしたら、いまや人々は、インターフェイスを操作するように世界に接している。ぼくたちは世界を触視的平面を通して認識し、世界に触視的平面を通して働きかける。

そんな時代はいつから始まったのだろうか。ここでインターフェイスの歴史を少し振り返っておこう。

いまぼくたちが問題にしているインターフェイス、すなわちGUIは、いわゆる情報技術革命が起こるために不可欠な発明だったといえる。かつてはコンピュータはキーボードで文字列（コマンド）を打ち込んで操作するほかなく、それゆえ専門家しか操作することができない特殊な機器だった。

コマンドを打つとはコードを書くということだから、現在も行われ続けている。けれどもそんなエンジニアたちの職能にいまだに高い値段がついていることが、逆にその特殊性を証明してもいる。もしもGUIが開発されず、コマンドなしでの操作が可能にならなかったとしたら、いくら半導体の値段が下がり演算速度が上がったとしても、これほど多くのひとがコンピュータをもち歩く世界はけっして来なかっただろう。実際、ＧＵＩが存在しなかった時代のＳＦ作家は、ＰＣやスマホの普及をほとんど予見できなかった。彼らはコンピュータといえば、白衣を着た科学者や軍人が扱う複雑な装置だと思い込んでいたからである[★5]。

現在のインターフェイス・デザインにはいくつかの起源がある。最初のＧＵＩは軍事目的で開発された。民生使用を目指した世界初のＧＵＩは、アイヴァン・サザランドが一九六三年に開発した「スケッチパッド」だといわれる。スケッチパッドはライトペンによる入力を実現していた。少し遅れて、のちにコンピュータの操作で欠かせないものとなるポインティング・デバイス、いわゆる「マウス」がダグラス・エンゲルバートによって発明される。

けれども、ＧＵＩの歴史でもっとも重要な人物だと広くみなされているのは、一九四〇年生まれの計算機科学者、アラン・ケイである。彼の名前は第七章の最後でも少しだけ触れた。

ケイは一九七〇年代に、ゼロックスのパロアルト研究所（ＰＡＲＣ）で、「ダイナブック」と呼ばれるパーソナル・コンピュータのアイデアを提唱したことで知られる。のち日本の家電メーカーによって同名の商品が発売されるが、そちらとは関係がない。ケイのダイナブックは、大判のノートていどの大きさで、片手でもつことができ、多くの書類が格納され、絵や音楽が処理可能で、子どもでも操作できる安価な情報機器として構想された。当時のモックアップを見ると、ダイナブックは、キーボードがついたｉＰａｄのようなかたちをしている。当時の技術ではケイの構想を実現するのはむずかしかったが、研究の過程でさまざまな技術が生まれた。たとえば、いまでもぼくたちが使っているイーサネットの仕様はそのひとつだし、世界初のオブジェクト指向プログラミング言語「スモールトーク」も生まれている。

そしてケイは、一九七三年につくられた試作機の「アルト」で、それら新技術とサザランドやエンゲルバートらのアイデアを統合し、現在につながるはじめてのＧＵＩを完成させることになる。アルトのＯＳでは、デスクトップに複数のウィンドウが開き、それぞれのウィンドウのなかで、マウスで特定の文字列を選んで編集したり、画像をマウスでつかんで別のウィンドウへ移動し、ほかの画像と重ねたりといった作業が直感的にできるようになっていた。開発は児童をテストユーザーとして行われ、コマンドの知識がなくても基本的な操作ができることが目指された。

ケイのそのような研究は商品化されることがなかった。しかしその設計思想は同時代のエンジニアに大きな影響を与え、それが一九八〇年代のパーソナル・コンピュータの成功につながることになる。一九七九年の秋、まだ二〇代の半ばだったスティーブ・ジョブズはＰＡＲＣを訪れ、アルトのデモンストレーションから啓示を得た。その啓示に基づいて開発されたのが一九八三年のＬｉｓ

★5　数少ない例外のひとつが、ロバート・ハインラインが1949年に発表した有名な短編「深淵」である。ハインラインはそこで、現在のパーソナル・コンピュータを連想させるような小型の情報端末がネットワークにつながり支援されるさまを描き、それは少年時代のケイにも影響を与えた。

とはいえ現実には、この短編自体がヴァネヴァー・ブッシュというエンジニアが1945年に発表した「ＭＥＭＥＸ」という構想に着想を得て書かれたものであり、単純に作家の想像力が時代を先取りした例とは位置づけられない。ＭＥＭＥＸは、マイクロフィルムのアーカイブと個人用の呼び出し端末を連結させる機械装置の構想で、ハイパーテキストの概念の起源にあたるものといわれる。ＭＥＭＥＸの構想はエンゲルバートやテッド・ネルソンの仕事に大きな影響を与えた。

aであり、一九八四年のマッキントッシュである。OSでGUIを標準装備したマッキントッシュは爆発的な成功を収め、ウィンドウズのような追随者を生み、全世界のスクリーンをウィンドウとアイコンとメニューで覆い尽くしていく。

ぼくはさきほど、GUIの本質は触視性の実現にあり、その精神はタッチパネルの出現によってはじめて完成したと記した。

そこで疑問を抱いた読者がいたかもしれない。GUIはあくまでもスクリーンに投影されたウィンドウやアイコンなどの組み合わせにすぎない。それは「見えるもの」でしかない。GUIの発想にすでに触覚への志向が含まれていたとは、いったいどういうことだろう。

その疑問に答えるためには、GUIを介してコンピュータを操作するとはどういうことなのか、もう少し内実に踏み込んで考える必要がある。さきほども述べたように、GUIが普及するまえは、キーボードを叩き、コマンドを入力することでプログラムを起動するほかなかった。このような入力方法をコマンドライン・インターフェイス（CLI）と呼ぶ。

コマンドラインでもグラフィカル・インターフェイスでも、ともにコンピュータを操作するためには、スクリーンに表示された文字やイメージを見るだけでなく、「手」の介入が必要になる。前者ではキーボードを指で叩く必要がある。後者ではマウスのようなポインティング・デバイスを手でつかんで移動し、必要があればボタンを指でクリックする必要がある。

けれども、両者では「目」と「手」の経験が異なったかたちで組み合わさっている。コマンドラインの入力においては、指による打鍵はスクリーンのうえに文字を表示させるだけであり（プログラムが実行された結果として画像や音が出力されることはあるが、それはコマンドの入力過程での表示そのものとは異なる）、手から目へは一方向の関係しかない。他方でグラフィカル・インターフェイスの入力においては、マウスの操作は、指や手首の動きと連動したポインターの連続的な動きを生み出し、ユーザーに対して「見えるものによって手の動きを変える」というフィードバックの体験を与えることになる。そこでは手と目のあいだに双方向の関係があり、けっして手だけが優位なわけではない。この差異は、つぎのような極端なケースを考えればかんたんに理解できる。コマンドラインの入力においては、たとえ目を瞑っていても、タッチタイピングができればコンピュータをあるていどは操作することができるだろう。けれどもグラフィカル・インターフェイスの入力においては、いったん目を瞑ってしまえば、初歩的な操作すらできなくなってしまうはずだ。

つまりは、GUIの利用体験の本質は、そこで入力が「目」と「手」を往復する感覚横断的な双方向性に導かれていることにある。手の動きがスクリーンのうえでイメージの動きを生み出し、イメージの動きが手の動きを誘導する。その連鎖によって、たとえコマンドをまったく知らなくとも、ひとは自然とコンピュータの操作に習熟していく。ケイはそのような状況を理想と考えた。

だからぼくは、GUIの本質は、視覚性にあるのではなく、視覚性と触覚性の組み合わせ（触視性）にあったのであり、その理想はタッチパネルの出現ではじめて完成したと主張したいのである。

逆にそのように理解すると、なぜＧＵＩの開発で「すべてが見えること」が理念とされてきたのか、その理由がわかる。

ＧＵＩの開発史には「ＷＹＳＩＷＹＧ」という言葉が現れる。これは「あなたが見ているものがあなたが捉えているものだ What You See Is What You Get」という英文の頭文字で、要は、スクリーンのうえに表示されるものがユーザーの操作結果とできるだけ一致するべきだとする設計思想を意味する。コマンドラインの入力においては、コンソールに向かってコマンドを打ち込むとき、ユーザーはコンピュータのなかでなにが起きているかほとんど知覚することができない。けれどもＧＵＩを利用すれば、ユーザーは、いま自分が論理階層のどこにいて、どの書類やどのアプリケーションを処理しようとしているか、視覚的かつ直感的に理解することができる。それがＷＹＳＩＷＹＧということだが、このような思想が現れたのは、まさに前述のように、ＧＵＩの本質が「目」と「手」の往復にあるからである。視覚と触覚のフィードバックをつくるためには、手が動かした結果が、すべてリアルタイムでイメージに変わり、目へと反映されなければならない。ＰＡＲＣを訪れたジョブズはアルトにおいては「すべてが視覚的」で、それがすばらしいと興奮気味に語ったと伝えられているが[★6]、それはまた同時に「すべてに触ることができる」ということでもあったのだ。

グラフィカル・インターフェイスの誕生は触視的平面の誕生であり、それはまた「すべてが見え、すべてに触ることができる」という世界観の誕生でもあった。このような解釈がけっして無理な深読みでないことを示すために、最後にケイ自身の言葉を引用しておこう。彼は一九八四年の論文でつぎのように述べている。

> わたしたちが子どものころ、粘土は両手をつっこむだけでどのようなかたちにも変形できることを発見するものである。コンピュータからそのようなことを学ぶひとはほとんどいない。コンピュータの素材は人間の経験からあまりに離れていて、あたかも遠隔モニタを介して、ボタンとトングで操作するほかない放射性物質の塊であるかのようだからだ。身体的なアクセスがかくも遠いものだとすれば、どのような感情的な接触をつくることができるというのだろうか。
>
> わたしたちがコンピュータという粘土［clay of computing］を感じることができるのは「ユーザー・インターフェイス」をとおしてである。それは人間とプログラムを媒介するものであり、プログラムはコンピュータを特定の目的のための道具に変形させる［……］。ユーザー・インターフェイスがもっとも重要なのは、慣れないひとにとっても専門家にとっても、あるひとの感覚に対して提示されたもの、それこそがそのひとにとってのコンピュータだからにほかならな

★6 『アラン・ケイ』、200頁参照。

い。システムがどう動いているのか、つぎになにをするべきかを説明する（そして推測する）ために、だれもが単純化された物語＝神話［myth］を組み立てる。ゼロックスのパロアルト研究所において、同僚たちとわたしはそれを「ユーザー・イリュージョン」と呼んだ。

イリュージョンを拡張するために開発された原理や装置の多くは、いまソフトウェア・デザインではあたりまえのものになりつつある。おそらく、もっとも重要な原理はWYSIWYGだろう［……］。それは、スクリーンのうえのイメージが、つねにイリュージョンの忠実な表象になるという原理である。イメージをあるやりかたで操作すると、それはただちに、機械の状態に対して（ユーザーの想像にしたがって）予測可能ななにかを引き起こす。いま流行しているユーザー・イリュージョンは、「ウィンドウ」「メニュー」「アイコン」、そしてポインティング・デバイスを備えたものである。［……］

このようなすべてが、ユーザー・イリュージョンを活用する、新世代の対話型ソフトウェアを生み出している。目的はユーザーのシミュレーション能力の増大にある。かつては単純なワープロの起動にさえ隠れたプログラムが必要とされた。そのような抽象的な媒介に訴えることなくイリュージョンを操作できるならば、ひとは自分の能力を何倍にも増幅できることになる。

［★7］

ここでケイは、コンピュータの操作を粘土遊びに喩えたうえで、それを放射性物質の遠隔操作と対比させている。

ケイの考えでは、コンピュータの操作は粘土遊びに似たものでなければならない。にもかかわらず、コマンドを打ち、「隠れたプログラム」を介してアプリケーションを立ち上げる従来の入力は、放射性物質をモニタ越しに遠隔操作のトングでつかむような抽象的な行為にすぎなかった。それはあまりにも「遠い」ので「感情的な接触」が生まれない。GUIの開発は、そのような問題意識から始まった。

ここにはすでに、グラフィカル・インターフェイスの本質が「目」と「手」の経験の再構築にあったことがはっきりと記されている。ケイは、コンピュータの操作を粘土遊びに近づけるために新たなインターフェイスをつくった。したがって、そんなインターフェイスの思想が普及し、触視的平面に取り囲まれたぼくたちの時代は、たんなる映像優位の時代なのではなく、むしろなにもかもが粘土のように「触ることができる」ようになったと感覚される時代なのだと捉えたほうがよい。この点で、映像の蔓延のみを問題にしている従来のメディア論は的を外している。インスタグラムにしろＴｉｋＴｏｋにしろ、ぼくたちはスマホのうえに表示される映像にまさに文字どおり指で「触れる」ことができるのであり、それこそが重要なのである。

加えて注目したいのは、ケイがここで「インターフェイス」と「イリュージョン」の関係につい

★7 『アラン・ケイ』、１００－１０１頁。訳文はウェブで公開されている論文原文を参照し一部改変している。Alan Kay, "Computer Software," *Scientific American*, Vol. 251, No. 3, 1984. URL=http://www.vpri.org/pdf/tr1984001_comp_soft.pdf

て述べていることである。イリュージョンは「単純化された物語」「神話」とも呼ばれている。繰り返すが、ケイはコンピュータの操作を粘土遊びのようなものにしたいと考えた。けれどもコンピュータの素材であるところのプログラムや計算は、粘土と異なって「人間の経験からあまりに離れて」いる。ひとはプログラムや計算の動きを直接に知覚することはできない。だからコンピュータを理解するために物語＝イリュージョンをつくる。ケイはそう考えていた。

そのうえでケイは、グラフィカル・インターフェイスが可視化するのは、あくまでもイリュージョンであり、コンピュータの動作そのものではないことを強調している。コマンドラインの時代には、専門家は頭のなかでイリュージョンをつくっていた。しかしそんなことができる人間は限られている。そこでケイは、イリュージョンを見えるものに変えることで「ユーザーのシミュレーション能力の増大」を実現しようと試みた。これがＷＹＳＩＷＹＧを支える哲学である。

この記述は、ケイが、本章の冒頭に記したような「にせもの」と「ほんもの」の関係の変革に自覚的だったことを示している。彼はコンピュータの動作そのものをすべて可視化しようとしたのではない。プログラムや計算はいずれにせよ可視化できるようなものではない。スクリーンには「にせもの」しか表示されない。ただ彼はその「にせもの」と「ほんもの」の関係を変えたのである。コマンドラインの時代の専門家は、「ほんもの」を操作するため、「にせもの」から離れて頭のなかの見えない物語に頼るほかなかった。グラフィカル・インターフェイスはその物語を見えるものに変える。

しかしそれは「ほんもの」が表示されるようになったことを意味しない。ウィンドウやアイコンはあくまでも「にせもの」にすぎない。ケイはそんなことはわかったうえで、その「にせもの」が「にせもの」のまま触られ、操作され、「ほんもの」を変化させてしまうような世界感覚を構築しようとしたのである。

4

以上のように、本章で論じている触視的平面の時代のパラダイムは、哲学的な深読みではなく、インターフェイスの歴史のなかで具体的に予告されていたということができる。GUIの開発とは、「にせもの」が「にせもの」として触られ、操作され、「ほんもの」のほうも変化させてしまう、そのような新たな世界感覚を実現するメディアの創出だったのだ。

したがって、そのようなメディアの普及は、「にせもの」と「ほんもの」、「見えるもの」と「見えないもの」の対立についての感覚を大きく変えざるをえない。それは政治や社会との関係にも影響を与えるだろう。それが、第七章で、「イメージとシンボルを等価に並べるコンピュータの平面」がつくり出す「ポストモダンの主体」という表現で問題提起しようとしたことである。

それでは、触視的平面の出現は、ひとの政治や社会との関係を具体的にどのように変えるのだろうか。それを明らかにするためには長い論文が必要であり、まだその準備はできていない。

それでも最後にひとつ論点を示しておこう。スクリーンの時代から触視的平面の時代への移行にしたがい、人文系知識人のありかたは大きく変わるはずだと思われる。

第七章でも紹介したことだが、二〇世紀の学問では「同一化」が熱心に論じられた。ひとは、父(いまとなってはジェンダー的に問題があるが、なぜか当時は父の話ばかりがされていた)やその代理の人物に同一化して大人になるのであり、その過程で失敗するとさまざまな病が生じると考えられた。

そして奇妙なことに、精神分析が構想した人間の理論と映画批評の言説のあいだには構造的な類似性があった。精神分析の理論によれば、ひとは目のまえの父(見えるもの)に同一化するだけでは不十分で、その背後にある象徴的な価値(見えないもの)に同一化することになっていた。そのような二重化がうまく働かないと、ひとは成熟しない。同じように映画批評においても、観客はスクリーンに登場する俳優(見えるもの)に同一化するだけではなく、それぞれの場面を撮影する監督＝カメラの視線(見えないもの)に注目しなければ、作品の価値は十分にわからないということになっていた。「見えるもの」を乗り越え、「見えないもの」に向かうことで、ひとははじめて大人になり、本当の知を手に入れることができる。二〇世紀の知識人は、そのような前提のもとで、ひとは目のまえの「見えるもの」にすぐ騙される、だから「見えないもの」について語ることで世のなかをよくしようと行動してきた。そこではスクリーンというメディアの構造と同時代の人間観が深く共振している。

だとすれば逆に、スクリーンが触視的平面に置き換えられることで、そのような人間観も変わるだろう。それは政治や社会についての言説も変えるはずだ。具体的には、いま記したような「見えるもの」と「見えないもの」の対立に基づく行動原理、すなわち、ひとは「見えるもの」にすぐ騙される、だから「見えないもの」について語ろうという指針そのものの有効性が失われていくのではないか。

実際、そのような現象はいまやあちこちで観察されるように思われる。たとえば本書初版出版の数ヶ月まえ、アメリカではドナルド・トランプが大統領になった。トランプはポピュリストで、発言には性差別的で人種差別的なものが多く、政策も場当たり的で批判が多い。にもかかわらず彼は二〇一六年には勝利を収めたし、二〇二〇年の大統領選で敗北したあとも大きな影響力を保っている。

二〇一六年のトランプ旋風は専門家にとっても予想外の現象だった。リベラルの多くは当初、トランプの支持者はセレブで大金持ちという煌びやかなイメージ(見えるもの)に騙されているだけであり、支離滅裂な実態(見えないもの)を暴けば影響力も下がるだろうと考えた。けれどもそううまくはいかなかった。支持者の多くはいくら真実を示されても嘘のほうを信じ続けたし(フェイクニュース)、リベラルの執拗な批判は、逆に支持者たちの側に悪質な陰謀論の流行を引き起こすことになった。トランプは「にせもの」にすぎず、見えないところにこそ「ほんもの」があるという知識人のキャンペーンは、一方では「にせもの」でなにが悪いという開きなおりを引き出し、他方ではおれたちにはおれたちの「ほんもの」があるのだという独自の世界観を生み出す結果にしかならなかったのである。

触視的平面の時代においては、ひとは「にせもの」の彼方に「ほんもの」があるはずだと考えない。現代は、「にせもの」が「にせもの」として触られ、操作され、加工され、多くのひとがその操作そのものに快楽を覚える時代であり、また「にせもの」を触っているだけでもいつか「ほんもの」に届くはずだと信じられる時代なのだ。すべてが見え、触ることができるはずの時代においては、見えないものについて語る人々はむしろ信頼を失う。そんな時代に知識人がなにを行動原理にすべきなのか、なかなか悩ましい問題だ。

これはいいかえれば、触視的平面の時代における「リテラシー」とはなにかという問題でもある。スクリーンの時代においては、見えるものを疑い、見えないものについて考えることがリテラシーだった。触視的平面の時代において、そのような疑いの精神はどこにいってしまうのか。最後に短く触れておこう。

ぼくはさきほど『サーチ』という映画を紹介した。同作はインターフェイスに支配された現代人の生をみごとに物語に変えていた。

けれどもこの作品で本当に驚くべきなのは、むしろぼくたちがそれを物語として読み取れることのほうだろう。さきほども記したように、この映画には画面のキャプチャしか存在しない。一時間半強の上映時間のあいだ、ぼくたちが見るのは、デスクトップのうえを動くカーソルであり、開いては閉じるウィンドウであり、スマホのうえで不可視の指がタイプする文字列である。人間の顔が登場しないわけではない。ＰＣやスマホに顔が映ることもあるからだ。とりわけ主人公のデイヴィドは、エンジニアという職業のせいか、やたらとＦａｃｅＴｉｍｅを利用する。そのため、要所要所では俳優の会話が映され、それこそがこの作品の娯楽性を支えている。

けれども、この映画では、それらの会話がいつどこで、どのような目的で行われたかを正確に理解するためには、ＦａｃｅＴｉｍｅのウィンドウのなかに映されたデイヴィドの顔を見、会話を聞くだけでなく、付随して表示される時刻やユーザーアイコン、また並んで開いたメーラーやＳＮＳほか複数のウィンドウとの整合性など、さまざまなメタ情報をきちんと読み取る必要があるのである。ときにはそこに重要な伏線が隠されてもおり、それは物語の最後で大きな役割を果たす。むろん観客のほとんどは読み取りを意識すらしていないだろう。けれどもその能力は映画製作の前提となっている。もし観客が、グーグルもフェイスブックもＹｏｕＴｕｂｅも、またウィンドウズＯＳもＭａｃＯＳも知らなかったら、『サーチ』は映画としてまったく成立しなかったにちがいない。おもしろいとかおもしろくないとか以前に、そこでなにが語られているのか、観客はなにも理解できないはずだ。

このような映像作品が登場し商業的にも成功したという事実は、さきほど掲げた問いに対して重要なヒントを与えてくれる。なんども繰り返しているとおり、スクリーンの時代の映像作品においては、観客は俳優（見えるもの）に同一化するだけでなく、カメラ（見えないもの）にも同一化しなければいけなかった。似た二重化は『サーチ』でも働いている。

ただし対象が異なっている。ここでも観客は俳優（見えるもの）に同一化するだけでは不十分である。伏線は隠れている。けれどもそれは必ずしもカメラ（見えないもの）への遡行を引き起こさない。たとえば、ヒッチコックのスリラーではしばしばカメラワークそのものが伏線として機能しているが、『サーチ』ではそのようなことは起こらない。そもそもこの映画はすべてが画面キャプチャによってつくられており、古典的な意味でのカメラワークは存在しない。むしろそこで観客に求められているのは、文字や記号によるメタ情報という「もうひとつの見えるもの」の存在に気づき、それを解読し、整合性を確認する能力である。同じ画面のなかのふたつのウィンドウ、つまりＦａｃｅＴｉｍｅとメーラーやＳＮＳのあいだの齟齬が、物語を駆動する疑いの核として機能している。ぼくは第七章で似たような齟齬についてニコニコ生放送を例に説明しているが、おそらくはこちらの例のほうがわかりやすいだろう。

触視的平面においてはすべてが見える。そして触ることができる。少なくともそうみなされている。ケイのいうイリュージョンだ。

だからそこでは、「にせもの」のむこうに「ほんもの」があると説き、後者への接触こそ重要だと説く言説は信用されない。むしろ、のっぺりと広がる「にせもの」の世界をそのまま受け入れ、そのうえで異質な論理に導かれた複数のサブ世界を発見し、それらのあいだの矛盾を探る能力のほうが必要とされる。このことは、これからの知識人の行動原理を考えるうえで参考になるかもしれない。

ちなみに、劇場公開を見逃したので、ぼくは『サーチ』を27インチのｉＭａｃで鑑賞している。それはじつに奇妙な体験だった。再生を全画面表示に変えると、モニタいっぱいに『サーチ』の画面が表示される。けれどもその画面もまた、正確な解像度はわからないが、おそらくは似たようなサイズのＭａｃＯＳのデスクトップなのだ。

もちろん、落ちつけば両者は区別できる。そもそも『サーチ』に登場するＯＳの表示言語は英語だが、ぼくのＯＳは日本語だ。

それでも、『サーチ』の再生をしばらく停止してデスクトップに戻り、また再生を再開するということを繰り返すと、自分がいま見ているのが『サーチ』の画面なのか、それとも『サーチ』を再生しているＯＳの画面なのか、コンマ数秒のあいだ身体が混乱してしまうのである。『サーチ』という映画の再生を再開しようとして、ぼくはいくどか、『サーチ』の画面内に表示されたカーソルを動かそうと現実のマウスに指を伸ばしてしまった。「にせもの」が「にせもの」のまま世界を動かしてしまう時代において「ほんもの」とはなんなのか、その体験には重要なヒントが隠されているような気がするのだが、こちらについてもまだ考えはまとまっていない。

初出

「触視的平面の誕生」、「観光客の哲学の余白に」第9回、『ゲンロンβ21』、2018年。

「触視的平面の誕生（2）」、「観光客の哲学の余白に」第10回、『ゲンロンβ22』、2018年。

「触視的平面の誕生（3）」、「観光客の哲学の余白に」第12回、『ゲンロンβ27』、2018年。

「触視的平面の誕生・番外編」、「観光客の哲学の余白に」第13回、『ゲンロンβ35』、2019年。

以上四つの原稿を統合のうえ大幅改稿。

第10章　郵便的不安について

最後の章として、第一部の主題に戻り、「郵便的マルチチュード」の概念を補足する短いエッセイを収録しておきたい。

誤配が生み出す新たなコミュニケーションに心を開け。ひとことでいえばそれが本書のメッセージだが、誤配は当然のことながら「届かないかもしれない」という不安も引き起こす。新たな不安が生まれれば、新たな権力も生まれる。その出現に備えておくことも必要だ。

確率（郵便）の概念が生み出す権力については、本書の姉妹編である『訂正可能性の哲学』の第二部で、ルソーによる「一般意志」の議論と関係づけて詳しく論じている。あわせて読まれたい。

ぼくは一九九三年に、「ソルジェニーツィン試論」と題されたエッセイでデビューしている。ソ連時代のロシアの反体制作家、アレクサンドル・ソルジェニーツィンの文学を論じたものだが、そこには「確率の手触り」という副題がついていた［★1］。確率はそれ以来、ぼくの哲学の隠れたキーワードとなっている。

災害において、あるいは戦争や虐殺において、ひとは死ぬかもしれないし死なないかもしれない。

その選択はときにまったく無意味に、「確率的」にのみ決まる。ぼくたちは自分の死にいろいろと意味や必然性を見出しがちだが、ほんとうはその「かもしれない」の感覚のほうが重要なのではないか。ぼくはこの三〇年、そのことをさまざまなかたちで訴え続けてきた。

ところでこの確率という概念には、哲学的にみるといささか厄介な性質がある。確率は英語ではプロバビリティ（probability）である。この名詞はプロバブル（probable）という形容詞から派生している。そしてプロバブルは、判断を形容するものとしても対象を形容するものとしても使うことができる。

たとえば災害が起きたあと、遺体が出てきたわけではないが、状況から考えてある人物が巻き込まれて死んだことは十分にありうるような状況があったとする。そのとき英語では「問題の人物が亡くなったことはプロバブルだ」と表現できる。けれども異なった使いかたもできる。これから災害が起きるとして、その人物を含め、死者がおおぜい出るだろうという予測があったとする。そのようなときも「問題の人物が亡くなることはプロバブルだ」と表現できるのだ。

これはべつにおかしなことではない。「プロバブルだ」に「ありうる」という言葉を代入すれば、両方とも日本語でもまったく問題なく成立することがわかる。しかし、これは冷静に考えるとなかなか奇妙なことである。前者の事例では、災害でだれが死んだかはすでに定まっている。問題の人

★1 『批評空間』第Ⅰ期第9号、福武書店、1993年。第八章の★30で言及したように、いまは『郵便的不安たちβ』に収録されている。

物が死んでいるのか死んでいないのか、不確定なのは認識だけだ。他方で、後者の事例ではだれが死ぬかはまだ定まっていない。不確定なのは現実のほうだ。にもかかわらず、同じプロバブルという言葉が使えるのである。ここでは英語の例しか出さないが、同じことはフランス語やドイツ語やロシア語の対応する単語についてもいえる。

したがってプロバビリティという言葉は、確定した事象について認識が不確定であるさまを指すことも、いまだ事象そのものが確定しておらずどっちに転ぶかわからないさまを指すことも、どちらもできるということになる。そのあいまいさは科学的な発展の障害になってきた。たとえばサイコロ賭博は古代から知られていた。にもかかわらず、確率の数学的理論化は一七世紀のパスカルとフェルマーまで試みられなかった。科学史家のイアン・ハッキングは、その遅れの理由を、プロバビリティという言葉が抱えるこの二面性に求めている[★2]。

認識にかかわるプロバビリティについて考えることは、不十分な証拠からどのようにして正しい判断を引き出すかという、推論法について考えることを意味している。だからその検討は、数学よりもむしろ法学や弁論術と関係する。だから、確率の数学的理論がつくられるためには、現実にかかわるプロバビリティが、認識にかかわるプロバビリティから切り離され、独立して知的に操作可能なものになる環境が必要だったのである。ハッキングは、フーコーの『言葉と物』を参照しつつ、それがいわゆる「古典主義時代」のエピステーメーとかかわるものであると示唆している。

認識にかかわるプロバビリティと現実にかかわるプロバビリティ。もう少しわかりやすく表現すれば、主観的なプロバビリティと客観的なプロバビリティ。日本ではこのふたつはおおまかに「蓋然性」と「確率」に訳しわけられている。だから両者の近さを意識しない。

けれども、さきほど「ありうる」を例に出したように、日本人も混乱を免れているわけではない。より日常的な言葉としては「かもしれない」がある。ぼくたちは、あのひとは死んだかもしれないとも、あのひとは死ぬかもしれないとも、両方違和感なくいうことができる。主観的な蓋然性と客観的な確率の混同は、だれもがもつ脳の癖のようなものなのだろう。

ここで蓋然性が生み出す不安と確率が生み出す不安を区別することにしよう。自分が死ぬことはすでに決まっているが、それがいつのことかはわからない。これは蓋然性（主観的な心理）が生み出す不安である。他方、ある状況において統計的に何人か犠牲者が出ることは決まっているが、ぼくが死ぬか死なないか、あなたが死ぬか死なないか、それはまだ決まっていないという事態が生み出す不安もある。こちらは確率（客観的な現実）が生み出す不安だ。

デビュー作を書いたときには、ぼくはまだこのふたつの不安の差異を明確に理解していなかった。けれども気づかないまま議論していた。

そこで論点になっていたのは、ナチスが行ったホロコーストにおけるユダヤ人の不安と、ソ連の

★2　イアン・ハッキング『確率の出現』広田すみれ、森元良太訳、慶應義塾大学出版会、2013年。原書は1975年。フーコーへの言及は、邦訳巻末に収められた「二〇〇六年版序論」に記されている。

スターリニズム下で逮捕された囚人の不安のちがいである。ホロコーストもスターリニズムも何百万人もの犠牲者を出した。ユダヤ人もソ連の囚人も、ともに正当な理由なく自由を奪われ、辱められ、殺された。だから一般には両者は似た枠組みで理解されている。

けれどもぼくの考えでは、そこには本質的な差異がある。ホロコーストにおいてはユダヤ人は殺されることが決まっていた。殺される理由も決まっていた（単純にユダヤ人だからという理由で殺されていた）。ただし彼らは、死がいつどのように、だれによってもたらされるかはわからなかった。彼らの不安は、死が運命として決まっているにもかかわらず、到来の時期がわからないことによって生じている。これは主観的なプロバビリティによる不安、つまり蓋然性の不安だということができる。

対して、スターリニズム下における囚人は殺されることが決まっていない。彼らは殺されるかもしれないし殺されないかもしれない。殺されるにしても理由はわからない。ソルジェニーツィンは『収容所群島』で、ソ連の収容所システムのそのようなきわめて「いいかげん」な性格を雄弁に記録している。だとすれば、スターリニズム下の囚人たちが抱えた不安は、ホロコーストにおけるユダヤ人の不安とは質的に異なると考えるべきではないか。そこでは死は運命ではない。彼らの不安は、むしろ、そのような運命の欠如、すなわち偶然性から生じている。これは客観的なプロバビリティ、すなわち確率が生み出す不安である。

三〇年前のぼくは、この差異について、ホロコースト下のユダヤ人が抱いたのは「実存的」な不安だったが、スターリニズム下の囚人が抱いたのは「確率的」な不安だったという言葉で表現しようとしている。いまならば以上のようにもう少しクリアに整理することができる。

ユダヤ人もソ連の囚人も、たしかに同じように、明日にでも殺されるかもしれないという強い不安を抱いて生きていた。けれども、前者の不安が、運命がいつやってくるかわからないという認識の不完全性から生じていたのに対して、後者の不安は、そもそも死が運命かどうかもわからない、すべては統計的な事象であるという別の現実から生じていたのである。

実存の不安と数の不安。蓋然性の不安と確率の不安。のちにぼくはジャック・デリダというフランスの哲学者を研究し、デリダの哲学をハイデガーの存在論と対比させて「郵便的」という言葉をキーワードとして取り出すことになった[★3]。その仕事を参照するならば、実存の不安は「存在論的不安」と、そして確率の不安は「郵便的不安」と呼ぶことができるだろう。存在論的不安はハイデガー自身の言葉で、郵便的不安はぼくによる造語だ。

不完全な認識が生み出す実存的で存在論的な不安とはべつに、現実そのものの確率的な性格が生み出す数学的で郵便的な不安があるのではないか。それがぼくが長いあいだ追い続けている主題である。

★3　『存在論的、郵便的』。

ところがこの主題はなかなか理解されない。数の不安について話しても、多くの読者は実存の不安についての話だと誤解してしまう。ぼくが死ぬかあなたが死ぬか、その不確実性こそが重要なんだと説いたとしても、そうですね、命はひとつですものね、いつ死ぬのかわからないのは怖いですよねと答えが返ってくるのだ。いやそうではないのだと反論しようとしても、存在論的不安と郵便的不安の差異を説明するのは意外とむずかしい。ふたつのプロバビリティと同じように、ひとはふたつの不安を混同する癖をもっているのかもしれない。

そんななか、最近考えているのは、確率あるいは郵便的不安の問題は、哲学の話であるのと同じくらい、あるいはそれ以上に政治の話だったのではないかということである。ぼくが死ぬかあなたが死ぬか、その不確実性こそが重要だという認識にいたるためには、まずは、ひとりひとりの死から「固有性」が剝奪され、ぼくの死もあなたの死もすべてサンプルのひとつとして処理されてしまうような、そういう残酷な統計処理の場を実感する必要がある。そういう場が実感できないことには、郵便的不安の問題提起はあまりに抽象的に響くのかもしれない。

ひとりひとりの死から固有性が剝奪され、ぼくの死もあなたの死もすべてサンプルのひとつとして処理されてしまうような場。そのような場には戦争や災害で出会うことが多い。しかしそれだけでもない。

フーコーは一九七〇年代に「生権力」という概念を提案した。それは、ひとことでいえば、人間を数として、家畜のように管理する権力のことである。生権力は一九世紀に生まれ、近代的な統治の中心を担うようになった。

生権力の台頭は、ハッキングが別の研究で示しているとおり、統計学の発展と不可分な関係にある［★4］。前述のように、ヨーロッパは一七世紀にふたつのプロバビリティを分割し、客観的なプロバビリティ＝確率についての数学を組み立て始めた。一九世紀に入ると、その理論があらためて主観的なプロバビリティ＝蓋然性と結びつき始める。国勢調査が行われ、多くの市民についてデータが集まり始めると、それらをもとに、犯罪率や自殺者の数などいまだ確定していない事象について、確実に正しいとは断言できないけれども、そこそこ「正しそうな」命題を引き出す数学的な理論が探し求められるようになるのである。それが統計学である。そして国家はそのような推論をもとに、ひとりひとりの個人に命令を下し処罰するだけではなく、群れそのものを巧みに特定の方向に導くように変わっていく。その例が公衆衛生学や都市計画だ。

そのような生権力は、だれもがスマホをもち歩き、「ビッグデータ」が着々と蓄積される二一世紀においては、一九世紀とは比べようもないほどに肥大化している。ぼくたちはいまや、死がサンプルとして処理されるだけではない、年齢や性別から資産状況や趣味嗜好まで、あらゆるプロフィールが分析され、生のすべてが統計的な予測の対象になってしまうような、アルゴリズムの時代に生きている。ぼくたちはそこでは、自分の欲望や能力にはたいして固有なものなどなく、世界は

★4　『偶然を飼いならす』。

「自分と似たひと」に満ちていて、そのなかで成功するか失敗するかは結局は運次第といった、とても過酷な現実を毎日のように突きつけられる。

だから郵便的不安は、生権力とともに大きくなる不安なのかもしれない。運命を予感する不安ではない、運命の欠如に絶望する不安。自分が群れの一部であることへの不安。サイコロの目ですべてが決まることへの不安。ぼくたちは生権力と郵便的不安の時代に生きている[★5]。

ぼくが三〇年前に『収容所群島』に関心を抱いた理由のひとつは、ソルジェニーツィンがそこで、スターリニズム下における過剰な逮捕はもっぱら「目標数字の達成」を目指したことによって引き起こされたと記していたことにあった[★6]。ソ連は「科学的」な国家だった。史的唯物論を信じていた。そしてその科学を信じるならば、ある時点のある国家のある地域でどれほどの犯罪者が生まれるのかは、小麦の収穫量と同じく予測できなければならなかった。それゆえソ連の秘密警察は、現実をその予測にあわせるべく、粛々と無辜の市民を逮捕していったというのである。スターリニズムの悲劇は、この意味において統計学と生権力の悲劇だった。郵便的不安は、そのような悲劇に向けられた不安でもある。

郵便的不安は、ぼくの死とあなたの死を、あるいはぼくの生とあなたの生を、ともに交換可能なサンプルとして扱う、その数の暴力に日常的に曝されることで生まれる不安である。最後につけくわえれば、これは二〇二三年のいま、たいへんアクチュアルな問題でもある。

本書初版の出版後、二〇二〇年に新型コロナウイルスのパンデミックが起きた。毎日統計がメディアを賑わし、確率の言葉で不安が煽られる三年間がすぎた。統計はたしかに科学である。しかしその科学が生み出す権力と不安については、べつに哲学的な検討が必要なように思われる。

初出
「郵便的不安と生権力」、「観光客の哲学の余白に」第21回、『ゲンロンβ51』、2020年。
収録に際して改稿。

★5　冒頭で言及した『訂正可能性の哲学』第二部においては、ビッグデータの時代である現代は、正確には、古典的な意味での生権力の時代ではなく、そのひとつの特徴が深化した「アルゴリズム的統治性」の時代だと捉えるべきだという議論が展開されている。とはいえその新たな権力も統計に依存した権力であることにちがいはなく、ここでの主張とは矛盾しない。
★6　ソルジェニーツィン『収容所群島』第1巻、木村浩訳、新潮文庫、1975年、28頁。

文献一覧

ジョン・アーリ、ヨーナス・ラースン『観光のまなざし』増補改訂版、加太宏邦訳、法政大学出版局、２０１４年
浅田彰『構造と力——記号論を超えて』勁草書房、１９８３年
東浩紀『存在論的、郵便的——ジャック・デリダについて』、新潮社、１９９８年
——『動物化するポストモダン——オタクから見た日本社会』、講談社現代新書、２００１年
——『ゲーム的リアリズムの誕生——動物化するポストモダン２』、講談社現代新書、２００７年
——『情報環境論集 東浩紀コレクションＳ』、講談社ＢＯＸ、２００７年
——『サイバースペースはなぜそう呼ばれるか＋』、河出文庫、２０１１年
——『郵便的不安たちβ』、河出文庫、２０１１年
——『一般意志２・０——ルソー、フロイト、グーグル』、講談社、２０１１年
——『セカイからもっと近くに——現実から切り離された文学の諸問題』、東京創元社、２０１３年
——『弱いつながり——検索ワードを探す旅』、幻冬舎、２０１４年
東浩紀編『思想地図β ｖｏｌ．１ ショッピング／パターン』、コンテクチュアズ、２０１１年
——『チェルノブイリ・ダークツーリズム・ガイド 思想地図β ｖｏｌ．４-１』、ゲンロン、２０１３年
——『福島第一原発観光地化計画 思想地図β ｖｏｌ．４-２』、ゲンロン、２０１３年
——『ゲンロン３ 脱戦後日本美術』、２０１６年
東浩紀監修『開かれる国家——境界なき時代の法と政治 角川インターネット講座12』、ＫＡＤＯＫＡＷＡ、２０１５年
東浩紀、大山顕『ショッピングモールから考える——ユートピア・バックヤード・未来都市』、幻冬舎新書、２０１６年
東浩紀、北田暁大『東京から考える——格差・郊外・ナショナリズム』、ＮＨＫブックス、２００７年
東浩紀、濱野智史編『ｉｓｅｄ 情報社会の倫理と設計［倫理篇］』、河出書房新社、２０１０年
東浩紀、濱野智史編『ｉｓｅｄ 情報社会の倫理と設計［設計篇］』、河出書房新社、２０１０年
ハンナ・アレント『人間の条件』志水速雄訳、ちくま学芸文庫、１９９４年

ルートヴィヒ・ウィトゲンシュタイン『ウィトゲンシュタイン全集』第8巻、藤本隆志訳、大修館書店、1976年
上野千鶴子『家父長制と資本制――マルクス主義フェミニズムの地平』、岩波現代文庫、2009年
ヴォルテール『カンディード他五篇』植田祐次訳、岩波文庫、2005年
大澤真幸『ナショナリズムの由来』、講談社、2007年
大山顕『新写真論――スマホと顔』、ゲンロン、2020年
岡田温司『グランドツアー――18世紀イタリアへの旅』、岩波新書、2010年
岡本伸之編『観光学入門――ポスト・マス・ツーリズムの観光学』、有斐閣アルマ、2001年
開沼博『はじめての福島学』、イースト・プレス、2015年
エルンスト・カッシーラー『ジャン＝ジャック・ルソー問題』生松敬三訳、みすず書房、1974年
亀山郁夫『ドストエフスキー父殺しの文学』上・下巻、NHKブックス、2004年
――『『カラマーゾフの兄弟』続編を空想する』、光文社新書、2007年
柄谷行人『トランスクリティーク――カントとマルクス』、岩波現代文庫、2010年
――『世界史の構造』、岩波書店、2010年
イマヌエル・カント『実践理性批判』波多野精一、宮本和吉訳、篠田英雄改訳、岩波文庫、1979年
――『永遠平和のために』改版、宇都宮芳明訳、岩波文庫、2009年
ウィリアム・ギブスン『ニューロマンサー』黒丸尚訳、ハヤカワ文庫SF、1986年
ボリス・グロイス「ロシア宇宙主義――不死の生政治」上田洋子訳、『ゲンロン2 慰霊の空間』、2016年
アラン・ケイ『アラン・ケイ』浜野保樹監修、鶴岡雄二訳、アスキー出版局、1992年
アレクサンドル・コジェーヴ『ヘーゲル読解入門――『精神現象学』を読む』上妻精、今野雅方訳、国文社、1987年
齋藤純一『公共性』、岩波書店、2000年
マイケル・J・サンデル『リベラリズムと正義の限界』菊池理夫訳、勁草書房、2009年
スラヴォイ・ジジェク『イデオロギーの崇高な対象』鈴木晶訳、河出文庫、2015年
カール・シュミット『政治的なものの概念』田中浩、原田武雄訳、未來社、1970年

――『政治神学』田中浩、原田武雄訳、未來社、1971年
――『独裁――近代主権論の起源からプロレタリア階級闘争まで』田中浩、原田武雄訳、未來社、1991年
ルネ・ジラール『欲望の現象学――ロマンティークの虚偽とロマネスクの真実』古田幸男訳、法政大学出版局、1971年
――『ドストエフスキー――二重性から単一性へ』鈴木晶訳、法政大学出版局、1983年
ピーター・シンガー『実践の倫理』新版、山内友三郎、塚崎智監訳、昭和堂、1999年
――『グローバリゼーションの倫理学』山内友三郎、樫則章監訳、昭和堂、2005年
――『あなたが救える命――世界の貧困を終わらせるために今すぐできること』児玉聡、石川涼子訳、勁草書房、2014年
ダルコ・スーヴィン『SFの変容――ある文学ジャンルの詩学と歴史』大橋洋一訳、国文社、1991年
鈴木健『なめらかな社会とその敵――PICSY・分人民主主義・構成的社会契約論』、勁草書房、2013年
ブルース・スターリング『ハッカーを追え!』今岡清訳、アスキー出版局、1993年
アダム・スミス『道徳感情論』高哲男訳、講談社学術文庫、2013年
リチャード・セイラー、キャス・サンスティーン『実践 行動経済学――健康、富、幸福への聡明な選択』遠藤真美訳、日経BP社、2009年
スヴェトラーナ・セミョーノヴァ『フョードロフ伝』安岡治子、亀山郁夫訳、水声社、1998年
アラン・ソーカル、ジャン・ブリクモン『「知」の欺瞞――ポストモダン思想における科学の濫用』田崎晴明ほか訳、岩波現代文庫、2012年
アレクサンドル・ソルジェニーツィン『収容所群島』全6巻、木村浩訳、新潮文庫、1975-1978年
シェリー・タークル『接続された心――インターネット時代のアイデンティティ』日暮雅通訳、早川書房、1998年
ニコライ・チェルヌィシェーフスキイ『何をなすべきか』上・下巻、金子幸彦訳、岩波文庫、1978、1980年
フィリップ・K・ディック『ヴァリス』大瀧啓裕訳、創元SF文庫、1990年
ドニ・ディドロ『ブーガンヴィル航海記補遺 他一篇』浜田泰佑訳、岩波文庫、1953年
アレクサンドル・ドゥーギン「第四の政治理論の構築にむけて」乗松亨平訳、『ゲンロン6 ロシア現代思想I』、2017年
ジル・ドゥルーズ『マゾッホとサド』蓮實重彦訳、晶文社、1973年

――『記号と事件――1972-1990年の対話』宮林寛訳、河出文庫、2007年
ジル・ドゥルーズ、フェリックス・ガタリ『千のプラトー――資本主義と分裂症』上・中・下巻、宇野邦一ほか訳、河出文庫、2010年
フョードル・ドストエフスキー『ドストエフスキー全集』第13巻、工藤精一郎訳、新潮社、1979年
――『ドストエフスキー全集』第14巻、工藤精一郎訳、新潮社、1979年
――『ドストエフスキー全集』第17巻、川端香男里訳、新潮社、1979年
――『貧しき人びと』木村浩訳、新潮文庫、1984年
――『カラマーゾフの兄弟』全5巻、亀山郁夫訳、光文社古典新訳文庫、2006-2007年
――『悪霊』全3巻、亀山郁夫訳、光文社古典新訳文庫、2010-2011年
――『新訳 地下室の記録』亀山郁夫訳、集英社、2013年
エマニュエル・トッド『帝国以後――アメリカ・システムの崩壊』石崎晴己訳、藤原書店、2003年
――『世界の多様性――家族構造と近代性』荻野文隆訳、藤原書店、2008年
アントニオ・ネグリ、マイケル・ハート『〈帝国〉――グローバル化の世界秩序とマルチチュードの可能性』水嶋一憲ほか訳、以文社、2003年
――『マルチチュード――〈帝国〉時代の戦争と民主主義』上・下巻、幾島幸子訳、NHKブックス、2005年
――『叛逆――マルチチュードの民主主義宣言』水嶋一憲、清水知子訳、NHKブックス、2013年
ロバート・ノージック『アナーキー・国家・ユートピア――国家の正当性とその限界』嶋津格訳、木鐸社、1992年
ユルゲン・ハーバマス『近代の哲学的ディスクルス』第1巻、三島憲一ほか訳、岩波書店、1999年
エドマンド・バーク『フランス革命の省察』新装版、半澤孝麿訳、みすず書房、1997年
リチャード・バーブルック、アンディ・キャメロン「カリフォルニアン・イデオロギー」篠儀直子訳、『10+1』13号、INAX出版、1998年
イアン・ハッキング『記憶を書きかえる――多重人格と心のメカニズム』北沢格訳、早川書房、1998年
――『偶然を飼いならす――統計学と第二次科学革命』石原英樹、重田園江訳、木鐸社、1999年

――『確率の出現』広田すみれ、森元良太訳、慶應義塾大学出版会、2013年
ミハイル・バフチン『ドストエフスキーの詩学』望月哲男、鈴木淳一訳、ちくま学芸文庫、1995年
アルバート＝ラズロ・バラバシ『新ネットワーク思考――世界のしくみを読み解く』青木薫訳、NHK出版、2002年
番場俊『ドストエフスキーと小説の問い』水声社、2012年
平野啓一郎『私とは何か――「個人」から「分人」へ』、講談社現代新書、2012年
蛭川久康『トマス・クックの肖像――社会改良と近代ツーリズムの父』、丸善ブックス、1998年
ダニエル・J・ブーアスティン『幻影《イメジ》の時代――マスコミが製造する事実』星野郁美、後藤和彦訳、東京創元社、1964年
ミシェル・フーコー『言葉と物――人文科学の考古学』渡辺一民、佐々木明訳、新潮社、1974年
――『監獄の誕生――監視と処罰』田村俶訳、新潮社、1977年
――『性の歴史I 知への意志』渡辺守章訳、新潮社、1986年
マーク・ブキャナン『歴史は「べき乗則」で動く――種の絶滅から戦争までを読み解く複雑系科学』水谷淳訳、ハヤカワ文庫NF、2009年
トーマス・フリードマン『フラット化する世界――経済の大転換と人間の未来』上・下巻、伏見威蕃訳、日本経済新聞社、2006年
ミルトン・フリードマン『資本主義と自由』村井章子訳、日経BP社、2008年
ジークムント・フロイト『ドストエフスキーと父親殺し／不気味なもの』中山元訳、光文社古典新訳文庫、2011年
G・W・F・ヘーゲル『法の哲学』全2巻、藤野渉、赤沢正敏訳、中公クラシックス、2001年
ウルリッヒ・ベック、アンソニー・ギデンズ、スコット・ラッシュ『再帰的近代化――近現代の社会秩序における政治、伝統、美的原理』松尾精文ほか訳、而立書房、1997年
ヴァルター・ベンヤミン『パサージュ論』全5巻、今村仁司、三島憲一ほか訳、岩波現代文庫、2003年
ディーン・マキァーネル『ザ・ツーリスト――高度近代社会の構造分析』安村克己ほか訳、学文社、2012年
Dean MacCannell, *The Ethics of Sightseeing*, University of California Press, 2011.
増田直紀『私たちはどうつながっているのか――ネットワークの科学を応用する』、中公新書、2007年

増田直紀、今野紀雄『「複雑ネットワーク」とは何か――複雑な関係を読み解く新しいアプローチ』、講談社ブルーバックス、２００６年
松村昌家『水晶宮物語――ロンドン万国博覧会１８５１』、ちくま学芸文庫、２０００年
レフ・マノヴィッチ『ニューメディアの言語――デジタル時代のアート、デザイン、映画』堀潤之訳、みすず書房、２０１３年
Lev Manovich, *The Language of New Media*, Reprint Edition, MIT Press, 2002.
村上泰亮、公文俊平、佐藤誠三郎『文明としてのイエ社会』、中央公論社、１９７９年
スティーヴン・ムルホール、アダム・スウィフト『リベラル・コミュニタリアン論争』谷澤正嗣、飯島昇藏ほか訳、勁草書房、２００７年
森村進『自由はどこまで可能か――リバタリアニズム入門』、講談社現代新書、２００１年
森村進編著『リバタリアニズム読本』、勁草書房、２００５年
諸星大二郎『諸星大二郎自選短編集 彼方より』、集英社文庫、２００４年
柳田国男『先祖の話』、角川ソフィア文庫、２０１３年
山崎正一、串田孫一『悪魔と裏切者――ルソーとヒューム』、ちくま学芸文庫、２０１４年
山城むつみ『ドストエフスキー』、講談社文芸文庫、２０１５年
吉川浩満『理不尽な進化――遺伝子と運のあいだ』、朝日出版社、２０１４年
デイヴィッド・ライアン『監視社会』河村一郎訳、青土社、２００２年
G・W・ライプニッツ『ライプニッツ著作集』第6巻、佐々木能章訳、工作舎、１９９０年
ジャック・ラカン『精神分析の四基本概念』ジャック＝アラン・ミレール編、小出浩之ほか訳、岩波書店、２０００年
エルネスト・ラクラウ、シャンタル・ムフ『民主主義の革命――ヘゲモニーとポスト・マルクス主義』西永亮、千葉眞訳、ちくま学芸文庫、２０１２年
エリック・リード『旅の思想史――ギルガメシュ叙事詩から世界観光旅行へ』伊藤誓訳、法政大学出版局、１９９３年
ジャン＝ジャック・ルソー『ルソー全集』第1巻、小林善彦訳、白水社、１９７９年
――『ルソー全集』第2巻、小林善彦ほか訳、白水社、１９８１年

――『ルソー全集』第4巻、原好男ほか訳、白水社、１９７８年
――『ルソー全集』第5巻、作田啓一ほか訳、白水社、１９７９年
――『ルソー全集』第9巻、松本勤訳、白水社、１９７９年
――『ルソー全集』第10巻、松本勤ほか訳、白水社、１９８１年
クロード・レヴィ＝ストロース「人類学の創始者ルソー」塙嘉彦訳、山口昌男編『未開と文明』新装版、平凡社、２０００年
John Lennon, Malcolm Foley, *Dark Tourism: The Attraction of Death and Disaster*, International Thomson Business Press, 2001.
スティーブン・レビー『ハッカーズ』古橋芳恵、松田信子訳、工学社、１９８７年
リチャード・ローティ『偶然性・アイロニー・連帯――リベラル・ユートピアの可能性』齋藤純一ほか訳、岩波書店、２０００年
――『アメリカ 未完のプロジェクト――20世紀アメリカにおける左翼思想』小澤照彦訳、晃洋書房、２０００年
Richard Rorty, *Contingency, Irony, and Solidarity*, Cambridge University Press, 1989.
ジョン・ロールズ『万民の法』中山竜一訳、岩波書店、２００６年
――『正義論』川本隆史ほか訳、紀伊國屋書店、２０１０年
若林幹夫編著『モール化する都市と社会――巨大商業施設論』、ＮＴＴ出版、２０１３年
ダンカン・ワッツ『スモールワールド――ネットワークの構造とダイナミクス』栗原聡、佐藤進也、福田健介訳、東京電機大学出版局、２００６年
『岩波 哲学・思想事典』岩波書店、１９９８年

※書籍・版元によって著者名の表記が異なる場合でもひとつの項目にまとめた。

わ

ま

な

は

た

さ

か

索引

・以下は本書に登場する人名の索引である。子項目として、本書で言及されている文献・作品を掲載した。
・本文、注で姓のみが記されている人名についても、原則として姓名を記載した。
・書籍により表記が異なる場合でも一項目にまとめている。
・文献の編者、訳者は割愛した。
・注でのみ言及されている場合は、ページ数のあとに「n」を付した。
・図のキャプションおよび文献一覧、書名などの一部としての登場は除外した。

あ

本書は、2017年に小社が刊行した『ゲンロン0　観光客の哲学』を一部修正し、書き下ろしの序文と、「中国語繁体字版への序文」、「英語版への序文」、補遺の2章を加えたものです。追加部分の初出は各文章の末尾に示しています。

特設ページはこちら

表紙・扉イラスト＝100% ORANGE
図版制作＝LABORATORIES（159、201ページを除く）

ゲンロン叢書｜013

観光客《かんこうきゃく》の哲学《てつがく》　増補版《ぞうほばん》

発行日　二〇二三年六月一五日　第一刷発行

著者　東《あずま》浩紀《ひろき》

発行者　上田洋子

発行所　株式会社ゲンロン
一四一―〇〇三一
東京都品川区西五反田二―二四―四
WEST HILL 二階
電話：〇三―六四一七―九二三〇
FAX：〇三―六四一七―九二三一
info@genron.co.jp
https://genron.co.jp/

装丁　名久井直子

組版　株式会社キャップス

印刷・製本　株式会社シナノパブリッシングプレス

ISBN 978-4-907188-49-8 C0010

小社の刊行物　2023年6月現在

『ゲンロン』　東浩紀編

ソーシャルメディアによって言葉の力が数に還元される現在。その時代精神に異を唱え、真に開かれた言説を目指し創刊された批評誌シリーズ。
2420〜3080円。

ゲンロン叢書004

新しい目の旅立ち
プラープダー・ユン　福冨渉訳

タイ・ポストモダンのカリスマが「新しい目」で世界と出会う。小説でも哲学でもある、思考の旅の軌跡。
2420円。

ゲンロン叢書005

新写真論　スマホと顔　大山顕

写真は人間を必要としなくなるのではないか。自撮りからデモまで、SNS時代を読み解く画期的な写真論。
2640円。

ゲンロン叢書006

新対話篇　東浩紀

政治優位の時代に、哲学と芸術の根本に立ち返る対話集。梅原猛、鈴木忠志、筒井康隆ら12人との対談・鼎談を収録。2640円。

ゲンロン叢書007

哲学の誤配　東浩紀

韓国の読者に向けたインタビュー、中国での講演を収録。誤配から観光へ展開した著者の思想を解き明かす。1980円。

ゲンロン叢書008

新プロパガンダ論
辻田真佐憲＋西田亮介

安倍政権、五輪、コロナ禍。嘘と宣伝が飛び交う政況を、気鋭の論客ふたりが切る。分断を越えるための政治分析。1980円。

ゲンロン叢書009

新復興論　増補版　小松理虔

震災から10年、福島のアクティビストは何を思うのか。大佛次郎論壇賞受賞作に、書き下ろしを加えた決定版。2750円。

ゲンロン叢書010

新映画論　ポストシネマ　渡邉大輔

あらゆる動画がフラットに受容されるいま、「シネマ」とはなにを意味するのか。新たな映画の美学を切り開く。3300円。

ゲンロン叢書011

世界は五反田から始まった
星野博美

祖父の手記に綴られていたのは、この土地に生きた家族の物語と、「もう一つの大空襲」の記録だった。第49回大佛次郎賞受賞。1980円。

ゲンロン叢書012

中国における技術への問い
宇宙技芸試論
ユク・ホイ　伊勢康平訳

破局に向かうテクノロジーを乗り越える「宇宙技芸」とはなにか。諸子百家と人新世を結ぶ、まったく新たな技術哲学の誕生。3300円。

価格はすべて税込みです。